La Piel de Zapa

Por

Honore de Balzac

Sitio web : http://culturea.fr
Impresión: BOD - Books on Demand
(Norderstedt, Alemania)
Correo electrónico : infos@culturea.fr
ISBN :9791041810772
Depósito legal : abril 2023

I

EL TALISMÁN

Hacia fines del mes de octubre último, entró un joven en el Palacio Real, en el momento en que se abrían las casas de juego, conforme a la ley que protege una pasión esencialmente imponible. Sin titubear apenas, subió la escalera del garito señalado con el número 36.

— ¡Caballero! ¿Me hace usted el favor del sombrero? —requirió en voz seca y gruñona un viejecillo paliducho, acurrucado en la sombra, resguardado por una barricada, y que se levantó súbitamente, mostrando un rostro vaciado en un tipo innoble.

Cuando entras en una casa de juego, la ley comienza por despojarte de tu sombrero. ¿Será ello una parábola evangélica y providencial? ¿Será más bien una manera de cerrar un contrato infernal contigo, exigiéndote no sé qué prenda? ¿Será quizá para obligarte a guardar actitud respetuosa para con aquellos que van a ganarte el dinero? ¿Será por ventura, que la policía, agazapada en todos los bajos fondos sociales, tiene afán de averiguar el nombre de tu sombrerero o el tuyo, si es que le has estampado en el forro? ¿Será, en fin, para tomar la medida de tu cráneo y confeccionar una instructiva estadística, relativa a la capacidad cerebral de los jugadores?

En este punto, el silencio de la Administración es absoluto. Pero, sábelo bien; apenas avances un paso hacia el tapete verde, ya no te pertenece tu sombrero, como tampoco te perteneces tú mismo; tanto tú, como tu fortuna, tus prendas de vestuario, hasta tu bastón, todo es del juego. A tu salida, el juego te demostrará, mediante un atroz epigrama en acción, que te ha dejado algo, devolviéndote tu indumentaria. No obstante, si en alguna ocasión llevas sombrero nuevo, aprenderás, a tu costa, que conviene hacerse un traje de jugador.

El asombro manifestado por el joven al recibir una ficha numerada a cambio de su sombrero, cuyos bordes, por fortuna, estaban ligeramente pelados, reveló bastante a las claras un alma todavía inocente. Así, el viejecillo, encenagado sin duda, desde su mocedad en los ardientes placeres de la vida del jugador, le lanzó una mirada de compasiva ternura, en lo que un filósofo hubiera leído las miserias del hospital, la vagabundez del arruinado, los sumarios y procesos, los trabajos forzados a perpetuidad, las expatriaciones al Guazacoalco.

Aquel hombre, cuya escuálida y exangüe faz denotaba la deficiencia de alimentos, presentaba la pálida imagen del vicio reducida a su más mínima expresión. Sus arrugas delataban las huellas de antiguas torturas, y debía jugarse sus menguados emolumentos el día mismo en que los cobraba. Semejante a esos rocines en los que no producen mella los palos, no había nada que le inmutara; los sordos gemidos de los jugadores que salían arruinados, sus mudas imprecaciones, sus estúpidas miradas, no causaban en él la más ligera impresión. Era la encarnación del juego. Si el joven hubiera contemplado al triste Cerbero, quizá se habría dicho:

— ¡Ese hombre es una baraja ambulante!

El desconocido desatendió el consejo viviente instalado allí sin duda por la Providencia como ha situado la repulsión a la puerta de todos los lugares de vicio, y entró resueltamente en la sala, donde el sonido del oro ejercía deslumbradora fascinación sobre los sentidos, en plena codicia. Era probable que aquel joven fuese impulsado allí por la más lógica de todas las elocuentes frases de J. J. Rousseau, que, a mi juicio, encierra este triste pensamiento «Sí, concibo que un hombre recurra al juego; pero sólo en el caso extremo de no ver más que su último escudo entre él y la muerte».

Por la tarde, las casas de juego sólo tienen una poesía vulgar, pero de un efecto tan seguro como un drama sangriento. Las salas están repletas de «mirones» y de jugadores, de ancianos indigentes, que se arrastran por allí para entrar en calor, de fisonomías agitadas, de orgías comenzadas en el vino y prestas a acabar en el Sena. Si la pasión abunda, el excesivo número de actores impide contemplar frente a frente al demonio del juego. La velada es un verdadero trozo de conjunto, en el que toda la compañía canta, en el que cada instrumento de la orquesta modula su frase. Allí se ven numerosas personas respetables, que van en busca de solaz y lo pagan, como pagarían el placer del espectáculo o la satisfacción de un capricho gastronómico.

¿Pero alcanzaríais a comprender todo el delirio y el vigor encerrados en el alma de un hombre que espera con impaciencia la apertura de un tugurio? Entre el jugador de la madrugada y el jugador de la tarde, existe la diferencia que separa al marido indolente del amante embobado bajo los balcones de su beldad. Sólo durante la madrugada se muestran la pasión palpitante y la necesidad, en toda su horrible desnudez. En aquel momento podríais admirar a un verdadero jugador, a un jugador que no ha comido, dormido, vivido ni pensado mientras ha sido flagelado por el látigo de su martingala, mientras ha sufrido, asediado por la comezón de un golpe de «treinta y cuarenta».

A aquella hora maldita, encontraríais ojos cuya calma espanta, rostros que fascinan, miradas que remueven las cartas y las devoran. Así, las casas de juego no son sublimes más que a la apertura de sus sesiones. Si España tiene sus corridas de toros, si Roma tuvo sus gladiadores, París puede vanagloriarse de su Palacio Real, cuyas provocativas ruletas proporcionan el placer de ver correr la sangre a oleadas, sin el temor de que resbalen los pies. Intentad lanzar una mirada furtiva sobre aquella palestra, entrad… ¡Qué desnudez! Los muros, cubiertos de un papel mugriento hasta la altura de una persona, no ofrecen una sola imagen capaz de refrigerar el alma. Ni siquiera se encuentra un clavo para facilitar el suicidio. El entarimado está carcomido y sucio. Una mesa oblonga ocupa el centro de la sala. La modestia de las sillas de paja agrupadas en torno de aquel tapete gastado por el roce del oro, denuncia una curiosa indiferencia por el lujo, entre los hombres que van a sucumbir allí por el afán de la fortuna y del fausto.

Esta antítesis humana se descubre dondequiera que el alma reacciona poderosamente sobre sí misma. El galán desearía ver a su amada reposando sobre mullidos cojines de seda, envuelta en vaporosos tisúes orientales, y la mayor parte del tiempo la posee sobre un camastro. El ambicioso se imagina en la cumbre del poder, sin dejar de rastrear por el fango del servilismo. El traficante vegeta en el fondo de un tenducho húmedo y malsano, levantando un vasto palacio de donde su hijo, heredero precoz, será arrojado por una licitación fraternal. En fin, ¿existe algo más repulsivo que una casa de placer? ¡Problema singular! En constante oposición consigo mismo, midiendo sus esperanzas por sus males presentes y sus males por un porvenir que no le pertenece, el hombre imprime a todos sus actos el carácter de la inconsciencia y de la debilidad. Aquí abajo, no hay nada completo más que la desgracia.

Cuando el joven entró en el salón, había ya en él varios jugadores. Tres ancianos calvos estaban sentados indolentemente alrededor del tapete verde: sus rostros marmóreos, impasibles, como los de los diplomáticos, revelaban almas estragadas, corazones que hacía mucho tiempo que se habían olvidado de palpitar, ni aun arriesgando los bienes parafernales de una esposa.

Un joven italiano, de negra cabellera y tez cetrina, acodado tranquilamente al extremo de la mesa, parecía escuchar esos presentimientos secretos que gritan fatalmente al jugador: «¡Sí! ¡No!». Aquella cabeza meridional respiraba oro y fuego. Siete u ocho mirones, en pie, alineados formando galería, aguardaban las escenas que les preparaban los vaivenes de la suerte, las fisonomías de los actores, el movimiento del dinero y el de las raquetas. Aquellos desocupados se estacionaban allí, silenciosos, inmóviles, atentos como el pueblo al cadalso, cuando el verdugo cercena una cabeza.

Un hombre alto y flaco, raído de ropa, con una tarjeta en una mano y un lapicero en la otra, marcaba los pases del encarnado y del negro. Era uno de esos Tántalos modernos, que viven al borde de todos los goces de su siglo, uno de esos avaros sin tesoro, que atraviesan una puesta imaginaria; especie de loco razonable, que se consolaba de sus miserias acariciando una quimera, que actuaba, en fin, con el vicio y el peligro como los recién ordenados con la Eucaristía, cuando dicen misas blancas. Frente a la banca, un par de esos ladinos especuladores, expertos en lances de juego y semejantes a antiguos forzados, a quienes ya no asustan las galeras, permanecían en acecho, para aventurar tres golpes y llevarse inmediatamente la incierta ganancia de que vivían. Dos viejos criados se paseaban perezosamente con los brazos cruzados, mirando de vez en cuando al jardín, por detrás de las vidrieras, como para mostrar a los transeúntes sus anchas faces, a guisa de enseña.

El banquero acababa de lanzar su inexpresiva mirada circular sobre los puntos y de pronunciar el monótono «¡Hagan juego!», cuando el joven abrió la puerta. El silencio se hizo más profundo y las cabezas se volvieron al recién llegado, por curiosidad. ¡Cosa inaudita! Los embotados viejos, los pétreos empleados, los «mirones» y hasta el fanático italiano, experimentaron cierta impresión de espanto, al ver al desconocido. ¿No se ha de ser bien desgraciado para obtener piedad, bien débil para inspirar simpatía, de bien siniestro aspecto para estremecer las almas, en un lugar en que los dolores deben ser mudos, donde la miseria es alegre y la desesperación mesurada? Pues bien; de todo ello hubo en la sensación nueva que removió aquellos corazones helados, en el momento de entrar el joven. ¿Acaso no lloraron también alguna vez los verdugos, ante las vírgenes cuyas blondas cabezas debían ser segadas a una señal de la Revolución?

A la primera ojeada, los jugadores leyeron en el semblante del novicio algún horrible misterio. Sus juveniles facciones estaban impregnadas de una gracia nebulosa; sus miradas denunciaban esfuerzos fracasados, mil esperanzas defraudadas. La hosca impasibilidad del suicidio daba a aquella frente una palidez mate y enfermiza: una amarga sonrisa plegaba ligeramente las comisuras de los labios, y la fisonomía expresaba una resignación, que impresionaba desagradablemente. Algún secreto genio centelleaba en el fondo de aquellas pupilas, veladas quizá por las fatigas del placer. ¿Era que los estragos de una vida licenciosa empañaban el brillo de aquel noble rostro, en otro tiempo puro y rozagante, ahora degradado? Los médicos habrían atribuido indudablemente a lesiones cardíacas o pulmonares el círculo amarillento que rodeaba los párpados y el tinte rojizo de las mejillas, en tanto que los poetas hubieran pretendido reconocer en aquellos síntomas los estragos de la vigilia, las huellas de noches de estudio pasadas al resplandor de un quinqué. Pero era una pasión más mortal que la enfermedad, una enfermedad más implacable que la fiebre del estudio, la que alteraba aquel cerebro mozo, la que contraía aquellos músculos vivaces, la que hacía retorcer aquel corazón, apenas desflorado por las orgías, el estudio y la enfermedad. Así como cuando llega un célebre criminal al presidio, los penados le acogen con respeto, así todos aquellos demonios humanos, duchos en torturas, saludaron un dolor insólito, una herida profunda que sondeaba su mirada, y reconocieron uno de sus príncipes en la majestad de su muda ironía, en la elegante miseria de sus ropas. El joven vestía un frac de buen gusto, pero los bordes del chaleco y de la corbata estaban concienzudamente unidos, para que se le supusiera camisa. La limpieza de sus manos, pulidas como manos femeninas, era bastante dudosa; en fin, ¡hacía dos días que no llevaba guantes!

Si el banquero y los propios criados de la sala se estremecieron, fue porque aún se observaban los rastros de una encantadora inocencia en aquellas formas gráciles y delicadas, en aquella blonda y rala cabellera, ensortijada naturalmente. El sujeto en cuestión no contaba más de veinticinco años, y el vicio parecía ser en él tan sólo un accidente. La lozanía de la juventud seguía luchando con los estragos de una impotente lascivia. Las tinieblas y la luz, la nada y la existencia combatían entre sí, produciendo a la vez atracción y horror. El joven se presentaba allí como un ángel sin aureola, extraviado en su camino. Así, todos aquellos profesores eméritos de vicio y de infamia, semejantes a una repugnante Celestina, acometida por la piedad a la vista de una hermosa doncella que se ofrece a la corrupción, estuvieron a punto de gritar al novato:

— ¡Vete!

El recién llegado marchó derecho a la mesa, se quedó en pie, tiró al azar sobre el tapete una moneda de oro que tenía en la mano, y que fue, rodando, al negro; luego, a fuer de corazón esforzado, que abomina de trapaceras incertidumbres, lanzó al tallador una mirada, entre turbulenta y tranquila.

El interés de aquel golpe fue tal, que los viejos hicieron postura; pero el italiano, asaltado por una luminosa idea que cruzó su mente, con el fanatismo de la pasión, apuntó su montón de oro en contra del juego del desconocido. El banquero se olvidó de pronunciar esas frases que, a la larga, se convierten en un murmullo ronco e ininteligible:

— ¡Hagan juego!... ¿Está hecho?... ¡No va más!

Al extender las cartas sobre la mesa, el tallador, indiferente siempre a la pérdida o a la ganancia de los aficionados a aquellos sombríos placeres, pareció mostrarse deseoso de que la suerte favoreciese al advenedizo. A cada espectador se le antojó ver un drama y la última escena de una noble vida en la suerte de aquella moneda de oro; sus pupilas, clavadas en las fatídicas cartulinas, chispeaban; pero, a pesar de la atención con que miraron alternativamente al joven y a las cartas, no pudieron sorprender el menor síntoma de emoción en su fisonomía fría y resignada.

—Encarnado gana, color pierde —cantó el banquero con solemnidad.

Una especie de sordo estertor salió del pecho del italiano, al ver caer, uno a uno, los billetes doblados que le arrojó el pagador. En cuanto al joven, no se dio cuenta de su ruina hasta el momento en que se alargó la raqueta para recoger su última moneda. El marfil produjo un ruido seco al chocar con el metal, y la moneda, rápida como una flecha, fue a reunirse al montón de oro apilado delante de la caja.

El desconocido cerró los ojos dulcemente y sus labios blanquearon; pero casi en el acto descorrió los párpados, su boca recobró un rojo coralino, y afectando el aire de un inglés para quien la vida carece ya de misterios, desapareció sin mendigar consuelo con una de esas miradas desgarradoras que los jugadores, en su desesperación, suelen lanzar con harta frecuencia a la galería. ¡Cuántos acontecimientos se agolpan en el espacio de un segundo y qué de cosas en un golpe de dados!

—Debe ser su último cartucho —observó sonriendo el raquetero, después de un instante de silencio, durante el cual retuvo la moneda de oro entre el pulgar y el índice, para exhibirla a la concurrencia.

— ¡Ese tarambana es capaz de tirarse de cabeza al río! —contestó uno de los asiduos, circulando una mirada en torno de la mesa, en la que todos se conocían.

— ¡Bah! —exclamó uno de los libreados servidores, aspirando una toma de rapé.

— ¡Si hubiéramos imitado al señor! —dijo uno de los viejos a sus colegas, señalando al italiano.

Todos los presentes miraron al afortunado jugador, cuyas manos temblaban al contar los billetes de Banco.

—En aquel momento —declaró el italiano— me pareció percibir una voz que murmuraba a mi oído: ¡El juego hará entrar en razón a ese desesperado muchacho!

— ¡Ese hombre no es jugador! —replicó el banquero—; si lo fuese, hubiera distribuido su dinero en tres posturas, para contar con más probabilidades.

El joven pasó por delante de la portería, sin reclamar su sombrero; pero el viejo mastín, después de observar el mal estado de aquel guiñapo, se lo entregó sin proferir palabra. El jugador restituyó maquinalmente la contraseña y descendió las escaleras tarareando «Di tanti palpiti», en tono tan quedo, que apenas oiría él mismo las deliciosas notas.

Una vez bajo las arcadas del Palacio Real, siguió hasta la calle de San Honorato, tomó el camino de las Tullerías y atravesó el jardín, con paso vacilante. Caminaba como por un despoblado, empujado por los transeúntes, a quienes no veía, sin escuchar a través de los clamores populares más que una sola voz; la de la muerte; perdido, en fin, en un ensimismamiento semejante al que invadía, en otro tiempo, a los acusados a quienes se conducía en una carreta desde el Palacio a la Gréve, hacia el cadalso tinto en la sangre vertida desde 1793.

Existe algo de grande y de horrible en el suicidio. Hay muchos cuyas caídas carecen de peligro, porque, como las de los niños, son desde muy bajo para lastimarse; pero, cuando un hombre se estrella, debe venir de muy alto, haberse elevado hasta los cielos, haber vislumbrado algún paraíso inaccesible. Implacables deben ser los huracanes que le fuerzan a demandar la paz del alma al cañón de una pistola. ¡Cuántos jóvenes talentos, confinados en una buhardilla, se marchitan y perecen por falta de un amigo, por falta del consuelo de una mujer, en el seno de un millón de seres, en presencia de una multitud harta de oro y que se aburre! Ante semejante idea, el suicidio adquiere proporciones gigantescas. Entre una muerte voluntaria y la fecunda esperanza cuya voz llamara a un joven a París, sólo Dios sabe el cúmulo de concepciones encontradas, de poesías abandonadas, de lamentos y de gritos ahogados, de tentativas inútiles y de méritos abortados. Cada suicidio es un sublime poema de melancolía. ¿Dónde encontraréis, en el océano de las literaturas, un libro flotante que pueda luchar en genio con esta gacetilla: «Ayer, a las cuatro, una muchacha se arrojó al Sena desde lo alto del Puente de las Artes»?

Ante tal laconismo parisino, todo palidece; los dramas, las novelas, hasta la vieja portada: «Las lamentaciones del glorioso rey de Kaérnavan, reducido a prisión por sus hijos»; último fragmento de un libro perdido, cuya sola lectura enternecía a Sterne, sin perjuicio de abandonar a su mujer y a sus hijos.

El desconocido fue asaltado por mil pensamientos semejantes, que pasaban en jirones por su alma, como desgarradas banderas ondeantes en el fragor de una batalla. Si depositaba durante un momento el fardo de su inteligencia y de sus recuerdos, para detenerse ante algunas flores cuyas corolas balanceaba muellemente la brisa entre los macizos de verdura, se sentía bruscamente embargado por una convulsión de la vida, que respingaba todavía bajo la abrumadora idea del suicidio, y elevaba los ojos al cielo; pero los grises nubarrones, las bocanadas de viento, cargadas de tristeza, la pesadez de la atmósfera, seguían aconsejándole morir.

Se encaminó hacia el puente Real, pensando en los últimos caprichos de sus predecesores. Sonrió al recordar que lord Castlereagh satisfizo la más humilde necesidad física antes de cortarse el cuello, y que el académico Auger fue a buscar su caja de rapé, aspirando el acre polvillo al avanzar hacia la muerte. Analizando estas extravagancias, hubo de interrogarse a sí mismo, cuando al estrecharse contra el parapeto del puente, para dejar pasar a un mozo del mercado, rozó ligeramente con la manga el yeso de la pared y se sorprendió sacudiéndose cuidadosamente el polvo. Llegado al punto culminante de la bóveda, miró al agua con aire siniestro.

— ¡Mal tiempo para zambullirse! —le dijo riendo una vieja, envuelta en andrajos—. El Sena está turbio y frío.

Él contestó con una sonrisa llena de ingenuidad, que denotaba su delirante ardimiento; pero se estremeció de pronto, al ver a lo lejos, sobre el malecón de las Tullerías, la caseta rematada por el cartelón, con el siguiente rótulo, en letras de un pie de altura: «Salvamento de náufragos». Se le apareció el buen Dacheux, armado de su filantropía, requiriendo y utilizando aquellos bienhechores remos, que rompen la cabeza a los ahogados, cuando tienen la desgracia de remontarse a la superficie: le vio exhortando a los curiosos, reclamando un médico, disponiendo las inhalaciones; leyó los pésames de los periodistas, escritos entre la broma de un festín y la sonrisa de una bailarina; oyó el chocar de las monedas asignadas a los barqueros, por su cabeza, por el prefecto del Sena. Muerto, valdría cincuenta francos, mientras que vivo no era sino un hombre de talento sin protectores, sin amigos, sin casa ni hogar, un verdadero cero social, inútil al Estado, que para nada se preocupaba de él. Pareciéndole innoble una muerte en pleno día, resolvió morir de noche, a fin de entregar un cadáver indescifrable a aquella sociedad, que desconocía la grandeza de su vida.

Continuó, pues, su camino y se dirigió al muelle Voltaire, adoptando el andar indolente de un desocupado que desea matar el tiempo. Al descender los peldaños que terminan la acera del puente, en el ángulo del malecón, atrajeron sus miradas unos librotes extendidos sobre el parapeto. En poco estuvo que ajustase algunos. Sonrió, metió filosóficamente las manos en los bolsillos, y ya se disponía a reanudar su interrumpida marcha, en la que se notaba cierto dejo de frío desdén, cuando quedó admirado al oír resonar unas monedas en el fondo de su faltriquera, de un modo verdaderamente fantástico. Una sonrisa de esperanza iluminó su rostro, deslizándose de sus labios a sus facciones y a su frente y haciendo brillar de alegría sus pupilas y sus sombrías mejillas. Aquel destello de felicidad se asemejaba a los chispazos que recorren los restos de un papel consumido ya por las llamas; y cupo al semblante la propia suerte de las negras cenizas, tornándose triste cuando el desconocido, después de retirar apresuradamente la mano de su bolsillo, vio tan sólo tres monedas de diez céntimos.

— ¡Signorino! ¡Per carita!… ¡Una limosna para pan!

Un muchachuelo de rostro sucio y abotagado, mal cubierto de harapos, tendió la mano al personaje, para arrancarle sus últimos recursos.

A dos pasos del saboyanito, un anciano vergonzante, de aspecto achacoso y miserable, envuelto en un mantón agujereado, le dijo en bronca voz velada:

— ¡Caballero! ¡Una voluntad, por el amor de Dios!…

—Pero, cuando el joven miró al anciano, éste calló y cesó en su súplica, reconociendo quizá en aquel fúnebre semblante la divisa de una miseria más acerba que la suya.

— ¡Per carita! ¡Per carita!

El desconocido distribuyó su capital entre el chicuelo y el anciano, abandonando la acera y cruzando a la parte edificada, por no poder soportar la punzante vista del Sena.

— ¡Dios se lo pague y se lo aumente! —dijeron a la vez ambos mendigos.

Al llegar al escaparate de una estampería, el moribundo tropezó con una joven que descendía de un lujoso tren. Contempló con fruición a la encantadora mujer, cuyo blanco rostro iba encuadrado armónicamente en la seda de un elegante sombrero, y quedó seducido por su esbelto talle, por la gracia de sus movimientos. La falda, ligeramente levantada por el estribo, dejó al descubierto los delicados contornos de una bien moldeada pantorrilla, encerrada en una tersa media blanca.

La joven entró en el establecimiento regateó y ajustó varios álbumes y colecciones de litografías y compró por valor de algunas monedas de oro, que relucieron y tintinearon sobre el mostrador. Nuestro personaje, aparentemente abstraído en examinar los grabados expuestos en el aparador, cambió vivamente con la hermosa desconocida la más penetrante de las miradas que pueda lanzar un hombre, contra una de esas indiferentes ojeadas dirigidas al azar a los transeúntes. Era, por parte del hombre, un adiós al amor, a la mujer; pero esta última y poderosa interrogación no fue comprendida, no conmovió aquel corazón de mujer frívola, no la ruborizó, no la hizo bajar los ojos.

¿Qué significaba aquello para ella? Una admiración más, un deseo inspirado, que le sugeriría por la noche esta grata reflexión: «¡La verdad es que hoy estaba bien!».

El joven se trasladó seguidamente de sitio, sin volver siquiera la cabeza cuando la desconocida ocupó de nuevo su carruaje. Los caballos arrancaron, y aquella postrera imagen del lujo y de la elegancia se eclipsó, como pronto se eclipsaría su vida. Avanzó melancólicamente a lo largo de los almacenes, examinando sin gran interés las muestras de mercancías. Cuando acabaron las tiendas, estudió el Louvre, el Instituto, las torres de Nuestra Señora, las del Palacio, el puente de las Artes. Aquellos monumentos parecían tomar una fisonomía triste al reflejar los grisáceos matices del cielo, cuyos escasos claros prestaban un aire amenazador a París, que semejante a una mujer bonita, está sometiendo a inexplicables caprichos de fealdad y de belleza. Hasta la propia Naturaleza conspiraba para sumir al moribundo en un éxtasis doloroso. Presa de aquel poder maléfico, cuya acción disolvente encuentra un vehículo en el fluido que circula por nuestros nervios, sentía llegar insensiblemente su organismo a los fenómenos de la fluidez. Las borrascas de aquella agonía le imprimían un movimiento semejante al de las olas, y le hacían ver edificios y hombres a través de una bruma, en la que todo ondulaba.

Trató de substraerse a las titulaciones que producían en su alma las relaciones de la naturaleza física, y se dirigió a un almacén de antigüedades, con el propósito de dar pasto a sus sentidos, o de aguardar allí la noche, simulando el deseo de adquirir objetos de arte. Era, por decirlo así, reunir ánimos y pedir un cordial, como los condenados que desconfían de sus fuerzas al ir al patíbulo; pero la conciencia de su próximo fin infundió, por un momento, en el joven la entereza de una duquesa con dos amantes, y entró en la tienda del anticuario con aire desenvuelto, dejando ver en sus labios una sonrisa fija, como la de un beodo. ¿Acaso no estaba embriagado de la vida, o quizá de la muerte?

No tardó en recaer en sus vértigos, y continuó viendo las cosas bajo extraños colores o animadas de un ligero movimiento, cuya causa era, sin duda, una irregular circulación de su sangre, tan pronto turbulenta, como una cascada, tan pronto tranquila y blanda, como el agua tibia. Solicitó simplemente visitar los almacenes, para ver si encerraba alguna curiosidad que le conviniera. Un mocetón de cara fresca y mofletuda, cabellera roja, cubierto con una gorra de nutria, encomendó la vigilancia del establecimiento a una anciana lugareña, especie de Caliban femenino, ocupada en limpiar una estufa, cuyas maravillas eran debidas al genio de Bernardo de Palissy. Luego, dijo al presunto parroquiano, con aire indiferente:

— ¡Verá usted, caballero!... Aquí abajo, en la tienda, sólo tenemos lo más corriente; pero, si quiere usted tomarse la molestia de subir al primer piso, podré enseñarle magníficas momias del Cairo, varias artísticas incrustaciones, algunos ébanos tallados, «auténtico Renacimiento», recientemente llegados y que son verdaderas preciosidades.

En la horrible situación en que se hallaba el desconocido, aquella charla de cicerone, aquellas frases neciamente mercantiles, fueron para él como las ruines tacañerías con que ciertos espíritus mezquinos asesinan a un hombre de genio. Llevando su cruz hasta el fin, pareció escuchar a su guía y le contestó con gestos o con monosílabos; pero, insensiblemente, supo conquistar el derecho de permanecer silencioso y pudo entregarse libremente a sus últimas meditaciones, que fueron terribles. Era poeta, y su alma encontró fortuitamente inmenso campo; debía ver, anticipadamente, los restos de veinte mundos.

A primera vista, los almacenes le ofrecieron un cuadro confuso, en el que se amontonaba lo divino y lo humano. Cocodrilos, boas, monos disecados, sonreían a los ventanales de iglesia, parecían querer morder los bustos, correr tras las lacas, trepar a las pendientes arañas. Un jarrón de Sévres, en el que madame Jacotot pintó a Napoleón, se hallaba junto a una esfinge dedicada a Sesostris. El comienzo del mundo y los acontecimientos de la víspera se asociaban en grotesco maridaje. Un asador se hallaba colocado junto a un viril, un sable republicano sobre un mandoble de la Edad Media. Madame Dubarry, pintada al pastel por Latour, con una estrella en la frente, desnuda y entre nubes, parecía contemplar concupiscentemente un braserillo indio, como pretendiendo investigar la utilidad de las espirales que serpenteaban hacia ella.

Los instrumentos de muerte, puñales, pistolas curiosas, armas de secreto, arrojadas en revuelta confusión con instrumentos de vida; soperas de porcelana, platos de Sajonia, tazas transparentes, procedentes de China, saleros antiguos, bomboneras feudales. Un bajel de marfil bogaba a toda vela sobre el caparazón de una inmóvil tortuga. Una máquina neumática, dejaba tuerto al emperador Augusto, majestuosamente impasible.

Varios retratos de regidores franceses, de burgomaestres holandeses, insensibles entonces como durante su vida, se destacaban entre aquel caos de antigüedades, lanzándoles una mirada indiferente y fría. Todos los ámbitos de la tierra parecían haber aportado allí algún resto de su ciencia, alguna muestra de su arte.

Era una especie de vertedero filosófico, en el que nada faltaba; ni la pipa del salvaje, ni la pantufla verde y oro del serrallo, ni el yatagán morisco, ni el ídolo tártaro. Allí se veía, desde la cantimplora del soldado, hasta el cáliz del sacerdote, hasta las galas de un trono. Y aun todos aquellos monstruosos residuos estaban sujetos a mil accidentes de luz, por lo estrambótico de los reflejos debidos a la confusión de matices, al brusco contraste de claros y obscuros.

El oído parecía percibir gritos continuados, la imaginación sorprender dramas incompletos, la pupila vislumbrar resplandores mal velados. Por añadidura, un polvillo pertinaz tendía su manto sobre aquellos objetos, cuyos múltiples ángulos y cuyas numerosas sinuosidades producían los más pintorescos efectos.

El desconocido comparó a primera vista aquellas tres salas abarrotadas de civilización, de cultos, de divinidades, de obras maestras, de realezas, de ruinas, de sensatez y de locura, a un espejo lleno de facetas, de las que cada cual representara un mundo. Después de aquella impresión brumosa, intentó escoger donde distraerse; pero a fuerza de mirar, de pensar, de soñar, cayó bajo el imperio de una fiebre, debida tal vez al hambre que rugía en sus entrañas. La contemplación de tantas existencias colectivas o individuales, contrastadas por aquellos testimonios supervivientes; acabó de ofuscar los sentidos del joven; el deseo que le impelió al almacén, estaba colmado: salió de la realidad, ascendió gradualmente a un mundo ideal, llegó a los palacios encantados del Éxtasis, donde se le apareció el Universo, por residuos y en trazos de fuego, como en otros tiempos pasó flameando el porvenir ante los ojos de San Juan en Pathmos.

Una multitud de imágenes doloridas, atractivas y pavorosas, opacas y diáfanas, remotas y próximas, se elevó por masas, por miríadas, por generaciones. Egipto, rígido, misterioso, se alzó de sus arenales representado por una momia envuelta en negros vendajes; después, fueron los Faraones, sepultando pueblos para construirse una tumba, y Moisés, y los hebreos, y el desierto. Vislumbró todo un mundo antiguo y solemne. Fresca y apacible, una estatua de mármol, asentada sobre una columna truncada y radiante de blancura, le habló de los ritos voluptuosos de Grecia y de jonia. ¡Ah! ¿Quién no hubiera sonreído, como él, al ver, destacándose del fondo rojo a la morena doncella, danzando en el fino barro de un vaso etrusco ante el dios Príapo, que la saludaba jubilosamente? Frente por frente, una reina latina acariciaba su quimera con amor. Allí respiraban a sus anchas los caprichos de la Roma imperial, revelando el baño, el lecho, el tocado de una Julia indolente, soñadora, esperando a su Tíbulo. Armada con el poder de los talismanes árabes, la cabeza de Cicerón evocaba los recuerdos de Roma libre y le desarrollaba las páginas de Tito Livio.

El joven contempló «Senatus populusque romanus»: el cónsul, los lictores, las togas bordadas de púrpura, las contiendas del Foro, el pueblo airado, desfilaron ante él, como las vaporosas figuras de un sueño. Por fin, la Roma cristiana dominaba aquellas imágenes. Un lienzo abría los cielos, en los que aparecía la Virgen María nimbada por áurea nube, en el seno de los ángeles, eclipsando el fulgor del sol, escuchando las quejas de los desventurados, a los que aquella Eva regenerada sonreía con dulzura.

Al reparar en un mosaico hecho con las distintas lavas del Vesubio y del Etna, su alma saltó a la fogosa y bravía Italia; asistió a las orgías de los Borgia, corrió a los Abruzzos, aspiró los amores italianos, se apasionó por la blancura mate de los rostros y la avasalladora negrura de los ojos. Tembló ante las aventuras nocturnas interrumpidas por la fría espada de un marido, al ver una daga de la Edad Media, cuya empuñadura estaba cincelada con la finura de un encaje y cuyo moho tenía las apariencias de manchas de sangre.

La India y sus religiones revivieron de un ídolo cubierto con el puntiagudo casquete de facetas romboidales, adornado con campanillas y ataviado de seda y oro. Junto al figurón, una esterilla, preciosa como la bayadera que había girado sobre ella, exhalaba todavía las aromas del sándalo. Un monstruo chino, con sus ojos oblicuos, su boca torcida, sus miembros torturados, traían al ánimo los inventos de un pueblo que, harto de la monotonía de la belleza, encuentra inefable placer en prodigar las fealdades. Un salero, salido de los talleres de Benvenuto Cellini, le transportó al seno del Renacimiento, al tiempo en que florecieron las artes y la licencia, en que los soberanos se distraían con suplicio, en que los concilios, echados en los brazos de las cortesanas, decretaban la castidad para los simples clérigos. Vio las conquistas de Alejandro en un camafeo, las matanzas de Pizarro en un arcabuz de mecha, las guerras religiosas, desenfrenadas, ardientes, crueles, en el fondo de un casco. Luego, surgieron las rientes imágenes de la caballería, de una armadura de Milán, primorosamente damasquinada, bien acicalada y bajo cuya visera brillaban aún las pupilas de un paladín.

Aquel océano de muebles, de inventos, de innovaciones, de obras, de ruinas, constituía para él un poema sin fin. Formas, colores, pensamientos; todo revivía allí; pero no se ofrecía nada completo al alma. El poeta debía terminar los croquis del gran pintor que había compuesto aquella inmensa paleta, en la que se habían arrojado profusamente y al desdén los innumerables accidentes de la vida humana. Después de haberse adueñado del mundo, después de haber contemplado países, edades, reinos, el joven volvió a las existencias individuales. Se personificó de nuevo y se fijó en detalles, rechazando la vida de las nacionalidades, como demasiado abrumadora para un hombre solo.

Allá dormía un niño de cera, salvado del estudio de Ruysch, y aquella encantadora criatura le recordó las alegrías de sus infantiles años. Ante la ilusión causada por el virginal faldellín de una doncella de Taiti, su ardiente imaginación le pintó la sencilla vida de la naturaleza, la casta desnudez del verdadero pudor, las delicias de la pereza, tan inherente al hombre, todo un sino tranquilo, al borde de un arroyo límpido y rumoroso, bajo un plátano que dispensara un sabroso maná, sin necesidad de cultivo.

Pero, súbitamente, se convirtió en corsario y revistió la terrible poesía impresa en el papel de Lara, vivamente inspirado por los matices nacarados de mil conchas, exaltado por la vista de algunas madréporas que trascendían al várec, a las algas y a los huracanes atlánticos.

Admirando más allá las delicadas miniaturas, los arabescos de azul y de oro que enriquecían algún precioso códice, olvidaba los tumultos del mar. Muellemente balanceado en una idea de paz, se desposaba nuevamente con el estudio y con la ciencia, apetecía la poltrona vida de los monjes, sin pena ni gloria, y se tendía en el fondo de una celda, contemplando por su ventana en ojiva las praderas, el arbolado, los viñedos de su monasterio. Ante algunos Teniers, se endosaba la bordada casaca del funcionario o la mísera blusa del obrero; ansiaba calarse la pringosa gorrilla de los flamencos, embriagarse de cerveza, jugar a los naipes con ellos, y sonreía a una rechoncha y garrida lugareña. Tiritaba, al contemplar un paisaje nevado de Mieris, o se batía mirando una batalla de Salvador Rossa. Acariciaba un «tomahawk» americano y sentía el escalpelo de un cheroki, que le arrancaba la piel del cráneo. Maravillado a la vista de una guzla, la confiaba a la mano de una castellana, saboreando la melodiosa romanza y declarándola su amor, junto a una chimenea gótica, entre la penumbra del atardecer, en la que se perdía una mirada de consentimiento. Se aferraba a todas las alegrías, se sobrecogía por todos los dolores, se apropiaba todas las formas de existencia, esparciendo tan generosamente su vida y sus sentimientos entre los simulacros de aquella naturaleza plástica y vacía, que el ruido de pasos repercutía en su alma como el sonido lejano de otro mundo, como el rumor de París llega a las torres de Nuestra Señora.

Al subir la escalera interior que conducía a las salas del primer piso, vio escudos votivos, panoplias, tabernáculos esculpidos, figuras de madera pendientes de los muros, depositadas sobre cada escalón. Perseguido por las más extrañas formas, por maravillosas creaciones asentadas en los confines de la muerte y de la vida, caminaba bajo los hechizos de un sueño. Dudando, en fin, de su existencia, estaba como aquellos curiosos objetos, ni muerto del todo, ni vivo en absoluto.

Cuando entró en los nuevos almacenes, comenzaba a palidecer el día; pero la luz parecía innecesaria a las resplandecientes riquezas de oro y de plata allí amontonadas. Los más costosos caprichos de disipadores muertos bajo un miserable abuhardillado, después de haber poseído varios millones, se hallaban en aquel vasto bazar de las locuras humanas. Una papelera, comprada a peso de oro y vendida por un pedazo de pan, yacía junto a una cerradura de secreto, cuyo coste hubiera bastado, en sus tiempos, al rescate de un rey. El genio humano aparecía en todas las pompas de su miseria, en toda la gloria de sus gigantescas pequeñeces. Una mesa de ébano, verdadero ídolo de artista, labrada con arreglo a los dibujos de Juan Goujon, cuya confección costaría seguramente varios años de trabajo, se adquirió tal vez a precio de leña. Cofrecillos preciosos, muebles construidos por manos de hadas, estaban allí desdeñosamente hacinados.

— ¡Aquí tienen ustedes encerrados millones! —exclamó el joven, al llegar al saloncillo que terminaba una larga tirada de habitaciones, doradas y molduradas por artífices de la pasada centuria.

— ¡Ya lo creo! —asintió el mofletudo dependiente—. ¡Millones a granel! Pero esto no es nada; ¡suba usted al tercer piso y verá cosa buena!

El desconocido siguió a su conductor, llegando a una cuarta galería, en la que desfilaron sucesivamente ante sus fatigados ojos varios cuadros de Poussin, una soberbia estatua de Miguel Angel, algunos encantadores paisajes de Claudio Lorrain, un Gerardo Dow, semejante a una página de Sterne, lienzos de Rembrandt, de Murillo, de Velázquez, sombreados y matizados como un poema de lord Byron; además bajos relieves antiguos, cálices de ágata, ónices maravillosos… En fin, era tal el cúmulo de trabajos, de obras maestras acumuladas a porfía, que llegaban a producir hastío, a concitar odio contra las artes y a matar el entusiasmo. Llegó ante una Virgen de Rafael, pero ya estaba harto de Rafael. Un retrato de Correggio, que demandaba una mirada, ni siquiera logró alcanzarla. Un inestimable jarrón de pórfido antiguo, cuyas esculturas circulares representaban la más grotescamente licenciosa de todas las obscenidades romanas, delicia de alguna Cocina, obtuvo apenas una sonrisa. Se ahogaba entre los despojos de cincuenta siglos desvanecidos, se sentía indispuesto bajo el peso de todas aquellas ideas humanas, atacado alevosamente por el lujo y por las artes, oprimido bajo aquellas formas renacientes, que, semejantes a monstruos creados bajo sus plantas por un genio maligno, le libraban un interminable combate.

¿Es que el alma, parecida en sus caprichos a la química moderna, que condensa la creación en un gas, no compone tósigos terribles, por la rápida concentración de sus goces, de sus energías o de sus ideas? ¿No perecen muchos hombres bajo la fulminación de un ácido moral, súbitamente esparcido por lo más hondo de su ser?

— ¿Qué contiene esa caja? —preguntó al entrar en un amplio gabinete, último amontonamiento de gloria, de esfuerzos humanos, de originalidades, de riquezas, entre las que señaló con el índice un gran armazón cerrado, construido de caoba y suspendido de un clavo por una cadena de plata.

— ¡Ah! Tiene la llave el amo —contestó el mocetón con aire misterioso—. Si desea usted ver el retrato, me aventuraré gustosamente a prevenírselo.

— ¡Aventurarse! —replicó el joven—. ¡Pues qué! ¿Acaso es algún personaje su principal?

—No lo sé —contestó el mancebo.

Y ambos se miraron durante un momento, dando mutuas muestras de asombro. Después de interpretar el silencio del desconocido como un deseo, el dependiente le dejó solo en el gabinete.

¿No os habéis lanzado nunca a la inmensidad del espacio y del tiempo, leyendo las obras geológicas de Cuvier? ¿No os habéis cernido, en alas de su genio, sobre el abismo sin límite del pasado, como sostenidos por la mano de un mago? Al descubrir de estrato en estrato, de capa en capa, bajo las canteras de Montmartre o en los esquistos del Ural, esos animales, cuyos restos fosilizados pertenecen a civilizaciones antediluvianas, se asusta el ánimo al considerar los millones de siglos, los millones de pueblos que la frágil memoria humana, que la indestructible tradición divina han olvidado, y cuyas cenizas, acumuladas en la superficie de nuestro globo, constituyen los dos palmos de tierra que nos suministran el pan y las flores.

¿No resulta Cuvier el poeta más grande de su siglo? Lord Byron ha reproducido, en palabras, algunas agitaciones morales; pero el inmortal naturalista ha reconstituido mundos con huesos calcinados; ha reedificado ciudades sobre dientes, cual nuevo Cadmo; ha repoblado millares de selvas de todos los misterios de la zoología, con unos cuantos fragmentos de hulla; ha encontrado poblaciones gigantescas en el casco de un mamut. Estas figuras se alzan, se agrandan y pueblan regiones proporcionadas a sus colosales tamaños. Es un poeta matemático; es sublime agregando un cero al siete. Despierta a la nada, sin pronunciar palabras artificialmente mágicas; escudriña en una partícula de yeso, descubre un vestigio y grita:

— ¡Mirad!

Y a su evocación, los mármoles se animalizan, la muerte se vivifica, el mundo se despliega. Después de innumerables dinastías de seres gigantescos, después de razas de peces y de tribus de moluscos, llega por fin el género humano, producto degenerado de un tipo grandioso, quebrantado quizá por el Creador. Enardecidos por su mirada retrospectiva, esos hombres mezquinos, nacidos ayer, pueden franquear el caos; en tonar un himno sin fin y configurarse el pasado del Universo en una especie de Apocalipsis retrógrado. En presencia de esta maravillosa resurrección, debida a la voz de un solo hombre, la migaja cuyo usufructo nos está concedido en ese infinito sin nombre, común a todas las esferas, al que llamamos Tiempo, ese minuto de vida, nos inspira piedad. Nos preguntamos, agobiados bajo tanto universo en ruina, a qué conducen nuestras glorias, nuestros odios, nuestros amores, y si para convertirnos en un punto intangible para el porvenir vale la pena conservar la vida. Desarraigados del presente, permanecemos muertos hasta que el ayuda de cámara entra para decirnos:

—La señora condesa ha contestado que esperaba al señor.

Las maravillas cuya vista acababa de presentar al joven toda la creación conocida, causaron en su alma el abatimiento que produce en el filósofo la contemplación científica de las creaciones desconocidas. Anheló morir, más vivamente que nunca, y se desplomó sobre una silla curul, dejando errar sus miradas a través de las fantasmagorías de aquel panorama del pasado. Los cuadros se iluminaron, las cabezas de vírgenes le sonrieron y las estatuas parecieron animarse de una vida ficticia. A favor de la sombra, y removidas por el delirio febril que fermentaba en su perturbado cerebro, aquellos objetos se agitaron y se arremolinaron ante él. Cada figurón le lanzó su mueca: los párpados de los personajes representados en los lienzos se entornaron sobre las pupilas, para proporcionarles descanso. Cada una de aquellas formas, se estremeció, saltó, se separó de su sitio, gravemente, ligeramente, con finura o con brusquedad, según sus costumbres, su carácter y su contextura. Aquello fue un sábado misterioso, digno de las fantasías vislumbradas por el doctor Fausto en el Brocken.

Pero estos fenómenos de óptica, engendrados por la fatiga, por la tensión de las fuerzas oculares o por los caprichos del crepúsculo, no podían espantar al desconocido. Los terrores de la vida eran impotentes contra un alma familiarizada con los terrores de la muerte. Hasta favoreció con una especie de zumbona complicidad las extravagancias de aquel galvanismo moral, cuyos prodigios se acoplaban a las últimas ideas que le daban aún el sentimiento de la existencia. El silencio reinaba tan profundamente a su alrededor, que no tardó en caer en un apacible desvarío, cuyas impresiones, gradualmente sombrías, siguieron de matiz en matiz y como por magia las lentas degradaciones de la luz. Un vivo destello, destacado del horizonte, lo envolvió todo con un último reflejo rojizo luchando contra la noche. El joven levantó la cabeza, y vio un esqueleto, apenas iluminado, que movía dubitativamente su cráneo de izquierda a derecha, como diciéndole:

— ¡Aun no te quieren los muertos!

Y al pasarse la mano por la frente, para ahuyentar el sueño, nuestro desconocido experimentó distintamente una sensación de viento fresco producida por un aleteo que le rozó las mejillas, haciéndole estremecer; y como a la vez retemblaran los vidrios con un sordo chasquido, pensó que la fría caricia, propia de los misterios de la tumba, procedía de algún murciélago. Durante un momento más, los vagos reflejos del ocaso del sol le permitieron apreciar indistintamente los fantasmas que le rodeaban; después, toda aquella naturaleza muerta quedó anulada en un mismo tinte sombrío. La noche, la hora de morir, había llegado súbitamente. A partir de aquel instante, transcurrió cierto lapso de tiempo, durante el cual no se dio clara cuenta de las cosas terrenas, ya por hallarse absorto en profunda meditación, ya por ceder a la somnolencia provocada por la fatiga y por la multitud de pensamientos que desgarraban su corazón.

De pronto creyó ser llamado por una voz terrible, y se estremeció, como cuando en medio de una tremenda pesadilla nos sentimos precipitados de golpe a las profundidades de un abismo. Una deslumbradora claridad le hizo cerrar los ojos. Acababa de surgir del seno de las tinieblas una esfera rojiza, cuyo centro estaba ocupado por un viejecillo que se mantenía en pie, enfocando hacia él la viva claridad de una lámpara. Había llegado sigilosamente, sin hablar, ni moverse. Su aparición tuvo algo de fantástico.

El hombre más intrépido, sorprendido así en su sueño, habría temblado indudablemente ante aquel personaje, que parecía salido de un sarcófago próximo. El fulgor juvenil que animaba las pupilas inmóviles de aquella especie de fantasma, impidió a nuestro desconocido sospechar la existencia de un fenómeno sobrenatural; sin embargo, en el rápido intervalo que separó su vida sonámbula de su vida real, permaneció en la duda filosófica recomendada por Descartes, quedando sometido, a su pesar, a la influencia de esas inexplicables alucinaciones, cuyos misterios condena nuestra vanidad o trata en vano de analizar nuestra impotente ciencia.

Figuraos un vejete desmirriado y enteco, vestido con un ropón de terciopelo negro, sujeto a la cintura, por un recio cordón de seda, y cubierto con un casquete, también de terciopelo del mismo color, bajo el cual escapaban los largos mechones de sus cabellos blancos, ajustando rígidamente su frente. La túnica envolvía el cuerpo como un vasto sudario, sin permitir ver otra cosa que la cara enjuta y pálida.

A no ser por el brazo descarnado, semejante a un palo del cual se hubiera colgado una tela, y que el anciano levantaba para proyectar sobre el joven toda la claridad de la lámpara, aquel rostro habría parecido flotar en el espacio. Una barba gris, cortada en punta, daba al estrambótico personaje la apariencia de una de esas cabezas judaicas que sirven de modelo a los artistas para representar a Moisés. Los labios de aquel hombre eran tan descoloridos, tan delgados, que precisaba fijarse con gran atención para columbrar la línea trazada por la boca en el lívido rostro. Su ancha frente surcada de arrugas, sus mejillas hundidas, el rigor implacable de sus ojillos verdes, desprovistos de pestañas y de cejas, hubieran podido hacer creer al desconocido que se había desprendido de su marco el «Pescador de oro», de Gerardo Dow. Una sagacidad inquisitorial, revelada por las sinuosidades de las arrugas y por los pliegues circulares dibujados en sus sienes, denotaba un conocimiento profundo de las cosas de la vida.

Hubiera sido imposible engañar a aquel hombre, que parecía poseer el don de sorprender los pensamientos en el fondo de los corazones más discretos. Las costumbres y la ciencia de todas las nacionalidades se resumían en aquella fisonomía glacial, de igual manera que se acumulaban los productos del mundo entero en sus polvorientos almacenes. En aquella faz, se transparentaba la estoica tranquilidad de un dios que todo lo ve o la seguridad altiva del hombre que todo lo ha visto. Con dos expresiones diferentes y en un par de pinceladas, un pintor habría hecho de aquella cara una hermosa imagen del Padre Eterno o la máscara sarcástica de Mefistófeles, porque en ella corrían parejas la suprema inteligencia de la frente y la mueca burlona de la boca. Al pulverizar todas las penas humanas bajo un poder inmenso, aquel hombre debió matar las alegrías terrenas.

El moribundo joven se sobre, saltó, presintiendo que aquel viejo genio moraba en una esfera extraña al mundo, en la que vivía aislado, sin goces, porque ya no tenía ilusión; sin dolor, porque ya no conocía placeres. El anciano continuaba en pie, inmóvil, inconmovible, como una estrella nimbada de luz. Sus verdosos ojos, impregnados de cierta maliciosa calma, parecían alumbrar al mundo moral como su lámpara iluminaba el misterioso gabinete.

Tal fue el singular espectáculo que sorprendió el joven en el instante de abrir los ojos, después de haberse mecido en ideas de muerte y entre fantásticas visiones. Si permaneció como aturdido, si se dejó dominar momentáneamente por una candidez propia de un parvulillo, a quien se embauca con cuentos de hadas, hay que atribuir tal error al velo extendido sobre su vida y sobre su entendimiento por sus meditaciones, a la excitación de sus crispados nervios, al drama violento cuyas escenas acababan de prodigarle las horribles delicias contenidas en una píldora de opio. La visión tenía efecto en París, en el muelle Voltaire, en pleno siglo decimonono, tiempo y lugar en que la magia debía ser imposible. Vecino de la casa en que expiró el dios de la incredulidad francesa, discípulo de Gay-Lussac y de Arago, menospreciador de los cubileteos de los poderosos, el desconocido no obedecía, sin duda, sino a esas fascinaciones poéticas a las cuales nos prestamos frecuentemente, como para huir de desesperantes verdades, como para tentar el poder de Dios.

Tembló, pues, ante aquella luz y ante aquel viejo, agitado por el inexplicable presentimiento de algún extraño influjo, pero la emoción era semejante a la que todos experimentaríamos ante un Napoleón o en presencia de otro grande hombre brillante de genio y cubierto de gloria.

— ¿Desea usted ver la imagen de Jesucristo pintada por Rafael? —le preguntó cortésmente el anciano, en voz cuya sonoridad clara y breve tenía algo de metálica.

Y depositó la lámpara sobre el fuste de una columna rota, de manera que la caja de caoba recibiese de lleno la luz.

A los sagrados nombres de Jesucristo y de Rafael, el joven no pudo reprimir un gesto de curiosidad, esperado sin duda por el mercader, que oprimió un resorte. El tablero de caoba se deslizó rápidamente por una ranura y cayó sin ruido, exponiendo el lienzo a la admiración del desconocido. Al contemplar la inmortal creación, éste olvidó las fantasías del almacén, los desvaríos de su sueño; recobró su ser y estado, reconoció en el anciano un hombre de carne y hueso, completamente vivo, nada fantástico, y tornó a la realidad. La tierna solicitud, la dulce serenidad del divino rostro produjeron en él inmediata influencia. Cierto perfume emanado de los cielos disipó las torturas infernales que le abrasaban la médula de los huesos. La cabeza del Salvador de los hombres se destacaba de las tinieblas del fondo. Una aureola luminosa fulguraba vivamente en torno de su cabellera; de su frente, de sus carnes, rebosaba la convicción, cual penetrante efluvio. Los carmíneos labios acababan de pronunciar la palabra de vida, y el espectador buscaba el sagrado eco en los aires, demandaba al silencio las sublimes parábolas, escuchaba la divina voz en el porvenir y la rememoraba en las enseñanzas del pasado. El Evangelio se reflejaba en la tranquila simplicidad de aquellos ojos adorables, refugio de las almas conturbadas. Toda la religión católica se leía en una dulcísima y magnífica sonrisa, que parecía expresar el precepto en que se resume «Amaos los unos a los otros».

Aquella pintura inspiraba una plegaria, recomendaba el perdón, ahogaba el egoísmo, despertaba todas las virtudes adormecidas. Participando del privilegio de los encantos de la música, la obra de Rafael infundía imperiosamente el atractivo de los recuerdos y su triunfo era completo se olvidaba al pintor. El efecto de la luz actuaba también sobre aquella maravilla; por momentos, parecía que la cabeza se movía en lontananza, en el seno de una nube.

—Este lienzo está enterrado en oro —dijo con frialdad el mercader.

— ¡Vaya! ¡Es preciso disponerse a morir! —exclamó el joven, como saliendo de un sueño, cuyo último pensamiento le llevaba hacia su fatal destino, haciéndole desistir, por insensibles deducciones, de una postrera esperanza a la cual se había aferrado.

— ¡Ah! ¡Razón tenía yo en desconfiar de ti! —replicó el viejo, asiendo las dos manos del joven y apretándole las muñecas como con unas tenazas.

El desconocido sonrió tristemente al advertir la equivocación, y dijo en tono suave:

— ¡No tema usted nada, señor mío! Se trata de mi vida y no de la suya.

Y después de mirar al viejo, que continuaba receloso, agregó:

— ¿Por qué no confesar una inocente superchería? Esperando la noche, para poder ahogarme sin escándalo, he entrado a contemplar sus tesoros ¿Quién no perdonaría este último gusto a un hombre de ciencia y poeta?

El suspicaz mercader examinó con mirada sagaz el melancólico rostro de su fingido parroquiano mientras éste le hablaba. Tranquilizado prontamente por el acento de aquella voz doliente, o leyendo quizás en aquellas descoloridas facciones el siniestro hado que tanto impresionó poco antes a los jugadores, le soltó las manos; pero su rostro de recelo, que revelaba una experiencia por lo menos centenaria, extendió como al descuido el brazo hacia un aparador, como para apoyarse en él, y preguntó, cogiendo un verduguillo.

— ¿Hace mucho tiempo que le dejaron cesante?

El desconocido no pudo menos de sonreír, contestando con un gesto negativo.

— ¿Ha tenido usted algún altercado con su familia, o ha cometido algún acto deshonroso?

—Si quisiera cometerlo, viviría.

— ¿Le han silbado en el circo o le han obligado a componer bufonadas para pagar el entierro de su amante? ¿O es que padece usted la fiebre del oro? ¿Quiere usted desterrar el tedio? ¿Qué mal pensamiento, en fin, le impulsa al suicidio?

—No busque usted el móvil de mi resolución en los motivos vulgares a que obedecen la mayor parte de los suicidios. Para dispensarme de revelarle penalidades inauditas, difíciles de traducir en palabras, me limitaré a manifestarle que me encuentro en la más profunda, en la más innoble, en la más horrenda de todas las miserias… y no quiero mendigar socorros ni consuelos.

Esta última frase fue pronunciada en un tono cuya salvaje arrogancia desmentía las palabras anteriores.

— ¡Je! ¡Je! —se concretó a replicar el viejo desde luego, con áspera vocecilla semejante al ruido de una carraca.

Y después de una breve pausa, prosiguió diciendo:

—Sin obligar a usted a implorar nada de mí, sin avergonzarle, sin darle un céntimo francés, un parat levantino, un tarino siciliano, un kreutzer alemán, un copeck ruso, un farthing escocés, un solo sextercio ni óbolo de la antigüedad, ni un peso ni piastra de los actuales tiempos, sin ofrecerle absolutamente nada en oro, plata, vellón, papel o billete, pretendo hacerle más opulento, más poderoso y más considerado que un rey constitucional.

El joven creyó que su interlocutor chocheaba, y quedó perplejo, sin atreverse a replicar.

—Vuelva la cara —dijo el mercader, tomando con presteza la lámpara y dirigiendo sus rayos al muro frontero al retrato—, y fíjese en esa piel de zapa.

El joven se levantó bruscamente, mostrándose algo sorprendido al ver sobre la silla que ocupaba un trozo de zapa, adosado a la pared, cuyas dimensiones no excederían de las de una piel de zorro; pero, por un fenómeno inexplicable al pronto, aquella piel proyectaba en la profunda obscuridad que reinaba en el almacén una porción de rayos luminosos, que le comunicaban el aspecto de un cometa en miniatura.

El incrédulo joven se acercó al supuesto talismán, que debía preservarle de la desgracia, mofándose mentalmente de su virtud; pero, impulsado por una curiosidad bien legítima, se inclinó para examinar minuciosamente la piel, no tardando en descubrir la causa naturalísima de aquellos resplandores. Los negros granillos de la zapa estaban tan esmeradamente pulidos y bruñidos, sus caprichosas rayas se destacaban con tanta limpieza, que las asperezas del cuero oriental, semejantes a facetas de granate, constituían otros tantos pequeños focos, que reflejaban vivamente la luz. Demostró palpablemente la causa del fenómeno al anciano, quien, por toda respuesta, sonrió maliciosamente. Aquel aire de superioridad hizo sospechar al joven erudito que era víctima, en aquel momento, de la charlatanería de su interlocutor; y no queriendo llevarse un nuevo enigma a la tumba, comenzó a dar vueltas entre sus manos a la piel, como chiquillo impaciente por conocer los secretos de su nuevo juguete.

— ¡Ah! —exclamó—, aquí hay señales de la marca que los orientales conocen con el nombre de sello de Salomón.

— ¿Luego la conocía usted? —inquirió el mercader, lanzando por las narices tres o cuatro resoplidos, mucho más significativos y elocuentes que lo hubieran sido las más enérgicas palabras.

— ¿Pero hay en el mundo alguien tan cándido que pueda prestar crédito a semejante patraña? —replicó el joven, amoscado al observar aquella risita muda y sardónica—. ¿Ignora usted que las supersticiones orientales han consagrado la forma mística y los falaces caracteres de ese emblema, que representa un poderío fabuloso? Tan necio sería tomando en serio semejante sandez, como hablando de esfinges o de grifos, cuya existencia está en cierto modo admitida, siquiera sea mitológicamente.

—Siendo, como es usted, orientalista —manifestó el anciano—, probablemente sabrá leer esta sentencia.

Y acercando la lámpara al talismán, que el joven tenía invertido, le mostró unos caracteres grabados en el tejido celular de la maravillosa piel, como si los hubiera producido el animal a que perteneció en otros tiempos.

—Confieso —declaró el desconocido— que no atino con el procedimiento que puede haberse utilizado para grabar tan profundamente estas letras en la piel de un onagro.

Y, volviéndose vivamente hacia las mesas cargadas de curiosidades, pareció buscar algo con la vista.

— ¿Qué quiere usted? —le preguntó el viejo.

—Una herramienta para cortar la piel, a fin de comprobar si las letras son impresas o grabadas.

El anciano alargó su verduguillo al desconocido, que raspó la piel, en el sitio en que las palabras estaban escritas; pero después de quitar una ligera capa de cuero, las letras reaparecieron tan claras y tan idénticas a las estampadas en la superficie, como si no se hubiera quitado nada.

—La industria oriental posee secretos que le son peculiares —dijo el joven, fijándose detenidamente en la sentencia, con una especie de inquietud.

—Sí —contestó el anciano—. ¡Vale más achacárselo a los hombres que a Dios!

Las palabras cabalísticas estaban dispuestas en la siguiente forma:

Si me posees, lo poseerás todo.

Pero tu vida me pertenecerá.

Dios lo ha querido así.

Desea, y se realizarán tus deseos.

Pero acomoda tus aspiraciones a tu vida.

Aquí está encerrada.

A cada anhelo, menguaré como tus días.

¿Me quieres? ¡Tómame!

Dios te oirá.

¡Así sea!

—Veo que lee usted de corrido el sánscrito —dijo el anciano—. ¿Acaso ha viajado por Persia o por Bengala?

—No, señor —contestó el joven, palpando con curiosidad la simbólica piel, bastante parecida a una lámina de metal, por su escasa flexibilidad.

El mercader volvió a dejar la lámpara sobre la columna de donde la tomó, lanzando al joven una mirada de glacial ironía, que parecía significar:

— ¡Ya no piensa en morir!

— ¿Es una broma o un verdadero misterio? —preguntó el joven desconocido.

El viejo balanceó la cabeza y contestó en tono solemne:

—No puedo afirmarlo categóricamente. He ofrecido el terrible poder que confiere ese talismán a hombres dotados de más energía de la que aparenta usted tener; y, a pesar de haberse burlado de la problemática influencia que debía ejercer sobre sus futuros destinos, ninguno ha querido arriesgarse a formalizar ese contrato tan fatalmente propuesto por no sé qué poder oculto. Les alabo el gusto; yo he dudado, me he abstenido y…

— ¿Pero no ha probado usted siquiera? —interrumpió el joven.

— ¡Probar! —exclamó el anciano—. Si estuviera usted en lo alto de la columna de la plaza de Vendôme, ¿probaría a lanzarse al espacio? ¿Es posible detener el curso de la vida? ¿Ha logrado alguien fraccionar la muerte? Antes de entrar en este gabinete, había usted resuelto suicidarse; pero, de pronto, le preocupa un secreto y le distrae de su propósito. ¡Criatura! ¿Acaso no se le ofrecerá, diariamente, un enigma mucho más interesante que éste? ¡Escúcheme!

»Yo he conocido la corte licenciosa del Regente. Como ahora usted, estaba entonces en la indigencia; tenía que mendigar mi sustento; sin embargo, he llegado a la edad de ciento dos años y me he convertido en millonario. La desgracia me ha proporcionado la fortuna; la ignorancia me ha instruido. Voy a revelar a usted, en pocas palabras, un gran misterio de la vida humana. El hombre se consume a causa de dos actos instintivamente realizados, que agotan las fuentes de su existencia. Dos verbos expresan todas las formas que toman estas dos causas de muerte: «Querer y Poder». Entre estos dos términos y la acción humana, existe otra fórmula de la cual se apoderan los sabios y a la que yo debo la suerte de mi longevidad. «Querer» nos abrasa y «Poder» nos destruye; pero «Saber» constituye a nuestro débil organismo en un perpetuo estado de calma. Así, el deseo, o el querer, ha fenecido en mí, muerto por el pensamiento; el movimiento, o el poder, se ha resuelto por el funcionamiento natural de mis órganos. En dos palabras: he situado mi vida, no en el corazón, que se quebranta, ni en los sentidos, que se embotan, sino en el cerebro, que no se desgasta y que sobrevive a todo.

»Ningún exceso ha menoscabado mi alma ni mi cuerpo, y eso que he visto el mundo entero. Mis plantas han hollado las más altas montañas de Asia y América, he aprendido todos los idiomas humanos, he vivido bajo todos los regímenes. He prestado dinero a un chino, aceptando como garantía el cuerpo de su padre; he dormido bajo la tienda de un árabe, fiado en su palabra; he firmado contratos en todas las capitales europeas, he dejado sin temor mi oro en la cabaña del salvaje: lo he conseguido todo, en fin, por haber sabido desdeñarlo todo.

»Mi única ambición ha consistido en ver. Ver, ¿no es, acaso, saber? Y saber, ¿no es gozar instintivamente? ¿No es descubrir la substancia misma del hecho y apropiársela esencialmente? ¿Qué queda de una posesión material? Una idea, juzgue, pues, cuán deliciosa ha de ser la vida del hombre que, pudiendo grabar todas las realidades en su mente, transporta en su alma las fuentes de la dicha, extrayendo de ella mil voluptuosidades ideales, exentas de las mancillas terrenas. La imaginación es la llave de todos los tesoros; procura las satisfacciones del avaro, sin proporcionar las preocupaciones. Por eso me he cernido sobre el mundo, en el que todos mis placeres fueron siempre goces intelectuales. Mis excesos se han condensado en la contemplación de mares, de pueblos, de selvas, de montañas. Lo he visto todo; pero tranquilamente, sin cansancio, jamás he ambicionado nada, esperándolo todo. Me he paseado por el Universo, como por el jardín de una vivienda de mi propiedad. Lo que los demás califican de penas, amores, ambiciones, reveses, tristezas, se convierte para mí en ideas, que, trueco en ensueños; en vez de sentirlas, las expreso, las traduzco; en lugar de dejar que devoren mi vida, las dramatizo, las desarrollo, me distraigo como con novelas que leyera mediante una visión interior. Como nunca he desgastado mi organismo, disfruto aún de perfecta salud; y como mi alma conserva todas las energías que no he disipado, mi cabeza está mucho mejor surtida que mis almacenes.

»¡Aquí —prosiguió, dándose, una palmada en la frente—, aquí está el verdadero capital! Paso días deliciosos dirigiendo una mirada inteligente al pasado, evoco países enteros, parajes, vistas del Océano, figuras hermosas de la historia. Tengo un serrallo imaginario, en el que poseo a todas las mujeres que no he conocido. Con frecuencia, contemplo vuestras guerras, vuestras revoluciones, y las juzgo. ¡Ah! ¿cómo preferir febriles, fugaces admiraciones por unas carnes más o menos sonrosadas, más o menos mórbidas? ¿cómo preferir todos los desastres de vuestras erradas voluntades a la facultad sublime de llamar ante sí al Universo, al placer inmenso de moverse libremente, sin estar agarrotado por las ligaduras del tiempo ni por las trabas del espacio, al placer de abarcarlo todo, de verlo todo, de inclinarse sobre el borde del mundo para interrogar a las otras esferas, para oír a Dios?». Aquí —agregó en voz vibrante, mostrando la piel de zapa—, en este pedazo de piel, se encuentran reunidos el «poder» y el «querer». En él están resumidas vuestras ideas sociales, vuestras desmedidas ambiciones, vuestras intemperancias, vuestras alegrías que matan, vuestros dolores que alargan la vida, porque quizá el mal no sea más que un violento placer. ¿Quién será capaz de determinar el punto en que la voluptuosidad se convierte en mal, y el en que el mal continúa siendo voluptuosidad? ¿No acarician la vista los más vivos fulgores del mundo ideal, al paso que siempre la hieren las más suaves tinieblas del mundo físico? ¿No se deriva de saberla palabra sabiduría? ¿Y en qué consiste la locura, sino en el exceso de un querer o de un poder?

— ¡Pues bien! ¡Sí, quiero vivir con exceso! —exclamó el desconocido, apoderándose de la piel de zapa.

— ¡Cuidado, joven! —exclamó a su vez el anciano, con increíble vivacidad.

—Había consagrado mi existencia al estudio y a la meditación que ni siquiera me han servido para subvenir a mis necesidades —replicó el desconocido—. No quiero ser juguete de un sermón digno de Swedenborg, ni de ese amuleto oriental, ni de los caritativos esfuerzos que hace usted para retenerme en una sociedad, en la que mi existencia se ha convertido en imposible. ¡Vamos a ver! —añadió, apretando el talismán con mano convulsa y mirando al anciano—. ¡Quiero una comida regiamente espléndida, una bacanal digna del siglo en que, según dicen, todo está perfeccionado! ¡Qué mis comensales sean jóvenes espirituales y sin prejuicios, alegres hasta la locura! ¡Qué los vinos se vayan sucediendo, cada vez más incisivos, más espumosos, con fuerza suficiente para que la embriaguez nos dure tres días! ¡Qué den realce a la fiesta las más fogosas hermosuras! ¡Quiero que la Licencia delirante, rugiente, nos arrastre en su carro tirado por cuatro corceles más allá de los confines del mundo, para volcarnos en playas ignoradas! ¡Qué las almas asciendan a los cielos o se hundan en el fango, poco me importa! ¡Exijo, por tanto, a ese poder siniestro, que me refunda todos los goces en uno solo! ¡Sí! ¡Necesito estrechar a los placeres del cielo y de la tierra en un postrer abrazo, para que me maten! Ansío, después de beber, antiguas priapas, canciones que despierten a los muertos, besos interminables, cuyo clamor pase sobre París como el estallido de un incendio, desvelando a los esposos, infundiéndoles un ardor irresistible que rejuvenezca a todos, ¡hasta a los septuagenarios!

Una estridente carcajada del vejete resonó en los oídos del enloquecido joven como un eco infernal, imponiéndose tan despóticamente, que le hizo enmudecer.

— ¿Cree usted —repuso el mercader que va a abrirse de pronto el pavimento, para dar paso a mesas suntuosamente ser, vidas y a comensales del otro mundo? ¡No, joven aturdido! ¡No! Ha firmado usted el pacto, y no hay más que hablar. Ahora, sus aspiraciones quedarán escrupulosamente satisfechas, pero a costa de su vida. El círculo de sus días, representado por esa piel, se irá reduciendo en relación con la cantidad y calidad de sus deseos, desde el más modesto al más exorbitante. El brahmín que me proporcionó ese talismán me indicó que existiría una concordancia misteriosa entre los destinos y los deseos de su poseedor. El primer deseo de usted es vulgar; yo mismo podría realizarlo; pero lo dejo a cuenta de los acontecimientos de su vida futura. Después de todo, ¿no quería usted morir? ¡Pues bien! el suicidio queda simplemente aplazado.

El desconocido, sorprendido y casi enojado de ser el blanco constante de las burlas de aquel anciano singular, cuya intención semifilantrópica le pareció claramente demostrada en este último sarcasmo, contestó:

—Ya veré, señor mío, si cambia mi suerte durante el tiempo que invierta en cruzar la calle. Pero si no se burla usted de la desgracia, le deseo, para vengarme de tan fatal servicio, que se enamore perdidamente de una bailarina. Entonces comprenderá usted la satisfacción que proporciona una orgía, y prodigará quizá todas las riquezas que tan filosóficamente ha ido economizando.

Y saliendo, sin oír un hondo suspiro lanzado por el anciano, atravesó las salas y descendió la escalera de la casa, seguido por el mofletudo mocetón que trataba en vano de alumbrarle, pues corría con la ligereza de un ladrón sorprendido en flagrante delito. Cegado por una especie de delirio, ni siquiera se dio cuenta de la increíble ductilidad de la piel de zapa, que habiendo adquirido la flexibilidad de un guante, se arrolló entre sus crispados dedos y se deslizó en el bolsillo de su frac, donde la guardó casi maquinalmente.

Al precipitarse del almacén a la calle, tropezó con tres jóvenes que iban cogidos del brazo.

— ¡Animal!

— ¡Imbécil!

Tales fueron las corteses interpelaciones que cambiaron.

— ¡Calla! ¡Si es Rafael!

— ¡Es verdad! te buscábamos.

— ¡Ah! ¿Sois vosotros?

Estas tres frases amistosas siguieron a las injurias, tan pronto como la luz de un farol iluminó las caras del asombrado grupo.

— ¡Chico! es preciso que vengas con nosotros —dijo a Rafael el joven a quien estuvo a punto de derribar.

— ¿De qué se trata?

— ¡Vamos andando! ya te lo contaré por el camino.

De grado o por fuerza, Rafael se vio rodeado de sus amigos que, secuestrándole y agregándole al gozoso grupo, le arrastraron hacia el puente de las Artes.

— ¡Amigo mío! —continuó el que había tomado la palabra—, hace ya cerca de una semana que andamos buscándote. En tu respetable hotel de San Quintín, que, entre paréntesis, sigue ostentando una invariable muestra con letras alternativamente negras y rojas, como en tiempo de Juan Jacobo Rousseau, la simpática Leonarda nos dijo que habías marchado al campo. ¡Y eso que no tenemos traza de acreedores, de gente de curia, ni de proveedores!

»Pero ¡ni por esas! Rastignac te había visto en los Bufos la noche anterior, y todos hicimos cuestión de amor propio averiguar si vivías encaramado en algún árbol de los Campos Elíseos, si pasabas la noche en una de esas filantrópicas casas, en las que, por diez céntimos, duermen los pordioseros apoyados en una cuerda tirante, o si, más afortunado, habías establecido tu vivac en el tocador de alguna dama. No te hemos encontrado en ninguna parte;

ni en los registros de Santa Pelagia, ni en los de la Fuerza. Hemos explorado concienzudamente los ministerios, la Opera, las casas conventuales, cafés, bibliotecas, comisarías de policía, redacciones de periódicos, casas de comida, saloncillos de teatros, en una palabra, cuantos lugares buenos y malos existen en París, y ya llorábamos la pérdida de un hombre dotado de genio suficiente para hacerse buscar lo mismo en la Corte que en las cárceles. Hasta nos proponíamos canonizarte, como a un héroe de julio, y ¡palabra de honor! te echábamos de menos.

En aquel momento, Rafael cruzaba con sus amigos el puente de las Artes, desde donde, sin prestarles atención, contempló el Sena, cuyas mugientes aguas reflejaban las luces de París. Sobre aquella corriente, en la que pocas horas antes intentó precipitarse quedaban cumplidas las predicciones del anciano; la hora de su muerte se retrasaba ya fatalmente.

— ¡Te añorábamos, verdaderamente! —continuó su amigo, sin abandonar el tema iniciado—. Se trata de una combinación, en la que te hemos incluido en tu calidad de hombre superior, es decir, de hombre que sabe sobreponerse a todo. El escamoteo de la bolilla constitucional bajo el cubilete real, se hace hoy, amigo mío, con más desfachatez que nunca. La infame Monarquía, derrocada por el heroísmo popular, con la que se podía reír y banquetear; pero la Patria es una cónyuge arisca y virtuosa, con cuyas metódicas y mesuradas caricias hemos de conformarnos. Como sabes muy bien, el poder se ha trasladado de las Tullerías a los periódicos, de igual modo que el presupuesto ha cambiado de distrito, pasando del Arrabal de San Germán a la Calzada de Antín.

»Pero hay algo que tal vez ignoras. El gobierno, es decir, la aristocracia del dinero y del talento, que se sirve actualmente de la patria, como antes el clero de la monarquía, ha experimentado la necesidad de engañar al buen pueblo francés con palabras nuevas e ideas rancias, ni más ni menos que los filósofos de todas las escuelas y los poderosos de todos los tiempos. Trátase, por tanto, de inculcarnos una opinión regiamente nacional, demostrándonos las enormes ventajas de pagar mil doscientos millones y treinta y tres céntimos a la patria, representada por tales o cuales señores, en vez de satisfacer mil ciento y nueve céntimos a un rey, que decía «yo», en lugar de decir «nosotros».

»En una palabra, acaba de fundarse un periódico, pertrechado con doscientos o trescientos mil francos efectivos, con el objeto de hacer una oposición que calme a los descontentos, sin perjudicar al gobierno nacional del rey democrático.

»Ahora bien; como a nosotros nos tiene tan sin cuidado la libertad como el despotismo, la religión como la incredulidad; como, para nosotros, la patria es una capital en la que las ideas se cambian y se venden a tanto la línea, en la que todos los días hay suculentas comidas y numerosos espectáculos, en la que hormiguean disolutas meretrices y no terminan las cenas hasta el día siguiente, en la que los amores se alquilan por horas como los «simones», París será siempre la más adorable de las patrias, la patria de la alegría, de la libertad, del genio, de las mujeres bonitas, de los hombres calaveras, del buen vino, y en la que jamás se dejará sentir la férula del poder, por estar cerca de los que la empuñan... Nosotros, verdaderos sectarios de Mefistófeles, hemos emprendido la tarea de revocar el espíritu público, de caracterizar a los actores, de apuntalar la barraca gubernamental, de medicinar a los doctrinarios, de reconocer a los viejos republicanos, de pintar a dos colores a los bonapartistas y de avituallar al centro, con tal que se nos permita reírnos para nuestro coleto de reyes y de pueblos, tener por la noche otra opinión que por la mañana, pasar alegremente la vida a la Panurga o a usanza oriental, reclinados en mullidos almohadones. Te reservamos las riendas de ese imperio macarrónico y burlesco, y aprovechamos la coyuntura para llevarte a la comida que da el fundador del susodicho periódico, un banquero retirado, que no sabiendo qué hacer de su dinero quiere cambiarlo por talento. ¡Serás acogido como un hermano, te aclamaremos rey de los espíritus levantiscos que no se asustan de nada y cuya perspicacia descubre los propósitos de Austria, Inglaterra o Rusia, antes que Rusia, Inglaterra o Austria los hayan concebido!

»¡Sí! te instituiremos soberano de esas autoridades intelectuales que proporcionan al mundo los Mirabeau, los Talleyrand, los Pitt, los Metternich, en una palabra, todos esos audaces Crispines que se juegan entre sí los destinos de un imperio, como los hombres vulgares se juegan su doble de cerveza al dominó. Te hemos presentado como el más intrépido de cuantos compañeros han abrazado estrechamente el libertinaje, ese admirable monstruo con el que quieren luchar todos los ánimos esforzados y hasta hemos afirmado que todavía no te ha vencido. Espero que no desmentirás nuestros elogios. Taillefer, nuestro anfitrión, nos ha prometido rebasar las mezquinas saturnales de nuestros pequeños Lúculos modernos. Es suficientemente rico para comunicar grandeza a las pequeñeces y gracia y distinción al vicio... Pero, ¿no me oyes, Rafael? —preguntó a éste el orador, interrumpiéndose.

—Sí —contestó el interpelado, menos maravillado de la realización de sus deseos que sorprendido de la manera natural en que se desarrollaban los acontecimientos; pues, aunque le fuera imposible creer en una influencia mágica, admiraba los azares del destino humano.

—Has dicho que sí, como si estuvieras pensando en las musarañas —replicó uno de los amigos.

— ¡Ah! —repuso Rafael, con un acento de candidez que hizo reír a aquellos escritores, esperanza de la regenerada Francia— ¡pensaba, mis buenos amigos, en que no estamos lejos de convertirnos en unos consumados bribones! Hasta ahora, hemos blasonado de impiedad, entre dos vinos; hemos pasado la vida en estado de embriaguez; hemos valorado a los hombres y a las cosas en plena digestión. Vírgenes de hechos, éramos osados en la palabra; pero en estos momentos, marcados por el hierro candente de la política, vamos a entrar en ese presidio suelto y a perder en él nuestras ilusiones. Cuando ya sólo se cree en el diablo, es permitido echar de menos el paraíso de la niñez, el tiempo inocente en que sacábamos la lengua ante un buen sacerdote, para recibir en ella el sagrado cuerpo de Nuestro Señor Jesucristo. Si hemos disfrutado tanto al cometer nuestros primeros pecados, ha sido por, que sentíamos remordimientos para embellecerlos y darles un sabor agridulce, mientras que ahora…

— ¡Oh! —interrumpió el primer interlocutor—. Ahora nos queda…

— ¿Qué? —preguntó uno de los otros.

— ¡El crimen!…

—He ahí una palabra que tiene toda la elevación de una horca y toda la profundidad del Sena —replicó Rafael.

—No me has entendido. Me refiero a los crímenes políticos. Desde esta mañana, tan sólo envidio una existencia: la de los conspiradores. No sé si mañana durará este capricho; pero, esta noche, la vida incolora de nuestra civilización lisa como un riel de camino de hierro me produce náuseas. Estoy enamorado apasionadamente de la derrota de Moscú, de las emociones del «Corsario Rojo» y de la vida de los contrabandistas. Puesto que ya no hay cartujos en Francia, quisiera por lo menos un Botany-Bay, un asilo, una especie de enfermería para los pequeños lord Byron que, después de haber estrujado la vida como una servilleta al terminar la comida, no tienen otros recursos que incendiar su país, levantarse la tapa de los sesos, conspirar en favor de la República o abogar por la guerra…

— ¡Mira, Emilio! —interrumpió con vehemencia el amigo más inmediato a Rafael—, te aseguro que, a no ser por la revolución de julio, hubiera vestido el hábito sacerdotal para irme a vegetar en el fondo de una campiña; pero…

— ¿Y hubieras leído el breviario todos los días?

—Sí.

— ¡Valiente ridiculez!

— ¡Bien leemos los periódicos!

— ¡Vaya un periodista! Pero, cállate, porque marchamos entre un núcleo de suscriptores… Quedamos, pues, en que el periodismo es la religión de las sociedades modernas y una prueba patente de progreso.

— ¿Cómo?

—Los pontífices no vienen obligados a creer, ni el pueblo tampoco...

Departiendo así, como pacíficos ciudadanos que sabían el «De Viris Illustribus» desde muchos años antes, llegaron a un hotel de la calle Joubert.

Emilio era un periodista que había conquistado más gloria, sin hacer nada, que la que otros cosechan a fuerza de éxitos. Osado en su crítica, ocurrente y mordaz, poseía, todas las buenas cualidades que permitían sus defectos. Franco y burlón soltaba en su cara mil epigramas a un amigo, al que defendía luego, en su ausencia, con denuedo y lealtad. Se mofaba de todo, hasta de su porvenir. Falto constantemente de dinero, apático en extremo, como todos los hombres de cierta capacidad, lanzaba un libro, en una frase, a las narices de los que no sabían escribir una frase en sus libros. Pródigo en promesas, jamás cumplidas, había hecho almohada de su fortuna y de su gloria, a riesgo de despertar viejo en un hospital. Al propio tiempo, amigo hasta el sacrificio, cínico descarado y sencillo como un niño, no trabajaba más que impulsado por propio arranque o apremiado por la necesidad.

— ¡Ya siembran de flores nuestro camino! —dijo a Rafael, indicándole las macetas que embalsamaban el ambiente y recreaban la vista.

—Me encantan los vestíbulos bien caldeados y ricamente alfombrados — contestó Rafael—. Aquí me siento renacer.

— ¡Y arriba nos espera una bacanal, amigo Rafael! ¡Ah! —continuó diciendo por la escalera—, confío en que triunfaremos y pasaremos sobre todas esas cabezas.

Y señaló con ademán burlón a los comensales congregados en una vasta sala, resplandeciente de oro y luz, donde fueron presurosamente acogidos, al entrar, por la juventud más distinguida de París. Uno acababa de revelar su incipiente talento, emulando, con su primer cuadro, las glorias de la pintura imperial. Otro había aventurado a la publicación, la víspera, un libro lleno de lozanía, impregnado de una especie de desdén literario y que marcaba nuevas orientaciones a la escuela moderna. Más allá, un escultor, cuyo rudo semblante acusaba el vigor de su genio, conversaba con uno de esos guasones impenitentes, que, según los casos, o no admiten superioridad en nada, o la reconocen en todo. Aquí, el más chispeante de los caricaturistas, de maliciosa mirada y risa diabólica, acechaba los epigramas, para traducirlos a rasgos de lápiz. Acullá, un joven y atrevido escritor, que destilaba mejor que nadie la quinta esencia de las ideas políticas, o condenaba, como si tal cosa, el espíritu de un escritor fecundo, departía con un poeta, cuyas estrofas habrían anulado todas las obras de la época, si su talento hubiera tenido la intensidad de su odio. Ambos procuraban no decir la verdad ni mentir, dirigiéndose gratas lisonjas. Un músico notable consolaba en «si bemol» y en voz zumbona a cierto joven político, recientemente caído de la tribuna, sin producirse daño alguno. Noveles autores sin estilo se codeaban con otros sin ideas, y prosistas llenos de poesía con poetas prosaicos.

Al ver a aquellos seres incompletos, un pobre sansimoniano, bastante cándido para profesar de buena fe su doctrina, los acoplaba caritativamente, queriendo, sin duda, transformarlos en religiosos de su orden. Por último, se encontraban presentes dos o tres de esos eruditos destinados a suministrar ázoe a la conversación, y varios saineteros dispuestos a mezclar en ella esos fulgores efímeros, que, como los destellos del diamante, no dan calor ni luz. Algunas paradojas vivientes, riendo para su capote, a fuer de gentes que amalgaman sus admiraciones o sus desprecios a hombres y cosas, utilizaban esa política de doble filo para conspirar contra todos los sistemas, sin tomar partido por ninguno. El crítico que no se asombra de nada, que tose en lo más culminante de una cavatina, que grita ¡bravo! antes que nadie, y contradice a los que anticipan su parecer, figuraba también entre los reunidos, procurando apropiarse las ocurrencias de las personas ingeniosas.

Entre aquellos comensales, cinco tenían porvenir, unos cuantos debían alcanzar alguna gloria vitalicia; los restantes, podían aplicarse, como todas las medianías la famosa mentira de Luis XVIII: «Unión y olvido».

El anfitrión mostraba la cavilosa alegría del hombre que gasta dos mil escudos. De vez en cuando, sus ojos se dirigían impacientemente hacia la puerta del salón, como si llamase al comensal que se hacía esperar. No tardó en presentarse un sujeto rechonchete, que fue saludado con un lisonjero rumor: era el notario que aquella mañana misma había autorizado la escritura de fundación del periódico. Un servidor, vestido de rigurosa etiqueta, abrió de par en par las puertas de un espacioso comedor, en el que cada cual fue a ocupar su sitio, sin cumplidos, en torno de una inmensa mesa.

Antes de abandonar los salones, Rafael los abarcó de una última ojeada. Realmente, su deseo se había realizado por completo. Las estancias estaban tapizadas de seda y oro; lujosos candelabros soportaban innumerables bujías, que hacían resaltar los más insignificantes detalles de los artísticos frisos, el delicado cincelado de los bronces y los suntuosos colores del mobiliario. Las flores raras de varias jardineras artísticamente confeccionadas con bambúes, esparcían suaves aromas. Todo, hasta los cortinajes, respiraba una elegancia sin pretensiones; había, en suma, en aquel conjunto cierta gracia poética, cuyo prestigio debía influir en la imaginación de un hombre sin dinero.

—La verdad es —dijo suspirando— que cien mil libras de renta son un bonito comentario del Catecismo y nos ayudan maravillosamente a poner la «moral en acciones». ¡Oh! ¡Sí! mi virtud no se ha hecho para caminar a pie.

Para mí, el vicio consiste en una buhardilla, un traje raído, un sombrero gris en invierno y las deudas al conserje. ¡Quiero vivir en el seno de este lujo un año, seis meses, lo que sea! Después, no me importa morir. Por lo menos, habré consumido, conocido, devorado mil existencias.

— ¡Oye, oye! —contestó Emilio—, me parece que has confundido la berlina de un agente de cambio con la felicidad. ¡Bien pronto te aburrirías de la fortuna, si vieras que te arrebataba la probabilidad de ser un hombre superior! Entre las pobrezas de la riqueza y las riquezas de la pobreza, ¿ha titubeado alguna vez el artista? ¿No necesitamos luchar constantemente? ¡Vaya! ¡prepara tu estómago y fíjate! —añadió, indicando con un gesto heroico el majestuoso, el tres veces beatífico y tranquilizador aspecto que ofrecía el comedor del bienaventurado capitalista—. En realidad, ese hombre no se ha tomado el trabajo de amasar su dinero sino para nosotros. ¿Acaso no es una especie de esponja olvidada por los naturalistas en el orden de los polípero s, y que se trata de exprimir con delicadeza, antes de dejar que los herederos le saquen el jugo? ¿No encuentras de buen gusto los bajos relieves que adornan las paredes? ¿Y las arañas? ¿Y los cuadros? ¡Qué lujo tan bien entendido! Si hemos de creer a los envidiosos y a los que se precian de ver los registros de la vida, ese hombre dio muerte, durante la Revolución, a un alemán, y a algunas personas más, entre las que figuraban, según dicen, su mejor amigo y la madre de ese amigo. ¿Quién sospecharía que ha podido albergarse el crimen bajo las canas de ese venerable Taillefer? Su aspecto es el de un hombre sin tacha. Al ver el brillo de la plata, ¿no será para él una puñalada cada uno de sus reflejos?... ¡Bah! ¡Bah! ¡Tanto valdría creer en Mahoma! Si el público tuviera razón, aquí hay treinta hombres de corazón y de talento, que se aprestarían a devorar las entrañas y a beberse la sangre de una familia. Y nosotros dos, jóvenes, llenos de candor, de entusiasmo, ¿habríamos de ser cómplices de tal desafuero? ¡Ganas me dan de preguntar a nuestro capitalista si es hombre honrado!

— ¡Ahora no! —exclamó Rafael—; pero, cuando esté borracho perdido, habremos comido.

Los dos amigos se sentaron, riendo. Desde luego, y con una mirada más rápida que la palabra, cada comensal pagó su tributo de admiración al suntuoso golpe de vista que ofrecía una larga mesa, blanca como capa de nieve recién caída y sobre la cual se alineaban simétricamente los cubiertos, coronados por dorados panecillos. La cristalería reproducía los colores del iris en sus reflejos estrellados, las bujías cruzaban hasta el infinito sus luminosos destellos, los manjares, colocados bajo campanas de plata, aguzaban el apetito y la curiosidad. Se hablaba poco, limitándose a mirarse los comensales próximos. Circuló el vino de Madera, y apareció el primer servicio en todo su esplendor; habría hecho honor al difunto Cambacérés y sido encomiado por

Brillat-Savarin. A continuación, fueron servidos, con profusión regia, los vinos blancos y tintos de Burdeos y de Borgoña.

La primera parte del festín podía compararse, por todos conceptos, a la exposición de una tragedia clásica. El segundo acto resultó un poco más locuaz. Cada comensal había bebido razonablemente, cambiando indistintamente de marca, y al retirar los restos del magnífico plato, comenzaron a entablarse tempestuosas discusiones; las frentes pálidas enrojecieron, algunas narices se tiñeron de púrpura; los rostros se encendieron y las pupilas chispearon. Durante esta aurora de la embriaguez, la discusión no rebasó los límites de la cortesía; pero las bromas, las ocurrencias, fueron brotando poco a poco de todas las bocas; luego asomó la calumnia su cabecilla de serpiente, hablando en tono meloso; entre los grupos algunos cazurros escuchaban atentamente, confiados en conservar su serenidad.

En resumen: el segundo plato, encontró los ánimos bastante caldeados. Cada cual comió hablando, habló comiendo, bebió sin cuidarse de la afluencia de líquidos, tales eran de transparentes y olorosos y tan contagioso resultaba el ejemplo. Taillefer tomó a empeño animar a sus invitados, haciéndoles escanciar los terribles vinos del Ródano, el cálido Tokay, el rancio y espirituoso Rosellón. Desbocados, como caballos de coche-correo que parten de una parada de posta, aquellos hombres, aguijoneados por las burbujas del vino de Champaña, impacientemente aguardado, pero abundantemente vertido, dejando ya galopar su imaginación por el vacío de esos razonamientos que nadie escucha, emprendieron el relato de historias sin auditorio, repitiendo cien veces interpelaciones que quedaban invariablemente sin respuesta. Únicamente la orgía desplegó su potente voz, voz formada por cien clamores confusos que engrosaban, como los «crescendo» de Rossini. Después, llegaron los brindis insidiosos, las fanfarronadas, los retos. Todos renunciaron a ensalzar su capacidad intelectual, para reivindicar la de los toneles, pipas y cubas. Parecía que cada cual tuviera dos voces.

Hubo un momento en que todos los señores hablaron a la vez, entre las sonrisas de los criados. Pero aquella baraúnda de frases, en la que chocaban entre sí, a través de los gritos, las paradojas de dudosa claridad y las verdades grotescamente disfrazadas, con los juicios interlocutorios, las decisiones soberanas y las sandeces de todo género, como en lo recio de un combate se cruzan las granadas, las balas y la metralla, hubiera interesado indudablemente a más de un filósofo, por la singularidad de las ideas, o sorprendido a cualquier político por lo extravagante de los sistemas. Era un libro y un cuadro, todo en una pieza. Las filosofías, las religiones, las morales, tan diferentes de una latitud a otra, los gobiernos, en una palabra, todas las grandes manifestaciones de la inteligencia humana, cayeron bajo una guadaña tan larga como la del tiempo, y quizá hubiera sido difícil aclarar si la manejaba la Cordura ebria o la Embriaguez convertida en cuerda y clarividente.

Arrastrados por una especie de tempestad, aquellos cerebros parecían querer socavar, como las encrespadas olas socavan el acantilado de la costa, todas las leyes entre las cuales flotan las civilizaciones, satisfaciendo así, sin saberlo, la voluntad de Dios, que deja en la Naturaleza el bien y el mal, reservando exclusivamente para sí el secreto de su lucha perpetua. La discusión, furiosa y burlesca, fue, en cierto modo, un aquelarre de las inteligencias. Entre las acerbas chuscadas dedicadas por aquellos hijos de la Revolución al nacimiento de un periódico y las ocurrencias prodigadas por alegres bebedores al nacimiento de Gargantúa, mediaba todo el abismo que separa al siglo decimonono del decimosexto. Este preparaba una destrucción, riendo; aquél, reía entre las ruinas.

— ¿Cómo se llama ese joven, sentado al otro lado de usted? —preguntó el notario, designando a Rafael—. Me parece haberle oído nombrar Valentín.

— ¿Qué significa eso de Valentín a secas? —contestó Emilio riendo—. ¡Rafael de Valentín, si no lo toma usted a mal! Ostentamos un águila de oro en campo negro, coronada de plata, con pico y garras de gules y la hermosa divisa «¡Non cecidit animus!». No somos incluseros, sino descendientes del emperador «Valente», del tronco de los «Valentinois», fundador de las ciudades de «Valencia», en España y en Francia, heredero legítimo del imperio de Oriente. Si dejamos reinar a Mahmud en Constantinopla, es por pura condescendencia, y por falta de dinero y de soldados.

Y Emilio trazó una corona en el aire, con su tenedor, sobre la cabeza de Rafael. El notario reflexionó unos instantes y apuró su copa, exteriorizando un gesto significativo, con el que pareció confesar la imposibilidad de relacionar con su clientela las ciudades de Valencia y de Constantinopla, Mahmud, el emperador Valente y la familia de los Valentinois.

—La destrucción de esos hormigueros llamados Babilonia, Tiro, Cartago y Venecia, siempre aplastados bajo las plantas de un gigante que pasa, ¿no es, por ventura, un aviso dado al hombre por una potestad burlona? —repuso Claudio Vignon, especie de esclavo comprado para imitar a Bossuet a cincuenta céntimos línea.

—Y Moisés, Sila, Luis XI, Richelieu, Robespierre y Napoleón, son quizá un mismo hombre, que reaparece a través de las civilizaciones, como un cometa en el firmamento —contestó un sabiondo.

— ¿Para qué sondear los arcanos de la Providencia? —observó el fabricante de baladas, Canalis.

— ¡Adiós! ¡Ya pareció la Providencia! —exclamó el crítico interrumpiéndole—. No conozco nada más elástico.

—Pero, señor mío, Luis XIV ha hecho perecer más hombres para construir los acueductos de Maintenon, que la Convención para fijar equitativamente los impuestos, para unificar la ley, nacionalizar a Francia y hacer que se distribuyan con igualdad las herencias —arguyó Massol, un jovenzuelo hecho republicano, por carecer de una partícula delante de su apellido.

— ¡Caballerito! —le replicó el pacífico propietario Moreau de I'Oise—, supongo que no tomará usted el vino por sangre y dejará reposar nuestras cabezas sobre los respectivos hombros.

— ¡Quién sabe! ¿Acaso los principios del orden social no merecen algunos sacrificios?

— ¡Oye, Bixiou! —advirtió un joven a su vecino de mesa—. Ese titulado republicano supone que la cabeza de ese propietario sería un sacrificio.

—Los hombres y los acontecimientos no significan nada —declaró el republicano, continuando la exposición de su teoría entre flatulentas expansiones—. En política y en filosofía, sólo existen fundamentos e ideas.

— ¡Qué horror! ¿No se arrepentiría de haber matado a sus amigos, por un quítame allá esas pajas?

— ¡Alto, señor mío! El hombre que siente remordimientos es el verdadero malvado, porque tiene alguna idea dela virtud, mientras que Pedro el Grande, el duque de Alba, eran sistemas, y el corsario Mambard, una organización…

— ¿Y no es libre la sociedad de prescindir de sus sistemas y de sus organizaciones? —preguntó Canalis.

— ¡Ciertamente! —contestó el republicano.

— ¡Bah! esa estúpida república, tan calurosamente patrocinada por usted, me produce náuseas: no podríamos trinchar tranquilamente un capón, sin tropezar en él con la ley agraria.

—Tus máximas son excelentes, ¡mi pequeño Bruto relleno de trufas!, pero te comparo con mi ayuda de cámara. El truhan está de tal modo poseído por la manía de la limpieza, que si le dejara cepillar mis ropas a su gusto, iría en cueros.

— ¡Son ustedes unos majaderos! —replicó el ferviente republicano—. ¿Acaso pretenden ustedes limpiar una nación con mondadientes? A su juicio, la justicia es más peligrosa que los ladrones.

— ¡Hola! ¿Qué es eso? —exclamó el abogado Desroches.

— ¡Qué cargantes se ponen con su política! —repuso a su vez el notario Cardot—. ¡Echad la llave! No hay ciencia ni virtud que valga una gota de sangre. Si nos propusiéramos practicar la liquidación de la verdad, probablemente la encontraríamos en quiebra.

—Es indudable que nos hubiera costado menos divertirnos en el mal que disputarnos en el bien. Por mi parte, daría todos los discursos pronunciados en la tribuna, desde hace cuarenta años, por una trucha, por un cuento de Perrault o un croquis de Charlet.

— ¡Tiene usted razón!... Acérqueme los espárragos... Porque, bien mirado, la libertad engendra la anarquía, la anarquía conduce el despotismo y el despotismo retrotrae a la libertad. Han perecido millones de seres, sin haber logrado el triunfo definitivo de ningún ideal. ¿No es ése el círculo vicioso, en cuyo torno girará constantemente el mundo moral? Cuando el hombre cree haber perfeccionado, no ha hecho más que cambiar la situación de las cosas.

—En ese caso —exclamó el sainetero Cursy—, ¡brindo por Carlos X, padre de la libertad!

— ¿Y por qué no? —dijo Emilio—. Cuando el despotismo está en las leyes, la libertad se alberga en las costumbres y viceversa—.

— ¡Brindemos, pues, por la imbecilidad del poder, que nos da tanto poder sobre los imbéciles! —propuso el banquero.

— ¡Amigo mío, cuando menos, Napoleón nos ha legado gloria! —afirmó un oficial de marina, que jamás había salido de Brest.

— ¡Gloria! ¡Triste mercancía! Se paga cara y no se conserva. ¿No es, por ventura, el egoísmo de los grandes hombres, como la felicidad es el de los tontos?

— ¡Qué feliz debe ser usted!

—El inventor de las zanjas hubo de ser necesariamente un hombre débil, porque la sociedad no aprovecha más que a las gentes ruines. Situados en los dos extremos del mundo moral, el salvaje y el pensador aborrecen igualmente la propiedad.

— ¡Magnífico! —exclamó Cardot—. ¡Si no hubiera propiedades, no se otorgarían escrituras!

— ¡Esos guisantes son un manjar de dioses!

—Y al siguiente día encontraron al párroco muerto en su lecho...

— ¿Quién habla de muertos? ¡No os bromeéis, porque tengo un tío...!

— ¿A cuya pérdida se resignaría usted indudablemente?

—Eso no se pregunta.

— ¡Atención, señores! «¡Procedimiento para matar a los tíos!».

— ¡Chist! ¡Oigamos! ¡Oigamos!

—Ante todo, supongamos un tío sanote y rollizo, septuagenario por lo menos… Estos son los mejores tíos. Se le hace comer, con cualquier pretexto, un pastel de «foie gran»…

—Mi tío es alto, enjuto de carnes, avaro y sobrio. —Esos tíos son monstruos que abusan de la vida.

—Y se le anuncia durante la digestión —continuó el «matatíos»— la quiebra de su banquero.

— ¿Y si resiste?

— ¡Se le suelta una chica guapa!

— ¿Y si dice que…? —insistió el otro, haciendo un gesto negativo.

—Entonces, eso no es un tío, porque los tíos son esencialmente alegrillos.

—La voz de la Malibran ha perdido dos notas.

— ¿Qué ha de perder?

—Le digo a usted que sí.

—Sí y no. Es la historia eterna de todas las disertaciones religiosas, políticas y literarias. ¡El hombre es un funámbulo, que se arriesga constantemente al borde del precipicio!

—Si continuara escuchándole, me acreditaría de tonto.

—Al contrario; si acaso, será por no escucharme.

—La instrucción… ¡Valiente tontería! Heineffettermach hace ascender a más de mil millones el número de volúmenes impresos, y la vida de un hombre apenas alcanzará para leer ciento cincuenta mil. Ahora, ¡explíqueme usted lo que significa la palabra «instrucción»! Para unos, consiste en saber cuatro vulgaridades estúpidas, sin estar al tanto del movimiento en ningún orden de la actividad humana. Otros, han utilizado sus conocimientos para escamotear un testamento y conquistarse fama de honrados, disfrutando de la estimación y del respeto de los demás, como hubieran podido ser sorprendidos en flagrante delito de robo con reincidencia, con todas las agravantes del código, yendo a morir aborrecidos y deshonrados, a un presidio.

— ¿Se sostendrá Nathan?

—Sus colaboradores tienen mucho talento.

— ¿Y Canalis?

—De ése no hay que hablar: es un gran hombre.

— ¡Estáis beodos!

—La consecuencia inmediata de una constitución es el aplanamiento de las inteligencias. Artes, ciencias, monumentos, todo lo devora un espantoso sentimiento de egoísmo, lepra de nuestra época. Vuestros trescientos burgueses, sentados en sus escaños, únicamente pensarán en plantar chopos. El despotismo realiza grandes cosas, ilegalmente la libertad ni aun se toma el trabajo de realizar legalmente las más insignificantes.

—Vuestra enseñanza mutua fabrica monedas de carne humana —dijo un absolutista, interrumpiendo—. En un pueblo nivelado por la instrucción, desaparecen las personalidades.

—Sin embargo, ¿no es el objeto de la sociedad proporcionar el bienestar a todos? —preguntó el sansimoniano.

— ¡Si tuviera usted cincuenta mil libras de renta, ni siquiera se acordaría del pueblo! ¿Está usted tan verdaderamente apasionado por la humanidad? ¡Pues váyase a Madagascar! Allí encontrará un pueblo nuevecito que sansimonizar, clasificar y embotellar; pero aquí cada cual entra naturalmente en su alvéolo, como una clavija en su agujero. Los porteros y los necios son bestias que no se precisa que sean promovidos a tales por un colegio de religiosos. ¡Ja! ¡Ja!

— ¡Es usted un carlista!

— ¿Por qué negarlo? Me gusta el despotismo, porque indica cierto desprecio a la raza humana. No aborrezco a los reyes. ¡Son tan amenos! ¿Le parece a usted poco elevarse a un trono, a treinta millones de leguas del sol?

—Pero resumamos este amplio concepto de la civilización —decía entretanto el sabio, que para instrucción del distraído escultor había entablado una discusión acerca del comienzo de las sociedades y de los pueblos autóctonos—. En los orígenes de las naciones la fuerza fue, en cierto modo, material, uniforme, grosera; luego al aumentar las agregaciones, los gobiernos procedieron a descomposiciones más o menos hábiles, del poder primitivo. Así, en los tiempos remotos la fuerza residía en la teocracia; el sacerdote manejaba el acero y el incensario. Más adelante, hubo dos sacerdocios: el pontífice y el rey. Hoy, nuestra sociedad, último término de la civilización, ha distribuido el poder con arreglo al número de combinaciones y hemos llegado a las fuerzas denominadas industria, cultura, capital, oratoria. Como el poder carece ya de unidad, camina incesantemente hacia una disolución social, para la que no existe otro valladar que el interés; por consiguiente, no nos apoyamos en la religión ni en la fuerza material, sino en la inteligencia. Ahora bien; ¿podrá reemplazar el libro al acero, la discusión al hecho? Ese es el problema.

—La inteligencia lo ha matado —replicó el carlista—. La libertad absoluta conduce al suicidio a las naciones, que se hastían en el triunfo, como un inglés millonario.

— ¿Qué nos dirá usted de nuevo? Hoy se ridiculizan todos los poderes, y hasta es cosa corriente negar a Dios. Ya no existen creencias, y este siglo es como un sultán caduco, víctima de sus excesos. En fin, el celebrado lord Byron, en una suprema desesperación poética, ha cantado las pasiones del crimen.

— ¿No sabe usted —objetó Bianchon, completamente beodo— que una dosis de fósforo, de más o de menos, hace al hombre inteligente o idiota, valeroso o tímido, virtuoso o criminal?

— ¿Es posible que se trate de tal modo a la virtud? —exclamó Cursy—. ¿La virtud, tema de todas las producciones teatrales, desenlace de todos los dramas, base de toda justicia?

— ¡Cállate, animal! —contestó Bixiou—. Tu virtud es Aquiles sin talón.

— ¡Bebamos!

— ¿Quieres apostar a que me bebo de un trago una botella de Champaña?

— ¡Qué rasgo de ingenio! —exclamó Bixiou.

— ¡Están borrachos como carreteros! —observó un mozalbete, que daba de beber concienzudamente a su chaleco.

— ¡Sí, señor! el gobierno de los tiempos actuales es el arte de hacer reinar a la opinión pública.

— ¿La opinión? ¡Si es la más viciosa de todas las rameras! A dar oídos a las predicaciones moralizadoras de los que os consagráis a la política, habría que preferir vuestras leyes a la Naturaleza, la opinión a la conciencia. ¡Todo es verdad y todo es mentira! Si la sociedad nos ha proporcionado el plumón de las almohadas, ha compensado el beneficio con la gota, así como ha ideado el procedimiento para atemperar a la justicia y ha puesto los resfriados a continuación de los chales de cachemira.

— ¡Monstruo! —exclamó Emilio, interrumpiendo al misántropo—, ¿cómo es posible que murmures de la civilización, ante tantos y tan deliciosos vinos y manjares? ¡Muerde las patas y hasta las doradas astas de ese corzo, pero no muerdas a tu madre!

— ¿Qué culpa tengo yo de que el catolicismo llegue a meter un millón de dioses en un saco de harina, de que la República venga siempre a parar en un Robespierre, de que la realeza se encuentre siempre entre el asesinato de Enrique IV y el proceso de Luis XVI, y de que el liberalismo se reduzca a La

Fayette?

— ¿Le abrazó usted en julio?

—No.

—Entonces, calle usted, ¡escéptico!

—Los escépticos son los hombres más concienzudos.

— ¡Si no tienen conciencia!

— ¿Qué dice usted? Tienen lo menos dos.

— ¡Descontar el Cielo! Es el colmo del mercantilismo. Las religiones antiguas se reducían a un afortunado desarrollo del placer físico; pero nosotros hemos desarrollado el alma y la esperanza. El progreso es evidente.

— ¿Qué puede esperarse, amigos míos, de un siglo nutrido de política? —repuso Nathan—. ¿Cuál ha sido la suerte del «Rey de Bohemia y de sus siete castillos», la más arrebatadora concepción…?

— ¡Hola! ¡hola! —gritó el crítico, de extremo a extremo de la mesa—. Esas son frases barajadas al azar en un sombrero, verdadera obra escrita para Charenton.

— ¡Es usted un estúpido!

— ¡Y usted un canalla!

— ¡Vamos! ¡Vamos!

— ¡Calma, señores!

—Habrán de batirse.

— ¡Ca!

—Mañana nos veremos.

—Ahora mismo —contestó Nathan.

—Decididamente, son ustedes dos bravos.

— ¡Y usted otro! —replicó el provocador.

— ¡Ni siquiera pueden tenerse en pie!

— ¿Cómo que no? —contestó el belicoso Nathan, cabeceando, al levantarse, como una cometa sin contrapeso.

Y después de lanzar en derredor una mirada imbécil, cayó desplomado sobre su asiento, como extenuado por el esfuerzo, inclinó la cabeza y permaneció mudo.

— ¡Tendría gracia —dijo el crítico a su vecino— que me batiera por una obra que no he leído ni visto siquiera!

— ¡Emilio! ¡Ten cuidado de tu indumentaria, porque tu vecino palidece! —advirtió Bixiou.

— ¿Kant? ¡Un globo más, lanzado para embaucar a los tontos! ¡El materialismo y el espiritualismo son dos vistosas raquetas, con las que los charlatanes togados despiden el mismo volante! ¿Qué más da que Dios esté en todo, según Spinosa, o que todo proceda de Dios, según San Pablo?... ¡Imbéciles! ¿No es idéntico el movimiento para cerrar que para abrir una puerta? ¿Ha salido el huevo de la gallina o la gallina del huevo? En eso estriba todo.

— ¡Inocente! —objetó el erudito—, el problema que planteas, está ya resuelto por un hecho.

— ¿Cuál?

—El de que las cátedras no se han creado para explicar filosofía, sino más bien la filosofía para justificar las cátedras. ¡Cálate los lentes y lee el presupuesto!

— ¡Ladrones!

— ¡Imbéciles!

— ¡Tunantes!

— ¡Embusteros!

— ¿En dónde, sino en París, encontraréis un cambio tan vivo, tan rápido de ideas? —preguntó Bixiou, ahuecando la voz.

— ¡Anda, Bixiou! ¡Represéntanos una farsa clásica! ¡Una crítica burlesca!

— ¿Queréis que os represente el siglo diez y nueve?

— ¡Atención!

— ¡Silencio!

— ¡Ponedle carátula!

— ¿Callarás alguna vez?

— ¡Tapadle la boca con vino!

— ¡Venga, Bixiou!

El artista se abotonó hasta el cuello, se calzó sus guantes amarillos y bizcó los ojos, empezando su relación; pero el ruido apagó su voz, siendo imposible oír una sola palabra de su sátira.

Los postres aparecieron como por encanto. La mesa fue adornada con un gran centro salido de los talleres de Thomire. Esbeltas figuras, a las que un célebre artista había comunicado las formas convenidas en Europa para la belleza ideal, sostenían y llevaban canastillas de fresas, de ananás, dátiles frescos, doradas uvas, rubios melocotones, naranjas llegadas de Setúbal en un vapor, granadas, frutas de la China; en una palabra, todas las sorpresas del lujo, los milagros de la repostería los más apetitosos bocados, las más delicadas golosinas. El brillo de la porcelana, las líneas resplandecientes de los dorados, el tallado de la cristalería, realzaban los colores de aquellos cuadros gastronómicos. Grácil como las líquidas franjas del Océano, flexible y ligera, la espuma coronaba los paisajes del Poussin, reproducidos en Sévres.

El territorio de un príncipe alemán no hubiera bastado a sufragar aquella insolente esplendidez. La plata, el nácar, el oro, el cristal, fueron prodigados nuevamente y bajo nuevas formas; pero el abotagamiento de los ojos y la fiebre locuaz de la embriaguez apenas permitieron a los comensales adquirir una vaga intuición de aquel mágico espectáculo, digno de un cuento oriental.

Los vinos de postre aportaron sus aromas y sus ardores, deliciosos vapores que engendran una especie de espejismo intelectual y cuyos potentes lazos encadenan los pies y apesantan las manos. Las pirámides de frutas fueron saqueadas, las voces aumentaron y redobló el tumulto. Ya no hubo medio de percibir distintamente las palabras; las copas volaron en añicos y los labios todos prorrumpieron en risotadas, ruidosas como cohetes. Cursy cogió una trompa y tocó llamada, que fue como una señal dada por el diablo.

La delirante reunión aulló, silbó, cantó, gritó, rugió, gruñó. Habríase sonreído al ver aquellas gentes, joviales por temperamento, tornarse sombrías como los desenlaces de Crébillon, o meditabundas, como marinos en coche. Los discretos confiaban sus intimidades a curiosos que no les escuchaban. Los melancólicos sonreían, como bailarinas al terminar sus piruetas. Claudio Vignon se contoneaba como un oso enjaulado. Los amigos íntimos disputaban. Las semejanzas animales inscritas en los rostros humanos y tan curiosamente demostradas por los fisiólogos, reaparecían vagamente en los gestos, en las actitudes. Aquello era un libro abierto para cualquier observador.

El anfitrión, sintiéndose beodo, no se atrevía a levantarse; pero aprobaba las extravagancias de sus invitados con una mueca fija, tratando de conservar un aire decoroso y hospitalario. Su ancha faz, roja y azul, casi amoratada, repulsiva, se asociaba al movimiento general por medio de esfuerzos semejantes a los cabeceos y bandazos de un bergantín.

— ¿Los asesinó usted? —le preguntó Emilio.

—Dicen que la pena de muerte va a ser abolida, en favor de los revolucionarios de julio —contestó Taillefer, enarcando las cejas con un aire mezcla de malicia y de estupidez.

—Pero, ¿no los suele usted ver en sueños? —inquirió Rafael.

— ¡Hay prescripción! —dijo el asesino enriquecido.

— ¡Es claro! —exclamó Emilio, en tono sardónico—. Y luego, el marmolista grabará sobre la losa de su tumba: «¡Transeúntes, derramad una lágrima a su memoria!». ¡Oh! —añadió—, ¡de qué buena gana daría cinco francos al matemático que demostrara por medio de una ecuación algebraica la existencia del infierno!

Y arrojó una moneda al aire, gritando:

— ¡Cara por Dios!

— ¡No me mire usted! —dijo Rafael, recogiendo la moneda ¿Quién sabe? ¡El azar es tan guasón!...

— ¡¡Ah!! —repuso Emilio, con acento tristemente burlón—, no veo dónde poner los pies entre la geometría del incrédulo y el «Pater noster» del papa. ¡Bah! ¡Bebamos! «Trinc» es, a mi juicio, el oráculo de la divina botella y sirve de conclusión al Pantagruel.

—Al «Pater noster» debemos —contestó Rafael— nuestras artes, nuestros monumentos, nuestras ciencias quizá y un beneficio mucho mayor aún, nuestros modernos gobiernos, en los cuales está maravillosamente representada una sociedad vasta y fecunda por quinientas inteligencias, cuyas fuerzas opuestas entre sí se neutralizan, dejando todo poder a la «civilización», reina gigantesca que reemplaza al «Rey», esa antigua y terrible figura, especie de falso destino interpuesto por el hombre entre el cielo y él. En presencia de tantas obras realizadas, el ateísmo aparece como un esqueleto infecundo. ¿Qué te parece?

—Pienso en las oleadas de sangre derramadas por el catolicismo —replicó fríamente Emilio—. Él ha tomado nuestras venas y nuestros corazones para hacer un remedio del diluvio. Pero, ¡no importa! Todo hombre sensato debe marchar bajo la bandera de Cristo. El tan sólo ha consagrado el triunfo del espíritu sobre la materia; él tan sólo nos ha revelado poéticamente el mundo intermedio que nos separa de Dios.

— ¿Lo crees así? —preguntó Rafael, lanzando a su amigo una indefinible sonrisa de embriaguez—. ¡Pues bien! para no comprometemos, pronunciemos el famoso brindis: «¡Deo ignoto!».

Y vaciaron sus cálices de ciencia, de ácido carbónico, de fragancias, de poesía y de incredulidad.

—Si los señores gustan pasar al otro salón, está servido el café —dijo el maestresala.

En aquel momento, casi todos los comensales se revolcaban en el seno de esos limbos deliciosos en los que, apagadas las luces del espíritu, el cuerpo, desligado de su tirano, se abandona a los delirantes goces de la libertad. Unos, llegados al apogeo de la embriaguez, permanecían melancólicamente cavilosos, buscando afanosamente una idea que les atestiguara su propia existencia; otros, sumidos en el marasmo producido por una laboriosa digestión, negaban el movimiento. Algunos intrépidos oradores seguían pronunciando vagas frases, cuyo sentido no alcanzaban a comprender ellos mismos. Los estribillos se repetían como los golpes de un aparato mecánico, que desenvuelve su vida ficticia y sin alma. El silencio y el tumulto se acoplaban de modo extraño.

Sin embargo, al oír la sonora voz del criado que, a falta de un amo, les anunciaba nuevos placeres, los congregados se levantaron, arrastrados, sostenidos o llevados unos por otros. La turba entera permaneció, durante un instante, inmóvil y embelesada en el umbral de la puerta. Las excesivas delicias del festín palidecieron ante el seductor espectáculo que el anfitrión ofrecía al más voluptuoso de los sentidos de sus huéspedes. Bajo las centelleantes bujías de dorada lucerna, en torno de una mesa cuajada de servicio de plata, surgió súbitamente un grupo de mujeres ante los atolondrados comensales, cuyas pupilas brillaron como otros tantos diamantes. Espléndidos eran los atavíos, pero mucho más espléndidas resultaban aquellas hermosuras deslumbradoras, ante las cuales desaparecían todas las maravillas de aquel palacio. Los apasionados ojos de aquellas jóvenes, tentadoras como hadas, refulgían más que los torrentes de luz que hacían resplandecer los vivos matices del raso de los cortinajes, la blancura de los mármoles y los delicados contornos de los bronces.

El corazón ardía en deseo al contemplar los contrastes de sus vistosos adornos y de sus actitudes y ademanes, todos distintos en atractivo y en carácter. Era un ramo de flores salpicado de rubíes, zafiros y corales; un cinturón de negros collares ciñendo níveos cuellos. Las vaporosas gasas, flotando como destellos de un faro, los caprichosos turbantes, las túnicas modestamente provocativas…

Aquel serrallo encerraba seducciones para todos los ojos, voluptuosidades para todos los gustos. Lánguidamente abandonada, una bailarina parecía despojada de velos bajo los ondulantes pliegues de la cachemira. Aquí un tul diáfano, allá los tornasoles de la seda ocultaban o revelaban perfecciones misteriosas. Diminutos pies brindaban amores, que reservaban las bocas frescas y sonrosadas. Tiernas y candorosas doncellas, vírgenes aparentes, cuyas hermosas cabelleras respiraban religiosa inocencia, se ofrecían a las miradas como apariciones que un soplo podía disipar. Beldades aristocráticas, de altivo mirar, pero indolentes, endebles, delgadas y graciosas, inclinaban la cabeza como si aún aspirasen a regias protecciones. Una inglesa, una especie de alba y casta sombra, descendida de las nubes de Osián, semejaba un ángel de melancolía, un remordimiento huyendo del crimen. La parisina, cuya belleza, en con, junto, estriba en una gracia indescriptible, engreída de su elegancia y de su ingenio, armada de su omnipotente debilidad, flexible y dura, sirena sin corazón y sin sentimientos, pero que sabe crear artificiosamente los tesoros de la pasión, así como imitar los acentos del alma, no faltaba en aquella peligrosa asamblea, en la que figuraban asimismo italianas tranquilas en apariencia y concienzudas en su dicha, opulentas normandas de formas exuberantes, mujeres meridionales de negros cabellos y rasgados ojos.

Hubiéraseles tomado por cortesanas versallescas convocadas por Lebel, que hubieran tendido todos sus lazos, de madrugada, llegando como una banda de esclavas orientales despiertas por la voz del traficante, para partir al rayar la aurora. Permanecían confusas, avergonzadas, y se agolpaban, solícitas, en torno de la mesa, como abejas que zumban en el interior de una colmena. Aquella tímida cortedad, reproche y coquetería a la vez, era seducción calculada o pudor involuntario. Quizá cierto sentimiento, del que la mujer no se desprende nunca en absoluto, les ordenaba envolverse en el manto de la virtud, para dar más encanto y mayor incentivo a las prodigalidades del vicio.

Por ello, la conspiración urdida por el taimado Taifeller estuvo a punto de fracasar. Al pronto, aquellos hombres desenfrenados se sintieron subyugados por el majestuoso poder de que la mujer se halla investida. Un murmullo de admiración resonó como la más dulce de las melodías. El amor no había navegado de conserva con la embriaguez: en lugar de un huracán de pasiones, los comensales, sorprendidos en un momento de debilidad, se abandonaron a las delicias de un éxtasis voluptuoso. Los artistas, a la voz de la poesía, que constantemente predomina en ellos, estudiaron con fruición los delicados matices que distinguían entre sí a las selectas beldades. Reanimado por una idea, inspirada quizá por alguna emanación de ácido carbónico desprendida del vino de Champaña, un filósofo se enterneció, al pensar en las desventuras que habían conducido a semejante lugar a aquellas mujeres, dignas probablemente, en otros tiempos, de los más puros homenajes. Indudablemente, todas ellas habían sido protagonistas de un drama sangriento. Casi todas llevaban consigo infernales torturas, y arrastraban en pos hombres descreídos, promesas burladas, alegrías rescatadas por la miseria.

Los comensales se acercaron a ellas cortésmente, entablándose conversaciones tan diversas como los caracteres.

Formáronse grupos y la estancia tomó aspecto de un salón honesto, en el que solteras y casadas ofrecieran a los invitados, después de la comida, los auxilios que el café, los licores y el azúcar prestan a los gastrónomos que luchan con una digestión recalcitrante. Pero no tardaron en estallar las risas, creciendo el murmullo y arreciando las voces. La orgía, domada durante un momento, amenazó a intervalos con despertarse. Las alternativas de silencio y de ruido ofrecían cierta vaga semejanza con una sinfonía de Beethoven.

Sentados en un mullido diván, los dos amigos vieron llegar hacia ellos a una joven alta, bien proporcionada, de soberbio porte y de fisonomía bastante regular, pero perspicaz, impetuosa y que impresionaba al alma con vigorosos contrastes. Su cabellera negra, lascivamente ondulada, parecía haber soportado ya los combates del amor, y caía en ligeras guedejas sobre los anchos hombros, que ofrecían a la contemplación atrayentes perspectivas. Largos bucles envolvían a medias un soberbio cuello, por el que se deslizaba la luz, de rato en rato, revelando la delicadeza de sus primorosos contornos. La piel, de un blanco mate, hacía resaltar los tonos cálidos y animados de sus vivos colores. Los ojos, provistos de largas pestañas, despedían atrevidas llamaradas, chispazos de amor. La boca, roja, húmeda, entreabierta, pedía besos.

Era de talle robusto, pero amorosamente elástico: su seno y sus brazos ostentaban amplio desarrollo como los de las hermosas figuras de Carraccio; sin embargo, parecía ligera, flexible, y su vigor delataba la agilidad de una pantera, como la varonil elegancia de sus formas prometía insaciables voluptuosidades. Aunque aquella muchacha debió ser risueña y retozona, su mirada y su sonrisa ponían pavor en la mente. Semejante a las profetisas agitadas por un genio maléfico, admiraba más bien que gustaba. Todas las expresiones pasaban en tropel y como relámpagos por su inquieto rostro. Quizá hubiera entusiasmado a gentes estragadas, pero un joven la hubiera temido. Era una estatua colosal caída de lo alto de algún templo griego, sublime a distancia, pero tosca, mirada de cerca. Con todo, su radiante belleza debía despertar a los impotentes; su voz, encantar a los sordos; su mirada, reanimar vetustas osamentas.

Así, Emilio la comparó vagamente con una tragedia de Shakespeare, especie de arabesco admirable en que la alegría aúlla, el amor tiene algo de salvaje, la gracia de la magia y el fuego de la dicha suceden a los sangrientos tumultos de la cólera; monstruo que sabe morder y acariciar, reír como un demonio, llorar como los ángeles, improvisar en un solo abrazo todas las seducciones femeninas, excepto los suspiros de la melancolía y las inefables modestias de una virgen; y luego, en un momento, rugir, desgarrarse las entrañas, aniquilar a su pasión y a su amante; destrozarse, en fin, a sí misma, como se destroza un pueblo amotinado. Ataviada con un vestido de terciopelo rojo, pisoteaba indolentemente varias flores desprendidas ya de las cabezas de sus compañeras, mientras tendía desdeñosamente a los dos amigos una bandeja de plata.

Orgullosa de su belleza, y quizá de sus vicios, mostraba un brazo blanco que se destacaba vivamente sobre el terciopelo. Allí estaba erguida como la reina del placer, como una imagen de la alegría humana, de esa alegría que disipa los tesoros acumulados por tres generaciones, que ríe sobre cadáveres, se mofa de los antepasados, disuelve perlas y tronos, transforma a los jóvenes en ancianos, y muchas veces a los ancianos en jóvenes; de esa alegría únicamente permitida a los colosos fatigados del poder, quebrantados de pensamiento o para los cuales la guerra ha venido a ser como un juguete.

— ¿Cómo te llamas? —le preguntó Rafael.

—Aquilina.

— ¡Ah! —exclamó Emilio—, ¿procedes de «Venecia salvada»?

—Sí —contestó ella—. Así como los papas adoptan nombres nuevos al remontarse sobre los demás hombres, yo he variado el mío al elevarme sobre todas las mujeres.

— ¿Y tienes, como tu patrona, un noble y terrible conspirador que te ame y sepa morir por ti? —preguntó con viveza Emilio, reanimado por aquella apariencia de poesía.

—Le tuve —respondió la muchacha—; pero la guillotina se declaró mi rival. Por eso llevo siempre algún trapajo rojo en mi indumentaria, para que mi alegría no se desborde.

— ¡Oh! ¡Si la dejan ustedes contar la historia de los cuatro sargentos de la Rochela, para rato hay! ¡Cállate, pues, Aquilina! No todas las mujeres tienen un amante a quien llorar, pero tampoco tienen todas, como tú, la satisfacción de haberle perdido en un cadalso. ¡Por mi parte, preferiría saber que el mío reposaba en una fosa, en Clamart, que en el lecho de una rival!

Estas frases fueron pronunciadas en voz dulce y melodiosa, por la más inocente, más linda y más gentil de cuantas criaturas hayan podido salir de un huevo encantado, bajo el mágico poder de la varita de un hada. Había llegado sigilosamente y mostraba un rostro delicado, talle cenceño, ojos azules de sugestiva modestia, frente pura y lozana. Una náyade ingenua escapada de su fuente, no es más tímida, más blanca ni más candorosa que aquella muchachuela, que representaba unos diez y seis años y parecía ignorar el mal y el amor, desconocer las tempestades de la vida y venir de una iglesia, donde hubiera implorado, por mediación de los ángeles, la merced de ser llamada prematuramente a los cielos.

Sólo en París se encuentran esas criaturas de rostro cándido, que ocultan la depravación más profunda, los vicios más refinados bajo una frente tan dulce, tan tierna como la flor de una margarita. Engañados a primera vista por las celestiales promesas escritas en los suaves atractivos de aquella chicuela, Emilio y Rafael aceptaron el café que les vertió en las tazas presentadas por Aquilina y comenzaron a dirigirle preguntas. Ella acabó por transfigurar, a los ojos de los dos poetas, por una siniestra alegría, no sé qué faz de la vida humana, oponiendo a la expresión ruda y apasionada de su imponente compañera el retrato de esa corrupción fría, voluptuosamente cruel, bastante aturdida para cometer un crimen y bastante fuerte para reírse de él; especie de demonio descorazonado, que castiga a las almas generosas y leales a experimentar las emociones de que él está privado, que encuentra siempre un mohín amoroso que vender, lágrimas para el entierro de su víctima, y júbilo por la noche, para leer su testamento.

Un poeta hubiese admirado a la hermosa Aquilina; el mundo entero debía huir de la sugestiva Eufrasia: una era el alma del vicio; la otra era el vicio sin alma.

—Desearía saber —dijo Emilio a la linda criatura— sí piensas alguna vez en el porvenir.

— ¿En el porvenir? —contestó riendo la interpelada—. ¿Qué entiende usted por porvenir? ¿A qué pensar en lo que aún no existe? Yo no miro nunca ni atrás ni adelante. ¿Acaso no es más que suficiente ocuparme del día en que vivo? Además, nuestro porvenir le conocemos de sobra; es el hospital.

— ¿Y cómo, viendo el hospital en perspectiva, no procuras evitar ir a parar allí? —preguntó Rafael.

— ¿Pues qué tiene de pavoroso el hospital? —interrogó a su vez la terrible Aquilina—. No siendo madres ni esposas, ¿qué podremos necesitar cuando la vejez debilite nuestros cuerpos y arrugue nuestras frentes; cuando el tiempo marchite nuestros encantos y seque la alegría en las miradas de nuestros amigos? Entonces, ya no ven ustedes en nosotras, de todas nuestras galas, de todos nuestros hechizos, más que la abyección primitiva, que avanzó fría, seca, descompuesta, produciendo chasquidos semejantes al de las hojas caídas. Los más preciosos atavíos se nos convierten en andrajos; el ámbar que aromatizaba el tocador, trasciende a muerte y presiente el esqueleto; y si por acaso se encuentra un corazón en ese fango, todos le insultan ustedes, sin permitirnos siquiera un recuerdo. Así pues, ya nos encontremos en esa época de la vida cuidando perros en un hotel suntuoso, ya en un hospital, escogiendo guiñapos, ¿dejará de ser idéntica nuestra existencia? ¿Qué diferencia media entre ocultar nuestras canas bajo un pañuelo a cuadros encarnados y azules o bajo encajes, barrer las calles con escobón o los peldaños de las Tullerías con colas de raso, sentarse ante doradas chimeneas o calentarse al rescoldo de un barreño de barro, asistir al espectáculo de la Gréve o a la representación de la

Opera?

—Aquilina mía —declaró Eufrasia—, jamás estuviste tan atinada en tus desesperaciones. ¡Sí! Los cachemires, las blondas los perfumes, el oro, la seda, el lujo, todo cuanto brilla y todo cuanto agrada, sólo sienta bien a la juventud. El tiempo es el único capaz de poner coto a nuestras locuras, pero la dicha nos absuelve. Ríanse ustedes cuanto quieran de lo que digo —agregó, lanzando a los dos amigos una sonrisa venenosa—; pero, ¿verdad que tengo razón? Prefiero morir de placer que de enfermedad. No tengo ni la manía de la perpetuidad ni gran respeto por la especie humana, al ver cómo la trata Dios. ¡Dadme millones, y me los comeré! No quiero que sobre un céntimo para el año próximo. Vivir para gustar y reinar: tal es el fallo que pronuncia cada latido de mi corazón. La sociedad está de acuerdo conmigo, proveyendo incesantemente a mis disipaciones. ¿Por qué me proporciona todas las mañanas, la bondad divina, la renta necesaria para mis despilfarros nocturnos? ¿Por qué no construyen ustedes hospitales? Como no se nos ha colocado entre el bien y el mal para escoger lo que nos mortifique o nos hastíe, sería una necedad no divertirme.

— ¿Y los demás? —interrogó Emilio.

— ¿Los demás? ¡Allá se las arreglen! Prefiero reírme de sus sufrimientos a llorar los míos. Desafío a cualquier hombre a que me cause la más ligera pena.

— ¿Tanto has sufrido, para pensar así? —preguntó Rafael.

—Aquí donde me ve usted, he sido abandonada por una herencia — contestó la muchacha, adoptando una postura que hizo resaltar todas sus seducciones—. ¡Y eso que me pasaba día y noche trabajando para que él comiera! No quiero dejarme embaucar por sonrisas ni promesas, y me propongo convertir mi vida en una prolongada partida de placer.

—Pero, ¿es que la dicha no procede del alma? —exclamó Rafael.

— ¿Y qué? —replicó Aquilina—. ¿Por ventura es poco verse admirada, lisonjeada, triunfar de todas las mujeres, hasta de las más virtuosas, abrumándolas con nuestra hermosura y con nuestro fausto? Además, vivimos más en un día que una buena burguesa en diez años, y con eso está dicho todo.

— ¿Pero no es odiosa una mujer sin virtud? —preguntó Emilio a Rafael.

Eufrasia les lanzó una mirada viperina y contestó con inimitable acento de ironía:

— ¡La virtud! Eso queda para las feas y contrahechas. ¿Qué sería, sin ella, de esas infelices?

— ¡Calla! ¡Calla! —exclamó Emilio—, no hables de lo que no sabes.

— ¿No he de saberlo? —replicó Eufrasia—. Entregarse durante toda la vida a un ser odiado, saber criar hijos que nos abandonen, y haber de darles las gracias cuando desgarren nuestro corazón. Esas son las virtudes que exigen ustedes a la mujer; y aun para recompensar su abnegación, acaban por imponerla sufrimientos, tratando de seducirla, y si resiste la comprometen. ¡Bonita vida! Vale más conservar la libertad, amar a quien se quiera y morir jóvenes.

— ¿No temes que llegue un día, en el que pagues todos esos excesos?

—Si llegara, en lugar de haber mezclado mis alegrías con sinsabores, habría dividido mi vida en dos partes: una juventud positivamente gozosa, y una vejez incierta, durante la cual lo sufriré todo a gusto.

—Esta no ha querido de veras —arguyó Aquilina, en tono sentencioso—, no ha corrido nunca cien leguas para ir a devorar con fruición una mirada y un desaire; no ha tenido su vida pendiente de un cabello ni ha intentado acuchillar a varios hombres, por salvar a su soberano, a su señor, a su dios. Para ella, el amor ha sido un gallardo coronel.

— ¡Oye! ¡Oye, la Rochela! —contestó Eufrasia—, el amor es como el viento, que no sabemos de dónde viene. Además, si hubieras sido verdaderamente amada por un bruto, tendrías aversión a las gentes de talento.

—El código nos prohíbe amar a los brutos —replicó la arrogante Aquilina, en tono irónico.

—Te creía más indulgente con los militares —dijo Eufrasia riendo.

— ¡Qué felices sois, pudiendo abdicar así de vuestra razón! —exclamó Rafael.

— ¡Felices! —repitió Aquilina, con una sonrisa de conmiseración, de espanto, lanzando a los dos amigos una iracunda mirada—. ¡Cómo se conoce que ignoran ustedes lo que significa verse obligada al placer, con un muerto en el corazón!

La contemplación de los salones, en aquel momento, constituía una vista anticipada del Pandemonio de Milton. Las azuladas llamas del ponche coloreaban de un matiz infernal los rostros de los que aun podían beber. Insensatas danzas, animadas por una energía salvaje, excitaban risas y gritos, que estallaban como detonaciones de un fuego de artificio. El tocador y un saloncillo contiguo, sembrados de muertos y de moribundos, ofrecían el aspecto de un campo de batalla. La atmósfera estaba caldeada de vino, de placeres y de palabras. La embriaguez, el amor, el delirio, el olvido del mundo, se reflejaban en las caras, en los corazones, aparecían estampados en las alfombras, expresados por el desorden, y tendían ante todas las miradas tenues velos, que producían las más halagadoras ilusiones. Agitado en el aire, como en los haces luminosos de un rayo de sol, flotaba un brillante polvillo, a través del cual se dibujaban las más caprichosas formas, las más grotescas luchas. Diseminadas por todas partes, las enlazadas parejas se confundían con los blancos mármoles, obras maestras de la escultura, que adornaban las habitaciones.

Aunque los dos amigos conservasen todavía una especie de lucidez engañosa en sus ideas y de agilidad en su organismo, un postrer sacudimiento, simulacro imperfecto de la vida, les era imposible determinar lo que había de real en las extrañas fantasías, en los cuadros sobrenaturales que desfilaban de continuo ante sus fatigados ojos. El cielo asfixiante de nuestros sueños, la suavidad ardiente que adquieren las imágenes en nuestras visiones, los más inusitados fenómenos letárgicos, les asaltaron tan vivamente, que tomaron aquella baraúnda por las quimeras (le una pesadilla, en la que el movimiento fuera silencioso y los gritos perdidos para el oído. En aquel momento, un criado de confianza logró, no sin trabajo, atraer a su señor a la antesala, y le dijo en voz baja:

— ¡Señor! Todos los vecinos están asomados a los balcones, quejándose de este escándalo.

—Si les molesta el ruido, ¡qué atrincheren los huecos con paja! —exclamó Taillefer.

Rafael soltó una carcajada tan intempestiva y ruidosa, que su amigo le pidió la explicación de aquella brutal alegría.

—Difícilmente me comprenderías —contestó Rafael—. Ante todo, habría de confesarte que me detuvisteis en el malecón Voltaire, en el momento preciso en que intentaba arrojarme al Sena, lo cual provocaría el deseo, por tu parte, de conocer los móviles de mi resolución. Pero si te agregara que, por un azar casi fabuloso, acababan de resumirse a mis ojos las ruinas más poéticas del mundo material, en una traducción simbólica de la sabiduría humana, mientras que ahora, los restos de todos los tesoros intelectuales de que hemos echado mano en la mesa se han concentrado en estas dos mujeres, originales personificaciones de la locura, y que nuestra profunda indiferencia por hombres y cosas ha servido de transición a los cuadros, tan fuertemente matizados, de dos sistemas de existencia tan diametralmente opuesto, ¿qué me dirías? Si no estuvieras a medios pelos, quizá vieras en ello un tratado de filosofía.

—Si no te apoyaras en esa hechicera Aquilina, cuyos ronquidos tienen cierta analogía con el bramido de una tempestad próxima a desencadenarse —replicó Emilio, entretenido a su vez en arrollar y desarrollar los cabellos de Eufrasia, sin darse cuenta de la inocente ocupación—, te avergonzarías de tu embriaguez y de tu charla. Tus dos sistemas pueden compendiarse en una sola frase y reducirse a una idea. La vida sencilla y mecánica conduce a una discreción rutinaria, ahogando nuestra inteligencia con el trabajo, mientras que la vida pasaba en el vació de las abstracciones o en el abismo del mundo moral, lleva una sabiduría loca. En una palabra, matar los sentimientos para vivir viejos, o morir jóvenes, aceptando el martirio de las pasiones; a eso estamos condenados. Y aun así, esta sentencia lucha con los temperamentos de que nos ha dotado el guasón a quien debemos el patrón de todas las criaturas.

— ¡Majadero! —exclamó Rafael, interrumpiéndole—. Continúa compendiándote a ti mismo, en esa forma, y formarás volúmenes. Si yo hubiera tenido la pretensión de formular propiamente esas dos ideas, te habría dicho que el hombre se corrompe por el ejercicio de la razón y se purifica por la ignorancia. ¡Eso es hacer el proceso de las sociedades! Pero, vivamos con los prudentes o perezcamos con los locos, ¿dejará de ser el mismo el resultado, más tarde o más temprano? Por eso, el gran abstractor y quintaesenciador, ha condensado ya estos dos sistemas antes de ahora en estas dos palabras: «Carymari», «Carymara».

—Me haces dudar del poder de Dios, porque eres más necio que El poderoso —contestó Emilio—. Nuestro querido Rabelais ha resuelto esta filosofía con una palabra más breve que «Carymari, Carymara»; esta palabra es la de «quizá», de la que Montaigne sacó su «¿Qué sé yo?». Y aun estas últimas palabras de la ciencia moral, apenas son otra cosa que la exclamación de Pyrrhon al quedarse entre el bien y el mal, como el asno de Buridán entre dos piensos. Pero dejemos aquí esta eterna discusión, que hoy se reduce a «sí y no». ¿Qué experimento pretendías realizar, arrojándote al Sena? ¿Sentías envidia de la bomba hidráulica del puente de Nuestra Señora?

— ¡Ah! ¡Si conocieses mi vida!

— ¡Chico! ¡No te creía tan vulgar! —exclamó Emilio—. La frasecilla está ya muy gastada. ¿No sabes que todos tenemos la, pretensión de sufrir mucho más que los otros?

— ¡Oh! —repuso Rafael.

— ¡Me hacen gracia tus exclamaciones! ¡Vamos a ver! ¿Padeces alguna enfermedad, corpórea o anímica, que te obligue todas las mañanas, por una contracción de tus músculos, a adiestrar los caballos que han de descuartizarte por la noche, como lo hiciera en otro tiempo Damiens? ¿Te has comido a tu perro, en crudo y sin sal, en tu mísera buhardilla? ¿Te piden pan tus hijos? ¿Has vendido la cabellera de tu querida para ir a jugar? ¿Has ido a pagar a un domicilio supuesto una letra de cambio falsa, girada contra un tío imaginario, con el temor d llegar demasiado tarde? ¡Habla, que ya te escucho! Si te arrojabas al agua por una mujer, por un protesto, o por hastío de la vida,

¡reniego de ti! ¡Confiésamelo todo, pero sin mentir! No reclamo de ti memorias históricas. Sobre todo, sé tan breve como te lo permita tu embriaguez. Soy exigente como un lector, y estoy a punto de dormirme, como mujer que lee las vísperas en su breviario.

— ¡Qué tontería! —replicó Rafael—. ¿De cuándo acá no están los dolores en razón directa de la sensibilidad? Cuando lleguemos al grado de ciencia que nos permita formar la historia natural de los corazones, denominarlos, clasificarlos en géneros, subgéneros y familias, en crustáceos, en fósiles, en saurios, en microscópicos… en ¿qué sé yo?, entonces se demostrará que los hay sensibles, delicados como flores, que deben quebrarse, como ellas al más ligero roce, y que resistirían, sin conmoverse, ciertos corazones pétreos.

— ¡Por favor, ahórrame el prefacio! —suplicó Emilio, entre risueño y compasivo, estrechando la mano de Rafael.

II

LA MUJER SIN CORAZÓN

Después de una breve pausa, Rafael comenzó, afectando indiferencia:

—Realmente, no sé si debo achacar a los vapores del vino y del ponche la especie de lucidez que me permite abarcar en este instante toda mi vida como un solo cuadro, en el que las figuras, los colores, las sombras, los claros y las medias tintas están fielmente marcados. No me asombraría este juego poético de mi imaginación si no estuviese acompañado de cierto desdén hacia mis penas y mis alegrías pretéritas. Vista de lejos, mi vida aparece como circunscrita por un fenómeno moral. El prolongado y lento padecer que ha durado diez años, puede reproducirse hoy en unas cuantas frases, en las que el dolor no será ya más que un pensamiento y el placer una reflexión filosófica, juzgo, en lugar de sentir…

—Estás pesado, como si desarrollaras una enmienda —interrumpió Emilio.

—Es posible —contestó Rafael, sin protestar—. Así, pues, para no abusar de tu atención, te haré gracia de los diez y siete primeros años de mi vida. Hasta entonces, viví como tú, como otros mil, esa vida de colegio o de academia, en la que los pesares ficticios y las alegrías reales hacen las delicias de nuestro recuerdo; esa vida, a la que nuestro agotado estómago pide las verduras del viernes, mientras no las hemos gustado nuevamente hermosa vida, cuyos trabajos nos parecen despreciables, y que, sin embargo, nos han enseñado a trabajar…

— ¡Entra de lleno en el drama! —dijo Emilio, entre jovial y lastimero.

—Cuando salí del colegio —prosiguió Rafael, reclamando con un ademán el derecho a continuar—, mi padre me sometió una severa disciplina y me aposentó en un cuarto contiguo su despacho. Me hacía acostar a las nueve de la noche y levantar a las cinco de la mañana; quería que cursase a conciencia mi carrera de Derecho. Además de ir a clase, practicaba en bufete de un letrado; pero las leyes del tiempo y del espacio se aplicaban tan rígidamente a mis idas y venidas y a mis trabajos, y mi padre me exigía, a la hora de la comida, tan rigurosa cuenta de…

— ¿Pero a mí qué me importa todo eso? —interrumpió Emilio.

— ¡Llévete el diablo! —contestó Rafael—. ¿Cómo has de hacerte cargo de mis sentimientos, si no te relato los hechos imperceptibles que influyeron en mi alma, acostumbrándola al temor y dejándome largo tiempo en la prístina inocencia de la niñez? Así, hasta los veintiún años, he gemido bajo el yugo de un despotismo tan frío como el de una regla monacal.

»Para revelarte las tristezas de mi vida, quizá baste con que te haga el diseño de mi padre: un señor alto y seco, de perfil afilado como la hoja de un cuchillo, tez pálida, parco en el hablar, tacaño como una solterona y meticuloso como un jefe de oficina. Su paternidad planeaba sobre mis diabluras y mis juveniles expansiones, abatiéndose y encerrándolas como bajo losa de plomo. Si pretendía exteriorizarle mi ternura, me recibía como a chiquillo que molesta. Le tenía más miedo que a un antiguo dómine, y jamás pasé, para él, de los ocho años. Aun me parece verle. Embutido en su redingote color marrón, dentro del que se mantenía derecho como una vela, tenía el aspecto de un arencón salado, envuelto en la cubierta rojiza de un folleto.

»Sin embargo, yo quería a mi padre; en el fondo, era justo. Tal vez no puede aborrecerse la severidad, cuando la justifican el carácter entero, la pureza de costumbres y cierta discreta bondad. Si mi padre no me dejó nunca a sol ni a sombra, si hasta la edad de veinte años no puso diez francos a mi disposición, diez pícaros, diez libertinos francos, tesoro inmenso, cuya posesión vanamente ambicionada durante tanto tiempo me hizo soñar inefables delicias, procuraba, por lo menos, proporcionarme algunas distracciones. Después de prometerme una diversión, meses enteros, me llevaba a los Bufos, a un concierto, a un baile, donde yo esperaba encontrar una querida. Para mí, una querida constituía la independencia; pero vergonzoso y tímido, ignorante del lenguaje de los salones y sin conocer a nadie, salía siempre con el corazón tan intacto como henchido de deseos. Y al otro día, embridado por mi padre, como un caballo de escuadrón, volvía al bufete del abogado, a la Universidad, al Palacio de Justicia.

»Intentar desviarme de la ruta uniforme trazada por mi padre, habría sido exponerme a su cólera. Amenazado con embarcarme para las Antillas, en calidad de grumete, a la primera falta, me estremecía si, por casualidad, osaba aventurarme un par de horas en una partida de placer. Figúrate la imaginación más vagabunda, el corazón más enamorado, el alma más tierna, el espíritu más poético, en presencia constante del hombre más quisquilloso, más atrabiliario, más frío del mundo; casa, en fin, a una doncella con un esqueleto, y comprenderás la existencia cuyas curiosas escenas no puedo prescindir de referirte; proyectos de fuga, desvanecidos a la vista de mi padre: desesperaciones calmadas por el sueño, deseos reprimidos, ideas melancólicas disipadas por la música. Ahuyentaba mis desventuras con melodías. Beethoven y Mozart fueron, con gran frecuencia, mis discretos confidentes.

»Hoy, me sonrío al recordar todos los prejuicios que perturbaban mi conciencia, en aquella época de inocencia y de virtud. Me habría creído arruinado, con sólo pisar los umbrales de una fonda; mi imaginación me hacía considerar a un café como un lugar de libertinaje, en el que los hombres mancillaban su honor y comprometían su fortuna; en cuanto a arriesgar dinero en el juego, hubiera precisado tenerlo. Aun cuando provoque tu sueño, quiero contarte una de las más terribles alegrías de mi vida, una de esas alegrías armadas de garras aceradas que se hunden en nuestro corazón, como el hierro candente en el hombro de un galeote.

»El duque de Navarreins, primo de mi padre, dio un baile, al cual nos invitó. Pero, para que puedas hacerte cargo exacto de mi posición, te diré que llevaba un frac raído, unos zapatos deformados, una corbata de cochero y unos guantes bastante usados. Me instalé en un rincón, a fin de poder tomar helados a mis anchas y contemplar caras bonitas. Mi padre me vio. Por motivos que jamás he acertado a comprender, a tal punto me dejó atónito aquel rasgo de confianza, me dio a guardar su bolsa y sus llaves. A diez pasos de mí, jugaban unos cuantos hombres. Desde donde yo estaba, se percibía el tintineo de las monedas de oro.

»Tenía entonces veinte años, y anhelaba pasar un día entero entregado a los pecadillos propios de mi edad. Era un libertinaje espiritual, cuyas analogías no había que buscar, ni en los caprichos de la cortesana, ni en los ensueños de la doncella. Hacía un año que me imaginaba bien vestido, en carruaje, con una hermosa mujer a mi lado, dándome vida de gran señor, comiendo en casa de Very, yendo al teatro por la noche, decidido a no volver a casa de mi padre hasta el día siguiente, pero prevenido contra sus furores de una aventura más complicada que «Las bodas de Fígaro» y de la cual no hubiera podido desenredarme.

»Yo había calculado, para todo ello, un presupuesto de cincuenta escudos. ¿No era esto una reminiscencia de los sabrosos «novillos» escolares? Me retiré, pues, a un gabinetito, donde, a solas, con las pupilas empañadas y los dedos temblorosos, conté el dinero de mi padre: ¡cien escudos! Evocados por esta suma, aparecieron a mi vista, los goces de mi escapatoria, danzando como las brujas de Macbeth en torno de su caldera, pero incitantes, atractivos, deliciosos. Me convertí en un pillo consumado. Prescindiendo de los zumbidos de mis oídos y de los precipitados latidos de mi corazón, tomé dos monedas de veinte francos, que todavía me parece ver ahora: tenían borrosa la inscripción y estampado el cuño de Bonaparte. Después de guardar nuevamente la bolsa, me acerqué a una mesa de juego, oprimiendo nerviosamente las dos monedas de oro en la húmeda palma de mi mano y dando vueltas alrededor de los jugadores, como gavilán sobre un gallinero. Presa de angustias indescriptibles, lancé una rápida y penetrante ojeada circular. Seguro de no ser visto por nadie que me conociera, aposté a favor de un hombrecillo rechoncho y jovial, sobre cuya cabeza acumulé más plegarias y votos de los que pueden hacerse en el mar durante tres tormentas. Luego, con un instinto de perversión o de maquiavelismo, sorprendente a mi edad, me situé de plantón junto a una puerta, explorando a través de los salones, sin observar nada sospechoso. Mi alma y mis ojos revoloteaban en torno del fatal tapete verde.

»De aquella noche data la primera observación fisiológica, a la que debo esta especie de penetración que me ha permitido sorprender algunos misterios de nuestra doble naturaleza. Me hallaba de espalda a la mesa en que se disputaba mi futura dicha, dicha quizá tanto más intensa, en cuanto que era criminal.

»Entre los jugadores y yo había una barrera humana, formada por cuatro o cinco hileras de comentaristas; el murmullo de sus voces impedía distinguir el sonido del oro, mezclado con los acordes de la orquesta. A pesar de todos estos obstáculos, por un privilegio concedido a las pasiones, que les otorga la facultad de anular el espacio y el tiempo, percibía con toda claridad las palabras de ambos jugadores, conocí sus puntos, sabía cuál de los dos volvía el rey, como si les viera las cartas; en resumen, a diez pasos de la mesa, me hacían palidecer las alternativas del juego. Mi padre pasó de pronto por delante de mí, y entonces comprendí aquella frase de la Escritura: «El espíritu de Dios pasó ante su faz».

»¡Había ganado! A través del torbellino de hombres que gravitaba en torno de los jugadores, corrí a la mesa, deslizándome con la suavidad de una anguila que se escapa por la malla rota de una red. El júbilo hizo desaparecer la, dolorosa tensión de mis nervios. Estaba como un reo, que al marchar hacia el cadalso tropieza con el rey. Por un desdichado azar, un sujeto condecorado reclamó cuarenta francos que faltaban. Todas las miradas se clavaron en mí con recelo, produciéndome violentos escalofríos, que inundaron mi frente de sudor. El robo a mi padre, había recibido la sanción adecuada. Pero el hombrecillo rechoncho declaró, en tono verdaderamente angelical:

»—Todos esos señores habían hecho postura.

»Y pagó los cuarenta francos. Yo levanté la cabeza y lancé miradas de triunfo a los jugadores. Después de reintegrar el oro substraído, a la bolsa de mi padre, arriesgué la ganancia en favor del correcto y honrado caballero, que siguió ganando.

»Cuando mi vi dueño de ciento sesenta francos, los anudé en mi pañuelo, de modo que no se cayeran ni sonaran durante el regreso al hogar paterno, y no jugué más.

»— ¿Qué hacías en la sala de juego? —me preguntó mi padre, al subir al carruaje.

»—Miraba cómo jugaban —contesté temblando.

»—No habría tenido nada de particular —replicó mi padre que te hubieras visto comprometido a exponer una puesta en alguna jugada. A los ojos de la sociedad, aparentas edad suficiente para tener el derecho de cometer tonterías. Así, pues, te disculparía, si hubieras echado mano de mi dinero…

»No contesté nada. Una vez en casa, devolví a mi padre sus llaves y su bolsillo. Al entrar en su habitación, vació la bolsa sobre la repisa de la chimenea, contó el dinero se volvió hacia mí con gran afabilidad, y me dijo, intercalando entre frase y frase pausas más o menos largas y significativas:

»—Hijo mío, pronto cumplirás veinte años. Estoy contento de ti. Necesitas una asignación, siquiera sea para que aprendas a economizar, a conocer las cosas de la vida. Desde hoy, te daré cien francos mensuales. Dispondrás de tu dinero como te plazca. Aquí tienes el primer trimestre de este año —añadió, acariciando una pila de oro, como para verificar la suma.

»Confieso que estuve a punto de postrarme a sus plantas, de declararle que era un bribón, un infame… y lo que era peor, un embustero; pero la vergüenza me contuvo. Fui a abrazarle y me rechazó suavemente.

»—Ahora, hijo mío —añadió—, ya eres un hombre. Lo que hago es una cosa natural y justa, que no debes agradecerme. Si tengo algún derecho a tu gratitud —siguió diciendo, en tono cariñoso, pero lleno de dignidad—, será tan sólo por haber preservado tu juventud de las asechanzas que amenazan a todos los muchachos aquí en París. En adelante, seremos dos amigos. Dentro de un año, serás doctor en Derecho. Aunque no sin algunos disgustos y sin ciertas privaciones, has adquirido conocimientos sólidos y amor al trabajo, tan indispensables a los hombres llamados a manejar negocios. Aprende a conocerme, Rafael. No trato de hacer de ti un abogado, ni un notario, sino un hombre de Estado, que pueda ser la gloria de nuestra modesta casa. ¡Hasta mañana! —terminó, despidiéndome con un gesto misterioso.

»A partir de aquel día, mi padre me inició francamente en sus proyectos. Yo era hijo único, y huérfano de madre hacía diez años. En época anterior, mi padre, jefe de una casa señorial casi olvidada de Auvernia, poco lisonjeado con labrar el terruño, espada al cinto, vino a París a luchar con el diablo. Dotado de esa sutileza que hace tan superiores a los hombres del Mediodía de Francia, cuando va acompañada de energía, consiguió, con escaso apoyo, ocupar una posición en el centro mismo del poder.

»La Revolución dio al traste con su fortuna; pero, casado con una heredera de rancia nobleza, vio llegado, con el Imperio, el momento de restituir a nuestra familia su antiguo esplendor. La Restauración, que devolvió a mi madre bienes considerables, arruinó a mi padre. Habiendo comprado, en otro tiempo, varias tierras donadas por el emperador a sus generales y situadas en país extranjero, cuestionaba desde hacía diez años con liquidadores y diplomáticos, con tribunales prusianos y bávaros, para continuar en la discutida posesión de aquellas desdichadas propiedades. Mi padre me lanzó en el laberinto inextricable de aquel vasto proceso, del que dependía nuestro porvenir: Podíamos ser condenados a restituir las rentas percibidas, así como el valor de ciertas talas de bosques, efectuadas de 1814 a 1816; en ese caso, la hacienda de mi madre apenas bastaría para salvar el honor de nuestro apellido.

»Así, pues, el día en que mi padre pareció emanciparme relativamente, caí bajo el más odioso de los yugos. Hube de librar verdaderas campañas, trabajar día y noche, entrevistarme con estadistas, tratar de torcer su conciencia, intentar interesarles en nuestro asunto, seducir al personaje, a su esposa, a sus criados, a sus perros y ocultar mi penoso cometido bajo formas elegantes y frase amena.

»Entonces comprendí todos los sinsabores, cuyas huellas ajaban el rostro de mi padre. Durante cosa de un año, llevó aparentemente la vida de un hombre de mundo; pero aquel ajetreo y mi solicitud por relacionarme con parientes influyentes o con personas que pudieran sernos útiles, constituían una tarea ímproba. Mis diversiones seguían siendo los legajos y mis conversaciones alegatos.

»Hasta entonces, había sido virtuoso por la imposibilidad de dar rienda suelta a mis pasiones juveniles; luego, temeroso de causar la ruina de mi padre, o la mía, por una negligencia, me convertí en mi propio déspota y no me atreví a permitirme un placer ni un dispendio.

»Cuando somos jóvenes, cuando la falta de contacto con hombres y cosas conserva esa delicada flor de sentimiento, esa lozanía de ideas, esa pureza de conciencia que nos impide transigir con el mal, sentimos vivamente nuestros deberes; el honor se impone a todo; somos francos y sin doblez. Así era yo entonces y quise justificar la confianza de mi padre. Poco antes, le hubiera hurtado con fruición una mezquina cantidad; pero al ayudarle a soportar el fardo de sus negocios, de su nombre, de su casa, le habría dado secretamente mis bienes y mis esperanzas, como le sacrificaba mis placeres, ¡y bien gustoso! Así, cuando el señor de Villèle exhumó, expresamente contra nosotros, un decreto imperial en materia de prescripciones, que acarreó nuestra ruina, cedí en venta mis propiedades, sin conservar más que un islote sin valor, situado en medio del Loira, en el cual se hallaba el sepulcro de mi madre. Hoy, quizá no me faltarían argumentos, subterfugios, disquisiciones filosóficas, filantrópicas y políticas, para dispensarme de hacer lo que mi defensor calificó de disparate.

»Pero a los veintiún años, lo repito, somos todo generosidad, todo vehemencia, todo amor. Las lágrimas que vi en los ojos de mi padre fueron entonces para mí la más hermosa de las fortunas, y el recuerdo de aquellas lágrimas me ha consolado muchas veces en la miseria. Diez meses después de haber pagado a sus acreedores, mi padre murió de pesadumbre. Me adoraba y me había arruinado; esta idea le mató.

»A los veintidós años de mi edad y al finalizar el otoño de 1825, asistí, completamente solo, al entierro de mi amigo predilecto, de mi padre. Pocos jóvenes se han visto, como yo, a solas con sus pensamientos, escoltando a una carroza mortuoria, perdidos en París, sin porvenir, sin fortuna. Los huérfanos recogidos por la caridad pública cuentan, al menos, con la protección y el amparo oficiales y con el albergue de un hospicio. ¡Yo era un desheredado! A los tres meses, me fueron entregados judicialmente mil ciento doce francos, producto neto y líquido de la sucesión paterna. Los acreedores me habían obligado a vender nuestro mobiliario. Acostumbrado desde mi niñez a dar gran valor a los objetos de lujo que me rodeaban, no pude menos de manifestar cierta sorpresa a la vista del exiguo saldo.

»— ¡Oh! —me dijo el funcionario judicial—, ¡todo era muy «rococó»!

»¡Terrible palabra, que marchitaba mis veneraciones infantiles y arrebataba mis primeras ilusiones, las más caras de todas! Mi fortuna se resumía en un inventario, mi porvenir se encerraba en un taleguillo, que contenía mil ciento doce francos, y la sociedad se me presentaba en la persona de un curial de baja estofa, que me hablaba con el sombrero calado. Un antiguo criado que me idolatraba, y a quien mi madre legó en su testamento cuatrocientos francos de renta vitalicia, el buen Jonatás, me dijo, al abandonar la casa de la que tantas veces había salido alegremente, en carruaje, durante mi infancia:

»—Economice usted todo lo posible, señorito Rafael!

»Y rompió a llorar el pobre hombre.

»Tales son, mi querido Emilio, los acontecimientos que avasallaron mi destino, modificaron mi alma y me colocaron, siendo todavía un muchacho, en la más resbaladiza de las situaciones sociales —prosiguió diciendo Rafael, después de una ligera pausa—. Ciertos vínculos de familia, aunque débiles, me unían a varias casas, cuyo acceso me hubiera vedado el orgullo, si el desprecio y la indiferencia no me hubiesen cerrado ya sus puertas.

»Aunque emparentado con personas muy influyentes y pródigas de su protección para los extraños, yo carecía de parientes y de protectores. Incesantemente retenida en sus expansiones, mi alma se replegó en sí misma. Lleno de franqueza y de naturalidad, había de mostrarme frío y disimulado. El despotismo de mi padre me había quitado toda confianza en mí; era tímido y torpe, no creía que mi voz pudiera ejercer el menor dominio, me aburría de mí mismo, me encontraba repulsivo y antipático y me avergonzaba de mirar a nadie.

»A pesar de la voz interior que debe sostener a los hombres de talento en sus luchas, y que me gritaba: ¡Ánimo!, ¡adelante!; a pesar de las súbitas revelaciones de mi energía en la soledad; a pesar de la esperanza que me animaba, al comparar las recientes obras admiradas por el público con las que bullían en mi cerebro, dudaba de mí, como un chiquillo. Era presa de una ambición desmedida, me creía destinado a grandes empresas, y me sentía anonadado. Necesitaba compañía y carecía de amigos. Había de abrirme un camino en el mundo, y permanecía inmóvil y solitario, menos temeroso que avergonzado. Durante el año en que fui lanzado por mi padre al torbellino de la alta sociedad, me presenté a ella con un corazón intacto, con un alma fresca. Como todos los niños grandes, aspiraba secretamente a plácidos amores.

»Entre los jóvenes de mi edad, encontré una cuadrilla de fanfarrones, que marchaban con la cabeza erguida, diciendo sandeces, sentándose sin temblar junto a las mujeres que yo consideraba menos abordables, soltando impertinencias, mordiendo y chupando el puño de sus bastones, haciendo carocas, atribuyéndose la conquista de las más lindas muchachas, ufanándose de haber reclinado sus cabezas en todas las almohadas, afectando desdenes, conceptuando a las más virtuosas, a las más recatadas, como presas fáciles, prestas a rendirse ante una frase, ante un gesto audaz, ante la primera mirada insolente…

»Te declaro solemnemente y con toda franqueza, que me parecía empresa más sencilla la conquista del poder o de un gran renombre literario, que la de una mujer de alto rango, joven, espiritual y graciosa. Comprendí que las perturbaciones de mi corazón, mis sentimientos, mis convicciones, estaban en desacuerdo con las máximas sociales. Poseía suficiente audacia, pero sólo en el alma, no en la expresión. Después, he aprendido que las mujeres no gustan de ser mendigadas; he visto muchas a las que adoraba de lejos, a las que entregaba un corazón a toda prueba, un alma que desgarrar, una energía que no retroceder ante sacrificios ni torturas, y que pertenecía a necios, que no me habrían servido ni para porteros. ¡Cuántas veces, callado, inmóvil, he admirado a la mujer de mis ensueños, surgiendo en un baile! Consagrando, entonces, mentalmente mi existencia a caricias eternas expresaba todas mis esperanzas en una mirada, y le ofrecía en mi éxtasis un amor juvenil, que rechazaba las falacias.

»En ciertos momentos, hubiera dado mi vida por una sola noche. ¡Pues bien! No habiendo encontrado jamás almohada en que deslizar mis apasionadas frases, miradas en que reposaran las mías, corazón para mi corazón, he vivido en todos los tormentos de una impotente energía que se devoraba a sí misma, ya por falta de atrevimiento o de ocasiones, ya por inexperiencia. Tal vez he desesperado de hacerme comprender, o temido que se me comprendiera demasiado. Y, sin embargo, tenía una tempestad dispuesta para cada mirada complaciente que se me dirigiera. A pesar de mi prontitud en apoderarme de aquella mirada o de palabras afectuosas en apariencia, como tiernos estímulos, jamás he osado hablar ni callar a tiempo. A fuerza de sentimiento, mi conversación resultaba insignificante y mi silencio degeneraba en estupidez. Era, sin duda, excesivamente cándido para una sociedad ficticia que vive a la luz artificial, que expresa todos sus pensamientos con frases convenidas o con palabras dictadas por la moda. Además, no sabía hablar callándome ni callarme hablando.

»En fin, archivando en mi interior el fuego que me abrasaba, teniendo un alma semejante a las que las mujeres anhelan encontrar, invadido por esa exaltación de que tan ávidas se muestran, pose, yendo la energía de que se envanecen los tontos, todas las mujeres me han tratado con alevosa crueldad. Admiraba, por tanto, candorosamente a los héroes de corrillo, cuando celebraban sus triunfos, sin sospechar que pudieran mentir. Tenía, sin duda, la fatalidad de desear un amor bajo palabra, de querer encontrar constante y firme, en un corazón de mujer frívola y ligera, ganosa de lujo, henchida de vanidad, esa pasión ilimitada, ese océano que se agitaba procelosamente en mi corazón. ¡Oh! ¡Sentirse nacido para amar, para colmar de ventura a una mujer, y no dar con ninguna, ni siquiera una intrépida y noble Marcelina o una vieja marquesa! ¡Llevar la alforja llena de tesoros, y no poder hallar una niña, una joven curiosa, para hacérselos admirar! ¡Cuántas veces me ha impulsado al suicidio la desesperación!

— ¡Trágico de veras te has venido esta noche! —exclamó Emilio.

— ¡Déjame condenar mi vida! —contestó Rafael—. Si tu amistad no es suficientemente sólida para escuchar mis elegías, si no puedes otorgarme la concesión de media hora de aburrimiento, ¡duerme! Pero entonces, no me pidas cuenta de mi suicidio, que muge, se yergue, me llama y yo saludo. Para juzgar a un hombre, lo menos que precisa es estar en el secreto de su pensamiento, de sus desventuras, de sus emociones; no querer conocer de su vida más que los acontecimientos materiales, es hacer la cronología, la historia de los tontos.

El tono de amargura en que pronunció estas palabras impresionó tan vivamente a Emilio, que desde aquel momento, concentró toda su atención en su amigo, mirándole como alelado.

—Pero ahora —prosiguió el narrador—, el resplandor que colora esos accidentes les comunica un nuevo aspecto. El orden de las cosas, que antes consideraba yo como una desdicha, es posible que haya engendrado las buenas facultades de que luego he tenido ocasión de enorgullecerme. La curiosidad filosófica, el exceso de trabajo, la afición a la lectura, que han ocupado constantemente mi vida, desde la edad de siete años hasta mi entrada en el mundo, ¿no me habrán dotado de esa facilidad, que todos me atribuís, para expresar mis pensamientos y seguir avanzando por el vasto campo de los conocimientos humanos? El abandono a que estuve condenado, el hábito de reprimir mis sentimientos y de vivir reconcentrado, ¿no me habrán investido de la facultad de comparar, de meditar? Al no extraviarse, poniéndose al servicio de las cóleras mundanas, que empequeñecen al alma más privilegiada y la reducen al estado de guiñapo, ¿no se habrá concentrado mi sensibilidad, para convertirse en órgano perfeccionado de una voluntad más elevada que el querer de la pasión?

»Desconocido por las mujeres, recuerdo haberlas observado con la sagacidad del amor desdeñado. Ahora, lo veo, la sinceridad de mi carácter ha debido desagradar; ¿es que las mujeres apetecen un poco de hipocresía? Siendo, como soy, alternativamente y en la misma hora, hombre y niño, fútil y pensador, exento de prejuicios y plagado de supersticiones, femenino, a veces, como ellas, ¿no habrán tomado mi sencillez por cinismo y la propia pureza de mi pensamiento por libertinaje? Para ellas, la ciencia significaba fastidio, la languidez femenina debilidad. Esta desmedida movilidad de imaginación, desdicha de los poetas, hacía sin duda que me juzgasen como un ser incapaz de amor, sin constancia en las ideas, sin energía. Idiota en mi silencio, quizá las asustaba, al intentar agradarlas, y las mujeres me han condenado. He aceptado, entre lágrimas y pesares, el fallo dictado por el mundo.

»Pero este fallo ha producido su fruto. Quise vengarme de la sociedad, quise adueñarme del alma de todas las mujeres, sometiéndome sus inteligencias, para ver todas las miradas fijas en mí, cuando me anunciara un criado desde la puerta de un salón. Me instituí gran hombre. Desde mi infancia, me pasaba la mano por la frente, diciendo, como Andrés Chenier: «¡Aquí hay algo!». Creía sentir en mí una idea que expresar, un sistema que establecer, una ciencia que difundir.

»¡Ah! ¡Mi querido Emilio! Hoy, que apenas cuento veintiséis años, que estoy seguro de morir desconocido, sin haber sido jamás el amante de la mujer con cuya posesión he soñado, permíteme contarte mis locuras. ¿Acaso no hemos tomado todos, quién más, quién menos, nuestros deseos por realidades?

»No quisiera por amigo a un joven que en sus delirios no se hubiera tejido coronas, construido algún pedestal, o apropiado complacientes queridas. Yo he sido muchas veces general, emperador; he sido un Byron, y luego ¡nada! Después de haberme imaginado en la cúspide de las cosas humanas, me percataba de que tenía que trepar a todas las alturas, salvar todos los obstáculos. Ese inmenso amor propio que borboteaba en mí, esa sublime creencia en un destino, que quizá llega a convertir en genio a un hombre, cuando no se deja arrancar el alma por los tirones de negocios, con la misma facilidad que un carnero va dejando sus vellones en las zarzas del camino, han sido precisamente los que me han salvado. Quise cubrirme de gloria y laborar silenciosamente, para la mujer amada por quien esperaba verme correspondido algún día. Todas las mujeres se resumían en una sola, y ésa, creía encontrarla en la primera que se ofrecía a mis miradas; pero, viendo una reina en cada una, todas debían, como las reinas, que vienen obligadas a declararse a sus amantes, salir al encuentro de mi dolorida, mísera y tímida personalidad. Tanta gratitud se albergaba en mi corazón; además del amor, hacia la que se hubiese apiadado de mí, que la habría adorado siempre.

»Más tarde, mis observaciones me han enseñado crueles verdades. Como ves, amigo Emilio, me exponía a vivir solo eternamente. Las mujeres están acostumbradas, por no sé qué inclinación del espíritu, a no ver en un hombre de talento más que sus defectos, y en un necio más que sus buenas cualidades; sienten gran simpatía por las cualidades del tonto, que son una perpetua lisonja de sus propios defectos, que el hombre de mérito no las proporciona goces suficientes para compensar sus imperfecciones. El talento es una fiebre intermitente, de la que ninguna mujer desea compartir la molestia; todas ellas aspiran a encontrar en sus amantes motivos para satisfacer su vanidad. ¡Y es que siguen amándose a sí mismas en nosotros! Un hombre pobre, altivo, artista, dotado de facultad creadora, ¿no está armado de un ofensivo egoísmo? Existe en su derredor un torbellino de ideas que lo arrolla todo, hasta a su amada, que ha de seguirle en la vorágine.

»¿Cómo ha de creer en el amor de semejante hombre, una mujer adulada? ¿Ha de ir a buscarle? Ese amante no tiene tiempo de abandonarse, en torno de un diván, a esos tiernos coloquios tan estimados de las mujeres y que dan el triunfo a las gentes falsas e insensibles. Si les falta tiempo para sus tareas, ¿cómo han de malgastarlo en chicolear y en emperifollarse? Presto a dar mi vida de golpe, no la hubiera envilecido en detalle. En resumen, existe en las combinaciones de un agente de cambio que negocia los valores de una mujer pálida y zalamera algo de mezquino que horroriza al artista. El amor abstracto no basta a un hombre pobre y grande, que quiere todas sus abnegaciones. Los seres insignificantes que pasan su vida probándose vestidos y convertidos en perchas ambulantes de la moda, no son capaces de sacrificios; pero los exigen, y ven en el amor el placer de mandar, no el de obedecer. La verdadera esposa de corazón, en cuerpo y alma, se deja llevar allí donde va aquel en quien radica su vida, su fuerza, su gloria, su dicha. Los hombres superiores requieren mujeres orientales, cuyo único pensamiento sea el estudio de sus necesidades: para ellos, la desgracia está en el desacuerdo de sus deseos con los medios. ¡A mí, que me consideraba hombre de genio, me gustaban precisamente aquellas presumidas! Alimentando ideas tan contrarias a las recibidas, teniendo la pretensión de escalar el cielo sin escala, poseyendo tesoros que no tenían curso, armado de conocimientos extensos, que recargaban mi memoria y que aún no había clasificado ni me había asimilado, encontrándome sin parientes, sin amigos, solo en medio del más espantoso desierto, desierto urbanizado, desierto animado, pensador, viviente, en el que todo nos es, más que enemigo, indiferente, la resolución adoptada por mí fue muy natural, aunque insensata; tenía en sí algo de imposible, que me infundió ánimo.

»Fue a manera de un partido empeñado conmigo mismo, en el que me jugaba la última carta. He aquí mi plan. Los mil cien francos habían de alcanzarme para vivir tres años, plazo que me otorgué para dar a luz una obra en condiciones de llamar hacia mí la atención pública y de proporcionarme nombre o fortuna. Me regocijaba pensando que iba a vivir a pan y leche, como un anacoreta de la Tebaida, sumido en el mundo de los libros y de las ideas, en una esfera inaccesible, en medio de este París tan tumultuoso, centro de trabajo y de silencio, donde, como las crisálidas, me labraba una tumba, para renacer brillante y glorioso.

»Me exponía a morir para vivir. Reduciendo la existencia a sus verdaderas necesidades, a lo estrictamente necesario, me pareció que trescientos sesenta y cinco francos anuales deberían bastar a mi pobreza. En efecto, la exigua cantidad ha cubierto mis atenciones, mientras he observado mi propia disciplina claustral.

— ¡Es imposible! —exclamó Emilio.

—Pues así he vivido cerca de tres años —contestó Rafael, con cierto orgullo—. ¡Contemos! Quince céntimos de pan, otros quince de embutidos y diez de leche, me impedían morir de hambre y mantenían mi espíritu en singular estado de lucidez. Como sabes, he observado los maravillosos efectos producidos por la dieta en la imaginación. Mi hospedaje me costaba quince céntimos diarios y otros tantos el aceite para el alumbrado. Yo mismo me arreglaba mi cuarto, y usaba camisas de franela, para que no excediera el lavado de diez céntimos diarios. Utilizaba carbón mineral para la calefacción, cuyo coste, dividido entre los días del año, jamás ha pasado de diez céntimos para cada uno. Tenía ropa blanca y exterior, así como calzado, para tres años, y no me vestía sino para concurrir a ciertos actos públicos y a las bibliotecas.

»Todos estos gastos reunidos ascendían a noventa céntimos, quedándome diez para imprevistos. Durante mi largo período de trabajo, no recuerdo haber pasado el puente de las Artes, ni comprado agua; iba personalmente a buscarla, todas las mañanas, a la fuente de la plaza de San Miguel. ¡Con qué arrogancia he soportado mi escasez! El hombre que presiente un lisonjero porvenir, marcha por la senda de su miseria como un inocente conducido al suplicio; sin avergonzarse. No se me ha ocurrido prevenirme contra una enfermedad. Como Aquilina, he mirado al hospital sin terror. No he dudado, ni un momento, de mi buena salud. Además, el pobre no debe hacer cama sino para morir. Yo mismo me cortaba los cabellos, hasta que un ángel de amor o de bondad.

»Pero no quiero anticipar los acontecimientos. Sólo te diré, que, a falta de mujer amada, viví con un gran pensamiento, con un sueño, con una mentira, en la que todos comenzamos a creer, quién más, quién menos. Hoy me río de mí, de aquel «yo», quizá santo y sublime, que ya no existe. La sociedad, el mundo, nuestras prácticas, nuestras costumbres, vistos de cerca, me han revelado el peligro de mis inocentes convencimientos y la superfluidad de mis fervientes trabajos. Estas impedimentas estorban al ambicioso; el bagaje del que persigue la fortuna debe ser ligero. El error de los hombres de valía, consiste en malgastar sus años juveniles haciéndose dignos del favor. Mientras las gentes sencillas atesoran energía y ciencia, para llevar sin esfuerzo el peso de un dominio que se les muestra esquivo, los intrigantes, ricos en palabras y desprovistos de ideas, van y vienen, sorprenden a los bobalicones y ganan la confianza de los incautos. Los unos estudian, los otros marchan; los unos son modestos, los otros osados.

»El hombre de genio oculta su orgullo; el intrigante ostenta el suyo, y ha de prosperar, necesariamente. Los personajes tienen tal necesidad de creer en el mérito ya sancionado, en el talento descocado, que el verdadero sabio incurre en puerilidad, al esperar las recompensas humanas. No aspiro, ciertamente, a parafrasear los lugares comunes de la virtud, el Cantar de los Cantares, entonado eternamente por los genios desconocidos: pretendo deducir lógicamente la razón de los frecuentes éxitos obtenidos por las medianías. ¡Ah! el estudio es tan bondadosamente maternal, que quizá constituiría delito pedirle otras recompensas que las puras y dulces satisfacciones de que nutre a sus hijos.

»Recuerdo las veces que he empapado gozosamente el pan en la leche, sentado junto a mi ventana, aspirando la brisa y tendiendo la vista sobre un paisaje de tejados pardos, grises o rojos, de pizarra o de teja, y cubiertos de musgos amarillentos o verdes. Si en un principio me pareció monótona la perspectiva, no tardé en descubrir en ella singulares bellezas. Tan pronto los luminosos destellos de una lámpara, pasando entre los entornados postigos, matizaban y animaban las negruras del cuadro nocturno, como los pálidos resplandores de los faroles proyectaban, desde abajo, reflejos amarillentos, a través de la niebla, acusando débilmente en las calles las ondulaciones de aquellos tejados apiñados, océano de olas inmóviles.

»En ocasiones, aparecían raras figuras en medio de aquel silencioso desierto. Ya se destacaba, entre las flores de un jardín aéreo, el perfil anguloso y corcovado de una vieja, regando plantas de capuchinas, ya en el carcomido marco de una buhardilla la silueta de una muchacha, que, no creyendo ser observada, recogía su abundosa cabellera, levantando los torneados y blancos brazos. Admiraba en los canalones algunas vegetaciones efímeras, pobres hierbas, que no tardarían en ser arrastradas por un chubasco. Estudiaba los musgos, sus colores avivados por el rocío, y que se tornaban, bajo los rayos del sol, en un aterciopelado seco y obscuro, de caprichosos reflejos. Los poéticos y fugaces efectos del día, las tristezas de la niebla, el silencio y las magias de la noche, los misterios de la aurora, las humaredas de cada chimenea, todos los accidentes, en suma, de aquella singular naturaleza, familiares ya para mí, me servían de distracción.

»Me agradaba mi prisión, por ser voluntaria. Aquellas sábanas parisinas formadas por techumbres niveladas como una llanura, pero que cubrían poblados abismos, concordaban con mi alma y armonizaban con mis pensamientos. Es molesto encontrar bruscamente el mundo, cuando descendemos de las alturas celestes a que nos remontan las meditaciones científicas. Entonces fue cuando comprendí perfectamente la desnudez de los monasterios.

»Cuando me resolví por completo a seguir mi nuevo plan de vida, busqué habitación en los barrios más solitarios de París. Una noche, pasé por la calle de Cordeleros, de regreso a mi casa. En la esquina de la calle de Cluny, vi a una chicuela de unos catorce años, que jugaba al volante con otra de su edad, distrayendo a los vecinos con sus risas y sus travesuras. Discurría el mes de septiembre, y el tiempo era espléndido y la noche calurosa. Las mujeres, sentadas frente a las puertas, platicaban como en día festivo de localidad provinciana. Yo me fijé ante todo en la chiquilla, cuya fisonomía era en extremo expresiva y cuyo cuerpo parecía modelado para un pintor.

»La escena resultaba simpática. Al inquirir la causa de aquella expansión pueblerina, en el centro de París, observé que la calle carecía de salida y debía ser de poquísimo tránsito. Recordando la estancia de J. J. Rousseau, en aquel lugar, di con la posada de San Quintín, cuyo ruin aspecto me hizo suponer que encontraría alojamiento económico, y me decidí a preguntar. Al entrar en un cuarto de la planta baja, vi los clásicos candeleros de latón provistos de sus correspondientes bujías, metódicamente alineados encima de cada llave, y llamó mi atención la limpieza que reinaba en aquella dependencia, generalmente descuidada en las demás fondas.

»La propietaria del establecimiento, mujer que frisaba en los cuarenta años, cuyas facciones traslucían desventuras y cuyas pupilas parecían empañadas por el llanto, se levantó y salió a mi encuentro. Yo le sometí humildemente mi presupuesto de hospedaje, y ella, sin demostrar sorpresa, buscó una llave entre las demás y me condujo al desván, donde me enseñó un cuarto con vistas a los tejados y a los patios de las casas medianeras, cruzado por cuerdas cargadas de ropa tendida.

»Nada más horrible que aquel buhardillón de paredes amarillentas y sucias, que olía a miseria y llamaba a su sabio. El techo descendía en declive regular y las disyuntas tejas dejaban ver el cielo. Había sitio para una cama, una mesa y unas cuantas sillas, y bajo el ángulo agudo del techo podía acoplar mi piano. Por escasez de recursos para amueblar aquella jaula, digna competidora de los «plomos» venecianos, la pobre mujer no pudo alquilarla nunca. Yo había exceptuado de la almoneda de mis muebles los de mi uso personal, lo cual facilitó el convenio con mi patrona, en cuya casa me instalé al día siguiente.

»Cerca de tres años he vivido en aquel sepulcro aéreo, trabajando sin descanso, de día y de noche, con tanto gusto, que el estudio llegó a parecerme la mejor ocupación, la solución más venturosa de la vida humana.

»La calma y el silencio necesarios al sabio, tienen algo de dulce, de embriagador, como el amor. El ejercicio del pensamiento, la investigación de ideas, las tranquilas contemplaciones de la ciencia nos prodigan inefables delicias, indescriptibles como todo lo que participa de la inteligencia, cuyos fenómenos son invisibles a nuestros sentidos, exteriores. Por eso nos vemos precisados a explicar los misterios del espíritu, mediante comparaciones materiales. El placer de nadar en un lago de agua pura, entre rocas, arbustos y flores, solo y acariciado por una brisa tibia, dará a los ignorados una remotísima idea de la satisfacción experimentada por mí, cuando mi alma se bañaba en los esplendores de una misteriosa luz, cuando escuchaba las voces terribles y confusas de la inspiración, cuando las nubes derramaban en mi cerebro palpitante los raudales de un manantial desconocido. Ver una idea que despunta en el campo de las abstracciones humanas, como el sol al amanecer, que va remontándose como el astro diurno, más aún, que crece como un niño, llega a la pubertad, alcanza lentamente la edad viril, es un goce superior a todos los demás goces terrenales, mejor dicho, es un placer divino. El estudio presta un carácter mágico a cuanto nos rodea.

»La mísera mesa en que yo escribía, la raída badana de la cartera, el piano, la cama, el sillón, todo el resto de mi reducido ajuar, me parecían animarse y convertirse para mí en dóciles amigos, en cómplices silenciosos de mi porvenir. ¡Cuántas veces les he comunicado mi alma al mirarlos! En más de una ocasión, al dejar vagar mi vista sobre las alabeadas molduras, he sorprendido nuevos desarrollos, una prueba patente de mis hipótesis, o palabras adecuadas para expresar pensamientos casi intraducibles.

»A fuerza de mirar los objetos agrupados en mi derredor, acabé por encontrar a cada uno su fisonomía, su carácter; parecían hablarme, y cuando el sol poniente enviaba, por encima de los tejados y a través de mi angosta ventana, algún resplandor furtivo, se coloreaban, palidecían, brillaban, se entristecían o se regocijaban, sorprendiéndome constantemente con efectos nuevos. Estos menudos accidentes de la vida solitaria, que escapan a las preocupaciones del mundo, son el consuelo de los reclusos. ¿Qué era yo, sino cautivo de una idea, esclavo de un sistema, aunque sostenido por la perspectiva de una vida gloriosa? A cada dificultad vencida, besaba las aterciopeladas manos de la mujer de radiantes pupilas, distinguida y opulenta, que había de acariciar algún día mi cabeza, exclamando con ternura:

»— ¡Cuánto has sufrido, bien mío!

»Emprendí dos grandes obras. Una comedia debía conquistarme, en breve plazo fama, fortuna y la entrada en el mundo, en el que quería reaparecer ejerciendo los derechos de regalía del hombre de genio. Todos visteis en aquella obra maestra, la primera equivocación de un escolar recién salido del colegio, una bobada infantil. Vuestras burlas cortaron los vuelos a fecundas ilusiones, que ya no han vuelto a renacer. Sólo tú, amigo Emilio, has embalsamado la profunda llaga que otros abrieron en mi corazón. Sólo tú admiraste mi «Teoría de la voluntad», esa extensa obra, para cuya redacción hube de aprender idiomas orientales, anatomía y fisiología, y a la que consagré la mayor parte de mi tiempo; es obra que, a mi juicio completará los trabajos de Mesmer, de Lavater, de Gall y de Bichat, abriendo nuevo rumbo a la ciencia humana. Ella encierra mi juventud, el sacrificio diario, la labor de gusano de seda, desconocida de todo el mundo y cuya única recompensa está quizá en el propio trabajo.

»Desde que tuve uso de razón hasta el día en que terminé mi producción, observé, aprendí, escribí, leí sin tregua, y mi vida fue como un prolongado castigo de estudiante desaplicado. Amante afeminado de la pereza oriental, enamorado de mis sueños, sensual, he trabajado siempre, resistiéndome a saborear los goces de la vida parisina. Gastrónomo, he sido sobrio; aficionado a toda clase de expediciones, viajes terrestres y marítimos, ansioso de conocer tierras, deleitándome todavía las diabluras y retozos infantiles, he permanecido sentado constantemente, con la pluma en la mano; locuaz, he ido a escuchar en silencio a los profesores en las conferencias públicas de la Biblioteca y del

Museo; he dormido sobre mi solitario camastro, como un monje de la orden de San Benito, y eso que la mujer era mi única quimera, ¡quimera que acariciaba y que siempre huía de mí!

»En fin, mi vida ha sido una cruel antítesis, una perpetua mentira. ¡Júzguese después a los hombres! A veces, mis inclinaciones naturales se declaraban, como un incendio largo tiempo latente. Por una especie de espejismo, o de delirio febril, yo, desahuciado por todas las mujeres ambicionadas, privado de todo y alojado en un tabuco de artista, me veía rodeado de amantes hechiceras... Cruzaba las calles de París, indolentemente reclinado en los muelles almohadones de un soberbio tren; estaba corroído por los vicios, hundido en el libertinaje, deseándolo todo, teniéndolo todo; en suma, ebrio en ayunas, como San Antonio en su tentación. Por fortuna, el sueño acababa por disipar esas visiones devoradoras. Al día siguiente, la ciencia me llamaba sonriendo y yo acudía solícito a su llamamiento.

»Yo supongo que las mujeres calificadas de virtuosas deben experimentar frecuentemente análogos arrebatos de locura, idénticos deseos y pasiones que surgen en nosotros, a pesar nuestro. Tales desvaríos, que no carecen de atractivo, ¿no tienen cierta semejanza con esas pláticas de las noches invernales, durante las que nos trasladamos mentalmente desde nuestro hogar a la China? Pero, ¿cómo queda la virtud durante esos deliciosos viajes, en los que la imaginación ha franqueado todos los obstáculos? Durante los diez primeros meses de mi reclusión, llevé la vida pobre y solitaria que te he descrito; todas las mañanas, sin que nadie me viera, iba, personalmente, a comprar mis provisiones para el día; arreglaba mi habitación, siendo juntamente amo y criado y filosofando a lo Diógenes, con increíble arrogancia.

»Pero pasado dicho tiempo, durante el que mi patrona y su hija espiaron mis usos y costumbres, examinaron mi persona y comprendieron mi miseria, quizá porque también fueran desgraciadas, se establecieron inevitables vínculos entre ellas y yo. Paulina, la encantadora criatura cuyas gracias ingenuas e íntimas me habían llevado allí, en cierto modo, me prestó diferentes servicios, que me fue imposible rehusar.

»Todos los infortunios son hermanos, tienen el mismo lenguaje, idéntica generosidad, la generosidad de los que, no poseyendo nada, son pródigos de sentimientos, pagan con su tiempo y con su persona. Insensiblemente, Paulina se adueñó de mí, se propuso servirme, y su madre no alegó la menor objeción. Hasta vi a la madre repasando mi ropa, y ruborizándose al sorprenderla en tan caritativa ocupación.

»Convertido, a mi pesar, en su protegido, acepté los servicios de ambas. Para comprender este singular afecto, precisa conocer el afán del trabajo, la tiranía de las ideas y esa repugnancia instintiva que sienten hacia los detalles de la vida material, los que viven para el estudio.

»¿Cómo resistir a la delicada atención con que Paulina me llevaba sigilosamente mi frugal alimento, cuando se percataba de que hacía siete u ocho horas que no había comido? Con las gracias de la mujer y la ingenuidad de la infancia, me sonreía, indicándome con un gesto que no debía verla. Era Ariel deslizándose como un silfo bajo techo y proveyendo a mis necesidades. Una noche, Paulina me contó su historia, con emocionante ingenuidad. Su padre fue capitán de granaderos de a caballo, de la guardia imperial. En el paso del Beresina, cayó prisionero de los cosacos. Posteriormente, cuando Napoleón propuso su canje, las autoridades rusas le hicieron buscar inútilmente en Siberia; al decir de otros prisioneros se había evadido, con el propósito de marchar a las Indias. Desde entonces, la señora Gaudin, mi patrona, no pudo obtener noticia alguna de su marido; habían ocurrido los desastres de 1814 y 1815, y sola, sin recursos ni auxilios, adoptó el partido de instalar una hospedería, para mantener a su hija. No había perdido la esperanza de reunirse de nuevo con su marido. Su mayor pesadumbre consistía en no poder educar esmeradamente a su Paulina, ahijada de la princesa Borghése, para corresponder al brillante porvenir prometido por su imperial protectora. Cuando la cónyuge del capitán de granaderos me confió el acerbo dolor que la torturaba, me dijo con acento desgarrador: «¡Daría con gusto la cédula imperial que concede a Gaudin el título de barón y el derecho a la dotación de Wistchnau, con tal de poder educar a Paulina en San Dionisio!». Yo experimenté un súbito estremecimiento, y para demostrar mi gratitud por los cuidados que me prodigaban aquellas dos mujeres, tuve la idea de ofrecerme a completar la educación de Paulina.

»El candor con que ambas aceptaron mi proposición, fue igual a la ingenuidad que la dictaba. Con ello, me proporcionaba dos horas de asueto. La chicuela estaba dotada de tan felices disposiciones, aprendió con tal facilidad, que, al poco tiempo, tocaba el piano mejor que yo. Acostumbrándose a pensar a mi lado en alta voz, desplegada todo el donaire de un corazón que se abre a la vida, como el cáliz de una flor desenvuelta lentamente por el sol; me escuchaba con recogimiento y con placer, fijando en mí sus negros y aterciopelados ojos, que parecían sonreír; daba sus lecciones con acento suave y mimoso, testimoniando una infantil alegría cuando me declaraba satisfecho. Su madre, cada día más inquieta por tener que preservar de todo peligro a la muchacha, que iba desarrollando, a medida que crecía, todas las promesas hechas por las gracias de su infancia, veía con gusto que pasaba el día encerrada, estudiando. Como no había más piano que el mío, aprovechaba mis ausencias para ejercitarse. Cuando volvía, encontraba a Paulina en mi cuarto, vestida con todo recato; pero al menor movimiento, se revelaban bajo la burda tela su talle flexible y sus encantos personales. A semejanza de la protagonista del cuento de Piel de Asno, calzaban sus diminutos piececillos groseros zapatones.

»Pero aquellos tesoros de belleza, aquella juventud lozana y espléndida, fueron como perdidos para mí. Me había impuesto el deber de considerar a Paulina como una hermana, y me hubiera horrorizado burlar la confianza de su madre.

»Admiraba, pues, a la preciosa chiquilla como un cuadro, como el retrato de una amante difunta. Era mi obra, mi estatua, y, nuevo Pigmalión, quería transformar en mármol a una virgen viviente y rozagante, parlante y sensible. Me mostraba excesivamente severo con ella; pero cuanto más la hacía sentir los efectos de mi despotismo profesional, más cariñosa y sumisa se me presentaba. Si fui estimulado en mi discreción y en mi continencia por sentimientos nobles, no me faltaron tampoco razones de fiscal. No comprendo la probidad económica sin la rectitud de la intención. Engañar a una mujer o declararse en quiebra, fueron siempre para mí la misma cosa. Amar a una muchacha o dejarse amar por ella, constituye un verdadero contrato, cuyas condiciones deben ser bien interpretadas. Somos dueños de abandonar a la mujer que se vende, pero no a la doncella que se entrega, porque ignora la extensión de su sacrificio. Yo me hubiera casado con Paulina, pero habría sido una locura. ¿No era tanto como entregar un alma inocente y amante a las más espantosas calamidades?

»Mi indigencia hablaba su lenguaje egoísta, y acababa siempre por interponer su férrea mano entre aquella excelente criatura y yo. Además, lo confieso para vergüenza mía, no concibo el amor miserable. Quizá sea ésta en mí una depravación, debida a esa dolencia humana que llamamos civilización; pero una mujer, a poco desaliñada que sea, no ejerce ninguna influencia sobre mis sentidos, aunque posea tantos atractivos como la bella Elena o la Galatea de Homero. ¡Si! ¡Viva el amor entre sedas y cachemires, rodeado de las maravillas del lujo que tan admirablemente le cuadran, porque quizá es otro lujo! En la expansión de mis deseos, me gusta estrujar vistosos trajes, deshojar flores, sentar una mano devastadora sobre la elegante confección de un perfumado y artístico peinado. Unas pupilas ardientes, ocultas por un velo de encaje, que traspasan las miradas, como el fogonazo rasga la humareda de un cañonazo, me ofrece fantásticos alicientes. Mi amor desea escalas de seda, asaltadas en el silencio de una noche de invierno. ¡Qué placer!, llegar cubierto de nieve a una cámara iluminada por aromáticos pebeteros, tapizada de ricos damascos, y encontrar en ella a una mujer que, a su vez, sacude los blancos copos, porque, ¿de qué otro modo calificar esos cortinajes de voluptuosas muselinas, a través de los cuales se dibuja vagamente, como un ángel en su nube, la figura de la que se dispone a salir? Desea igualmente una dicha temerosa, una seguridad audaz. Por último, ansía ver de nuevo a esa misteriosa mujer, pero radiante, en medio del mundo, virtuosa, cercada de homenajes, vestida de blondas, cuajada de brillantes, imponiendo su voluntad, ocupando un lugar tan elevado y tan respetable que nadie se atreva a requerirla. ¡Y allí, entre su corte, lanzarme una mirada a hurtadillas, una mirada que desmienta los artificios, que me sacrifique el mundo y los hombres!

»A decir verdad, he hallado ridículo cien veces enamorarse de unos metros de blonda, de terciopelo, de finas batistas, de los artísticos esfuerzos de un peluquero, de las bujías, de una carroza, de un título nobiliario, de los heráldicos blasones pintados en las vidrieras o cincelados por un artífice, de todo, en fin, cuanto hay de ficticio y de menos femenino en la mujer; me he burlado de mí mismo, me he hecho reflexiones, pero completamente en vano.

»Una mujer aristocrática, su delicada sonrisa, la distinción de sus modales y su respeto a sí misma, me encantan; cuando pone una barrera entre ella y el mundo, halaga en mí todas las vanidades, que son la mitad del amor. Envidiada por todos, mi felicidad me parece más sabrosa. No haciendo nada de lo que hacen las demás mujeres, no andando, no viviendo como ellas, envolviéndose en un manto que las otras no pueden tener, respirando perfumes propios, mi amada me parece mucho más mía. Cuanto más se aleja de la tierra, hasta en lo que el amor tiene de terrenal, más se embellece a mis ojos.

»Afortunadamente para mí, hace veinte años que no hay reina en Francia; si no, ¡la hubiera amado! Para tener el porte de una princesa, una mujer ha de ser rica. Ante mis novelescas fantasías, ¿qué era Paulina? ¿Podía procurarme esas noches que cuestan la vida, un amor que mata y pone en juego todas las facultades humanas? No es frecuente morir por pobres muchachas que se entregan.

»No he podido desechar jamás esos sentimientos y esos ensueños de poeta. Había nacido para el amor imposible, y el azar ha querido colmar con exceso mis deseos. ¡Cuántas veces he calzado de raso los piececillos de Paulina, aprisionado su talle, esbelto como un álamo, en un vestido de gasa y echado sobre su seno un vaporoso tul, haciéndola hollar las alfombras de su palacio y conduciéndola a un elegante carruaje! Así, la hubiese adorado. La atribuía un orgullo de que carecía, la despojaba de todas sus virtudes, de sus gracias candorosas, de su delicioso carácter, de su sonrisa ingenua, para sumergirla en la Estigia de nuestros vicios y blindar su corazón, para contagiarla nuestras faltas, para convertirla en caprichosa muñeca de nuestros salones, en un alfeñique que se acuesta al amanecer y revive por la noche, a la aurora de las bujías. Paulina era todo sentimiento, todo lozanía; yo la quería marchita y fría.

»En los últimos días de mi locura, el recuerdo me ha mostrado a Paulina como nos pinta las escenas de nuestra infancia. Más de una vez me ha invadido el enternecimiento, pensando en momentos deliciosos; ya se me representaba la hechicera chiquilla sentada junto a mi mesa, cosiendo apaciblemente, silenciosa, recogida y débilmente iluminada por la luz que, descendiendo de mi ventanuca, producía ligeros visos argentados en su hermosa cabellera negra; ya ola su risa juvenil o el sonoro timbre de su voz, entonando las graciosas cantinelas que con tanta facilidad componía.

»A menudo, la muchacha se exaltaba, al interpretar un trozo musical, y en tales momentos su rostro adquiría un asombroso parecido con la noble cabeza con que Carlos Dolci ha querido representar a Italia. Mi cruel memoria me reproducía la fisonomía de la chicuela, a través de los excesos de mi existencia, como un remordimiento, como una imagen de la virtud.

»Pero dejemos a la pobre muchacha abandonada a su suerte. Por desgraciada que sea, me cabrá el consuelo de haberla puesto al abrigo de una espantosa tormenta, evitando arrastrarla a mi infierno. Hasta el pasado invierno, mi vida fue la tranquila y estudiosa de que he procurado darte sucinta idea. En los primeros días de diciembre de 1829, encontré a Rastignac, quien, a pesar de lo miserable de mi indumentaria, se colgó de mi brazo y trató de inquirir mi situación, con interés verdaderamente fraternal. Subyugado por su proceder, le referí brevemente mi vida y mis esperanzas. Él se echó a reír, tildándose a la vez de hombre de genio y de majadero. Su acento gascón, su experiencia mundana, la posición que se había labrado con su habilidad especial, influyeron en mí de una manera irresistible. Rastignac me supuso muerto en el hospital, ignorado como un necio, escoltó mi cadáver, dándole sepultura en la fosa común. Me habló de charlatanismo. Con la amenidad de sus ocurrencias, que le hace tan simpático, me mostró a todos los hombres de genio como charlatanes. Me declaró que me faltaba un sentido, que estaba condenado a muerte si permanecía aislado en la calle de Cordeleros. A su juicio, debía frecuentar la sociedad, habituar a las gentes a que pronunciaran mi nombre, despojarme del humilde «señor», tan impropio, en vida, de los grandes hombres.

»—Los imbéciles —agregó— llaman a esto «intrigar»; los moralistas lo proscriben, calificándolo de «vida disipada»; pero prescindamos de los hombres y examinemos los resultados. Tú trabajas, ¿no es eso? ¡Pues jamás harás nada! Yo, que sirvo para todo y no aprovecho para nada, que soy perezoso como un cangrejo, llegaré a donde quiera. Me prodigo, atropello a todos y me abro hueco; me alabo y se me cree; contraigo deudas y me las pagan.

»La disipación, amigo mío, es un sistema político. La vida de un hombre dedicado a comerse su fortuna, suele convertirse con frecuencia en especulación; coloca sus capitales en amigos, en placeres, en protectores, en relaciones. El comerciante que arriesga un millón, no duerme, no bebe, no se divierte durante veinte años; empolla su dinero, lo hace trotar por toda Europa;

se aburre, se da a todos los diablos habidos y por haber; y luego viene una liquidación, como yo lo he visto bastantes veces, que le deja sin caudal, sin nombre, sin amigos.

»En cambio, el disipador disfruta de la vida y de sus encantos. Si por casualidad pierde sus capitales, tiene la suerte de ser nombrado administrador de contribuciones, de hacer un buen matrimonio, de agregarse a un ministerio o a una embajada. Conserva los amigos y la reputación, y no le falta nunca dinero. Conocedor de los resortes del mundo, los maneja en provecho propio. ¡O yo estoy loco, o éste es el procedimiento lógico! ¿No es ésta la moraleja de la comedia que se representa diariamente en el mundo?

»Has terminado tu obra —repuso, después de una breve pausa—, tienes un talento inmenso. ¡Pues bien! ¡Llegas a mi punto de partida! Ahora, es preciso que te labres tu éxito por ti mismo: es más seguro. Debes concurrir a las tertulias, dándote a conocer y conquistando propagandistas de tu fama. Yo quiero ir a medias en tu gloria: seré el joyero que haya engarzado los brillantes de tu corona. Para comenzar, ven a buscarme mañana por la noche. Te presentaré en una casa a la que va todo París, nuestro París, el de los elegantes, de los millonarios, de las notabilidades, de los hombres, en fin, que tienen boca de oro como Crisóstomo. Cuando esas gentes patrocinan un libro, el libro se pone de moda; y si en realidad es bueno, han dado una patente de genio, sin saberlo. Si te ingenias, chico, tú mismo harás la fortuna de tu teoría, comprendiendo mejor la teoría de la fortuna. Mañana por la noche conocerás a la hermosa condesa Fedora, la mujer de moda.

»—No he oído hablar de ella.

»— ¡Pues eres un cafre! —contestó Rastignac, riendo—. ¡No conocer a Fedora! Una mujer casadera, que tiene cerca de ochenta mil libras de renta; desdeñosa con todos o desdeñada por ellos; una especie de enigma femenino; una parisina medio rusa o una rusa medio parisina, una mujer en cuya casa se editan todas las producciones románticas que no ven la luz pública; la mujer más hermosa y más gentil de París. ¡Chico, ni siquiera mereces el calificativo de cafre; eres una especie intermedia entre el cafre y el animal!

»Y, haciendo una pirueta, desapareció sin aguardar mi respuesta, no pudiendo admitir que un hombre razonable rehusara ser presentado a Fedora.

»¿Cómo explicar la fascinación de un hombre? El de Fedora me persiguió como un mal pensamiento, con el cual se trata de transigir. Una voz interior me decía «¡Irás a casa de Fedora!». Y por más que intentaba rebelarme contra la voz y replicar que mentía, destruía mis razonamientos con sólo el nombre: Fedora. ¿Serían el nombre de aquella mujer y la mujer misma, el símbolo de todas mis aspiraciones y la finalidad de mi vida? El nombre evocaba las poesías artificiales del mundo, hacía brillar las fiestas del París elevado y los oropeles de la vanidad. La mujer se me aparecía con todos los problemas pasionales que me habían enloquecido. Quizá no fueran la mujer ni su nombre, sino todos mis vicios, los, que se erguían en mi alma para tentarme de nuevo. Pero la condesa Fedora, rica y sin amante, resistiendo a las seducciones parisinas, ¿no era la encarnación de mis esperanzas, de mis visiones? Me creé una mujer, la bosquejé en mi mente, la soñé…

»Aquella noche no dormí; me imaginé ser su amante, vi desfilar ante mí, en pocas horas, una vida entera, vida de amor, saboreando sus fecundas, sus ardientes delicias. Al otro día, incapaz de soportar el suplicio de aguardar pacientemente hasta la noche, me fui a una biblioteca y pasé la jornada leyendo, colocándome así en la imposibilidad de pensar ni de medir el tiempo. Durante mi lectura, el nombre de Fedora resonaba dentro de mí como un eco lejano, que no molesta, pero que se percibe. Afortunadamente, aún conservaba un frac negro y un chaleco blanco, bastante pasaderos. Además, me restaban de toda mi fortuna unos treinta francos, distribuidos entre los bolsillos de mis ropas y los cajones, para levantar entre las monedas y mis caprichos la barrera espinosa de una rebusca y los azares de una circunnavegación por mi cuarto.

»Terminado mi atavío, perseguí mi tesoro, a través de un océano de papel. Mi escasez de numerario te dará idea del sacrificio que hube de imponerme para comprar un par de guantes y alquilar un simón: se comieron el pan de todo un mes. ¡Ah! Nunca nos falta dinero para nuestros caprichos: sólo regateamos el precio de las cosas útiles o necesarias. Tiramos el oro indiferentemente con una bailarina, y escatimamos una moneda en el salario de un obrero, cuya famélica familia espera el jornal para pagar sus atrasos. ¡Cuántos lucen un frac flamante y un diamante en el puño del bastón, y comen un cubierto de un franco veinticinco céntimos! Nunca nos parecen bastante caros los placeres de la vanidad.

»Rastignac, puntual a la cita, se sonrió de mi metamorfosis y bromeó respecto a ella; pero en el camino de casa de la condesa, me dio caritativos consejos acerca del modo de conducirme con ella. Me la pintó avara, vana y desconfiada, pero avara con fausto, vana con sencillez y desconfiada con buena fe.

»—Ya sabes mis compromisos —me dijo—, y lo mucho que perdería cambiando de amor. He estudiado, por tanto, a Fedora desinteresadamente, a sangre fría, y mis observaciones deben ser justas. Al ocurrírseme presentarte a ella, he pensado en tu fortuna: así, pues, ten cuenta con tus palabras, porque posee una memoria privilegiada y una sagacidad capaz de desesperar a un diplomático: hasta adivinaría el momento en que hablara ingenuamente. Aquí, entre nosotros, creo que su casamiento no ha sido autorizado por el emperador, porque el embajador ruso se echó a reír, cuando le hablé del asunto, no la recibe en su casa y la saluda muy ligeramente cuando la encuentra en el

Bosque. Sin embargo, es tertuliana de la señora de Sérizy, y asiste a las veladas de las de Nucingen y de Restand. En Francia goza de buena reputación, y la duquesa de Carigliano, la mariscala de más «campanillas» de toda la camarilla bonapartista, suele veranear con ella en sus propiedades. Muchos jóvenes presumidos y encopetados, el hijo de un par de Francia, le han ofrecido un apellido a cambio de su fortuna; pero ella les ha desahuciado a todos, cortésmente. Es posible que su sensibilidad no se desarrolle hasta el título de conde. ¿No eres marqués? ¡Pues ánimo con ella, si te gusta! ¡Esto se llama dar instrucciones!

»Las últimas frases me hicieron suponer que Rastignac tenía gana de bromear y de picar mi curiosidad, de tal suerte, que mi pasión improvisada había llegado al paroxismo cuando nos detuvimos ante un peristilo adornado de flores.

»Al ascender la amplia escalera alfombrada, en la que observé todos los refinamientos de la comodidad inglesa, sentí palpitar mi corazón; me sonrojé; desmentí mi origen, mis sentimientos, mi altivez, para quedar convertido en un atónito burgués. ¡Salía de un desván, después de tres años de penuria, sin saber aún sobreponer a las bagatelas de la vida esos tesoros adquiridos, esos inmensos caudales intelectuales, que nos enriquecen en un momento, cuando el poder cae en nuestras manos, sin abrumarnos, porque el estudio nos ha preparado anticipadamente para las luchas políticas!

»Desde la puerta, vi una mujer de unos veintidós años, de regular estatura, vestida de blanco, rodeada por un círculo de hombres, tendida, más bien que sentada, en una otomana, y con un abanico de plumas en la mano. Al ver entrar a Rastignac, se levantó, salió a nuestro encuentro, sonrió graciosamente y me dirigió, en tono melodioso, un cumplido indudablemente dispuesto de antemano. Nuestro amigo me había anunciado como hombre de talento, y su destreza, su énfasis gascón, me proporcionaron una cordial acogida. Fui objeto de atenciones especiales, que me confundieron; pero, afortunadamente, Rastignac había hecho la apología de mi modestia. Allí encontré literatos, eruditos, ex ministros, pares de Francia. La conversación prosiguió su curso, detenido durante un rato a mi llegada, y sintiendo la necesidad de mantener mi reputación, procuré tranquilizarme. Luego, sin abusar de la palabra, cuando me fue concedida, traté de resumir las discusiones en conceptos más o menos incisivos, profundos o ingeniosos. Produje cierta sensación. Por milésima vez en su vida, Rastignac fue profeta.

»Cuando hubo suficiente concurrencia para que cada cual recobrara su libertad, mi introductor me dio el brazo y recorrimos los aposentos.

»—No te entusiasmes demasiado con la princesa —me aconsejó—, porque adivinaría el motivo de tu visita.

»Los salones estaban amueblados con exquisito gusto, pendiendo de las paredes cuadros de reconocido mérito. Cada estancia tenía, como en las más opulentas mansiones inglesas, su carácter particular, y la tapicería de seda, los adornos, la forma de los muebles, todos los detalles decorativos, armonizaban respondiendo a una idea inicial. En un tocador gótico, cuyas puertas estaban ocultas por cortinajes, las cenefas de las telas, el reloj, los dibujos de la alfombra, eran del mismo estilo: el techo, con sus vigas labradas, ofrecía a la vista originales y lindos artesonados; nada destruía el conjunto de la preciosa ornamentación, ni aun las vidrieras, con las policromas pinturas de sus cristales.

»Quedé sorprendido al contemplar un saloncillo a la moderna, en el que no sé qué artista había agotado el arte de nuestro decorado, tan ligero, tan fresco, tan suave, sin vistosidades, sobrio de dorados. Era amoroso y vago como una balada alemana, un verdadero nido fabricado para una pasión de 1827, y perfumado por jardineras llenas de flores raras. A continuación vi un dorado saloncillo, en el que revivía el gusto del siglo de Luis XIV, que, opuesto a nuestras pinturas actuales, producía un extraño pero agradable contraste.

»—Estarás bastante bien alojado —me dijo Rastignac, dejando transparentar una sonrisa ligeramente irónica—. ¿No te seduce todo esto? —añadió, sentándose.

»De pronto se levantó, me tomó de la mano y me condujo al dormitorio, mostrándome, bajo un pabellón de muselina y de moaré blancos, un lecho voluptuoso, tenuemente iluminado, el verdadero lecho de una joven hada desposada con un genio.

»— ¿Verdad —me preguntó bajando la voz— que hay un impudor, una insolencia y una coquetería extremada, en dejarnos contemplar este trono del amor? ¡Eso de no entregarse a nadie y permitir que venga aquí todo el mundo a dejar su tarjeta! Si fuera libre, quisiera ver a esa mujer sumisa y llorando a mi puerta.

»— ¿Pero estás tan seguro de su virtud?

»—Los más audaces y hasta los más hábiles galanteadores confiesan haber fracasado en sus pretensiones; la aman todavía y son sus más leales amigos. Esa mujer es un enigma viviente.

»Estas palabras me produjeron una especie de embriaguez mis celos temían ya el pasado. Tembloroso de gozo, volví presurosamente al salón en que había dejado a la condesa, encontrándola en el tocador gótico. Me detuvo con una sonrisa, me hizo sentar a su lado, me interrogó acerca de mis trabajos y pareció interesarse vivamente por ellos, sobre todo cuando la expuse mi tesis, bromeando, en lugar de adoptar aires doctorales.

»Se mostró sumamente regocijada al manifestarle que la voluntad humana era una fuerza material, semejante al vapor; que, en el orden moral no había nada que resistiese a esa potencia, cuando un hombre se habituaba a concentrarla, a utilizarla en la debida porción, a dirigir constantemente sobre las almas la proyección de esa masa fluida; que ese hombre podía modificarlo todo a su arbitrio, en relación a la Humanidad, hasta las leyes absolutas de la Naturaleza.

»Las objeciones de Fedora me revelaron en ella cierta sutileza de ingenio; me complací en darle la razón, en ciertos momentos, para halagarla, y destruí sus razonamientos femeninos con una frase, atrayendo su atención sobre un hecho diario en la vida, el sueño, hecho vulgar en apariencia, pero lleno en el fondo de problemas insolubles para el sabio, y excitando así su curiosidad. Hubo un instante en que la condesa permaneció en silencio, al decirle que nuestras ideas eran seres organizados, completos, que vivían en un mundo invisible y que influían sobre nuestros destinos, citando, en confirmación de mi aserto, los pensamientos de Descartes, de Diderot, de Napoleón, que habían regido, y regían aún, todo un siglo. Tuve el honor de solazar a mujer tan descontentadiza, que se separó de mí invitándome a volver a verla: en estilo cortesano, me abrió las puertas de par en par.

»Bien porque, siguiendo mi loable costumbre, tomase las fórmulas de urbanidad por expresiones sinceras, bien porque Fedora vislumbrara en mí una celebridad en embrión y quisiese aumentar su colección de sabios, el caso fue que creí agradarla. Evoqué todos mis conocimientos fisiológicos y mis estudios anteriores acerca de la mujer, para examinar minuciosamente, durante la velada, los actos de aquel ser especial. Oculto en el umbral de un balcón, espié sus pensamientos, buscándolos en su actitud, estudiando aquel ajetreo de dueña de casa que va y viene, se sienta y charla, llama a un hombre, le interroga, se apoya, para escucharle, en el quicio de una puerta. La observé, al andar, unos movimientos tan desenvueltos, una ondulación tan provocativa de su falda, una excitación tan poderosa al deseo, que me infundieron vehementes dudas acerca de su virtud.

»Si Fedora desconocía entonces el amor, debió ser excesivamente apasionada en otro tiempo; porque descubría una estudiada voluptuosidad hasta en la manera de colocarse ante su interlocutor. Se afirmaba con coquetería en el zócalo de madera, como mujer próxima a caer, pero también pronta a la huida, en el caso de intimidarla una mirada demasiado insistente. Con los brazos cruzados indolentemente, pareciendo aspirar las palabras, fija la benévola mirada, exhalaba sentimiento. Sus labios, frescos y rojos, se destacaban sobre una tez de nacarada blancura. Sus cabellos castaños avaloraban el matiz anaranjado de sus ojos surcados de venillas, como una piedra de Florencia, y cuya expresión parecía añadir delicadeza a sus palabras.

Su busto, en fin, estaba dotado de los más atractivos encantos. Una rival, quizá hubiese acusado de dureza las pobladas cejas, que parecían juntarse, y censurado el vello imperceptible que adornaba los contornos del rostro.

»Yo vi la pasión impresa en todo. El amor estaba escrito en los párpados italianos de aquella mujer, en sus hermosos hombros, dignos de la Venus de Milo, en sus facciones todas, en su labio inferior, un poco grueso y ligeramente sombreado. Era más que una mujer; era un mito. ¡Sí! Aquellas riquezas femeniles, el armonioso conjunto de las líneas, las promesas que aquella exuberante constitución hacía al amor, estaban atemperadas por una reserva constante, por una modestia extraordinaria, que contrastaban con lo exterior de su persona. Precisaba una observación tan sagaz como la mía para descubrir en aquella naturaleza el más leve indicio de voluptuosidad.

»Más claro: existían en Fedora dos mujeres, quizá separadas por el busto; una de ellas era fría y únicamente la cabeza reflejaba la pasión: antes de fijar sus ojos en un hombre, preparaba la mirada, como si ocurriese algo misterioso en su ser, que podría creerse una convulsión de sus brillantes pupilas. En fin, o mi ciencia era imperfecta y aun me quedaban muchos secretos que descubrir en el mundo moral, o la condesa poseía un alma hermosa, cuyos sentimientos y emanaciones comunicaban a su fisonomía ese hechizo que nos subyuga y nos fascina, ascendiente puramente moral y tanto más poderoso cuanto que concuerda con las simpatías del deseo.

»Salí encantado, seducido por aquella mujer, embriagado por su lujo, halagado en todo lo que mi corazón tenía de noble y de pervertido, de bueno y de malo. Al sentirme tan conmovido, tan pletórico de vida, tan exaltado, creí darme cuenta del atractivo que llevaba allí a aquellos artistas, diplomáticos, políticos, agiotistas forrados de hierro, como sus cajas; sin duda iban a buscar junto a ella la emoción delirante que hacía vibrar todas las fibras de mi ser, que agitaba mi sangre hasta la más recóndita vena, que crispaba todos mis nervios y repercutía en mi cerebro. No se había entregado a ninguno, por conservarlos a todos. Una mujer es coqueta mientras no ama.

»—Además —dije a Rastignac—, es posible que haya sido casada contra su voluntad o vendida a cualquier vejestorio, y el recuerdo de sus primeras nupcias haya concitado en ella el odio hacia el amor.

»Regresé a pie desde el arrabal de San Honorato, donde vive Fedora. Entre su palacio y la calle de Cordeleros media casi todo París; el camino me pareció corto, a pesar de que hacía frío. ¡Emprender la conquista de Fedora, en invierno, en un invierno crudo, con treinta francos escasos por todo capital y a tan enorme distancia!

»Sólo un joven pobre puede apreciar lo que cuesta una pasión en carruajes, en guantes, en ropa interior y exterior y en otros detalles. Si el amor platónico se prolonga, resulta ruinoso. Realmente, hay Lauzuns de la Facultad de Derecho, a quienes les es imposible pretender a una dama instalada en un primer piso. ¿Cómo había de competir yo, débil, enteco, modestamente vestido, pálido y averiado, como artista en convalecencia de una obra, con muchachos bien ataviados, apuestos, rozagantes, ricos, bien provistos de carruajes y caballos?

»— ¡Bah! ¡Fedora o la muerte! —exclamé al volver de un puente—. ¡Fedora es la fortuna! El precioso tocador gótico y el salón Luis XIV pasaron nuevamente ante mis ojos, y vi otra vez a la condesa con su vestido blanco, sus amplias y airosas mangas, su seductor continente y su busto tentador.

»Cuando llegué a mi buhardilla, desmantelada, fría, tan enmarañada como la peluca de un naturalista, aun me asediaban las imágenes del lujo de Fedora. Aquel contraste era un mal consejero; así deben nacer los crímenes.

»En aquel instante, maldije, temblando de ira, mi decorosa y honrada pobreza, mi fecunda buhardilla, en la que tantas ideas habían surgido. Pedí cuenta a Dios, al diablo, al estado social, a mi padre, al universo entero, de mi sino, de mi desdicha: me acosté hambriento, mascullando risibles imprecaciones, pero firmemente resuelto a enamorar a Fedora. Aquel corazón de mujer era el billete de lotería que contenía mi fortuna.

»Te haré gracia de mis primeras visitas a Fedora, para llegar cuanto antes al drama. Mientras procuraba dirigirme al alma de aquella mujer, intenté ganar su espíritu, adueñarme de su vanidad. A fin de ser amado positivamente, la expuse mil razones para que se amara a sí misma. Jamás la dejé en estado de indiferencia. Las mujeres desean emociones a toda costa y se las prodigué; habría provocado su cólera, antes que verla indolente conmigo. Si al principio, animado de una voluntad firme y del deseo de hacerme amar, adquirí algún ascendiente sobre ella, no tardó en crecer mi pasión, cambiándose las tornas y convirtiéndome de dominador en dominado.

»No sé ciertamente lo que llamamos amor, en poesía o en lenguaje vulgar; pero el sentimiento que se desarrolló de pronto en mi doble naturaleza, no lo he visto descrito ni pintado en ninguna parte; ni en las frases retóricas y estudiadas de Rousseau, cuyo cuarto quizá estaba ocupado, ni en las frías concepciones de nuestros dos siglos literarios, ni en los cuadros italianos.

»La vista del lago de Bienne, algunos motivos de Rossini, la Concepción de Murillo, propiedad del mariscal Soult, las cartas de la Lescombat, algunas frases esparcidas en las colecciones de anécdotas, y sobre todo, las plegarias de los extáticos y algunos pasajes de nuestros romanceros, han sido los únicos capaces de transportarme a las divinas regiones de mi primer amor. No hay nada en el lenguaje humano, ninguna traducción del pensamiento realizada por medio de colores, mármoles, palabras o sonidos, que reproduzca el nervio, la verdad la perfección, la rapidez del sentimiento anímico.

»¡Quién dice arte, dice ficción! El amor pasa por infinitas transformaciones antes de mezclarse definitivamente con nuestra existencia y de comunicarle para siempre su color de llama. El secreto de esa infusión imperceptible escapa al análisis del artista. La verdadera pasión se expresa con exclamaciones, con suspiros enojosos para un hombre frío. Es preciso amar sinceramente, para participar de los rugidos de Lovelace leyendo «Clarisa Harlowe». El amor es un sencillo manantial, que brota en su lecho de hierbas, de flores, de arena; que convertido en arroyo, en río, cambia de naturaleza y de aspecto a cada onda y desemboca en un inconmensurable océano, en el que los espíritus incompletos ven la monotonía y las grandes almas se abisman en perpetuas contemplaciones.

»¿Cómo atreverse a describir esos matices, transitorios del sentimiento, esas nonadas tan valiosas, esas frases, cuyo acento agota los tesoros del lenguaje, esas miradas, más fecundas que los más inspirados poemas?

»En cada una de esas escenas místicas, que nos hacen prendar insensiblemente de una mujer, se abre un abismo capaz de absorber todas las poesías humanas. ¿Cómo reproducir, por medio de glosas, las vivas y misteriosas agitaciones del alma, cuando nos faltan palabras para pintar los misterios visibles de la belleza?

»¡Qué fascinaciones! ¡Cuántas veces he permanecido en éxtasis inefable, dedicado a «contemplarla»! ¿Dichoso de qué? Lo ignoro. En tales momentos, si su rostro estaba inundado de luz, se operaba en él no sé qué fenómeno que le hacía resplandecer. El imperceptible vello que dora su piel delicada y fina, dibujaba suavemente sus contornos con la gracia que admiramos en las líneas lejanas del horizonte, cuando se confunden con el sol. Parecía que sus fulgores la acariciaban, uniéndose a ella, o que de su radiante rostro emanaba una luz más viva que la luz misma: luego se velaba la dulce fisonomía, produciéndose en ella una especie de tornasol, que variaba sus expresiones, al cambiar las tintas. A veces, parecía dibujarse un pensamiento en su frente alabastrina; sus ojos bermejeaban, sus párpados vacilaban, sus facciones ondulaban, agitadas por una sonrisa, el coral de sus labios se animaba, se desplegaba, se replegaba; un extraño reflejo de sus cabellos esparcía tonos obscuros sobre las tersas sienes.

»A cada accidente había hablado. Cada matiz de belleza proporcionaba nuevo solaz a mis ojos, revelaba encantos desconocidos a mi corazón. En todas esas fases de su rostro, pretendía yo leer un sentimiento, una esperanza. Aquellos discursos mudos penetraban de alma a alma, como un sonido en el eco, prodigándome fugaces alegrías, que me dejaban profundas impresiones. Su voz me causaba un delirio, que apenas acertaba a reprimir. A semejanza de cierto príncipe de Lorena, hubiera podido soportar un ascua en la palma de la mano, mientras acariciaran mi cabeza sus nerviosos dedos. No era ya una admiración, un deseo, sino un hechizo, una fatalidad.

»En ocasiones, ya de vuelta en mi albergue, veía indistintamente a Fedora en su casa y participaba vagamente de su vida. Si ella se sentía indispuesta, experimentaba yo análogo desasosiego y le preguntaba al día siguiente:

»— ¿Está usted mejor?

»¡Cuántas veces se me ha aparecido en el silencio de la noche, evocada por el poder de mi éxtasis! Ya surgía súbitamente, como destello luminoso que brota, derrocando mi pluma, ahuyentando a la ciencia y al estudio que huían desolados, y obligándome a admirarla en la misma actitud provocativa en que la había visto poco antes: ya salía yo mismo a su encuentro, en el mundo de las apariciones, saludándola como una esperanza y demandándola que me hiciera oír su voz argentina para despertarme llorando. Cierto día después de haberme prometido ir al teatro conmigo., se negó caprichosamente a salir y me rogó que la dejara sola. Desesperado ante semejante contradicción, que me costaba un día de trabajo y, ¿por qué no decirlo? mi último escudo, asistí a la representación que tanto deseo mostró de ver. Apenas instalado en mi localidad, recibí una descarga eléctrica en el corazón y oí una voz que me decía:

»— ¡Ahí está!

»Al volverme, vi a la condesa en el fondo de su platea, oculta en la penumbra. La mirada no vaciló, mis ojos la encontraron desde luego con pasmosa clarividencia, mi alma voló hacia su vida como un insecto vuela hacia su flor. ¿Por qué fueron advertidos mis sentidos? Hay estremecimientos íntimos que pueden sorprender a las gentes superficiales, pero estos efectos de nuestra naturaleza interior, son tan sencillos como los fenómenos habituales de nuestra visión exterior. Así, pues, no mostré asombro, sino enojo. Mis estudios acerca de nuestro dominio moral, tan escasamente conocido, servían al menos para descubrirme, en mi pasión, algunas pruebas palpables de mi tesis. Este maridaje del erudito y del enamorado, de una verdadera idolatría y de un amor especulativo, tenía bastante de extraño. La ciencia gustaba frecuentemente de lo que desesperaba al amante, y, cuando creía triunfar, el amante arrojaba gozoso lejos de sí a la ciencia.

»Fedora me vio y se puso seria: la molestaba.

»Al primer entreacto, fui a visitarla. Estaba sola y me quedé. Aunque jamás habíamos hablado de amor, presentí una explicación. Yo no le había revelado aún mi secreto, y, sin embargo existía entre nosotros una especie de expectativa. Ella me confiaba sus proyectos recreativos, y me preguntaba la víspera con cierta inquietud amistosa, si volvería al día siguiente: me consultaba con la mirada, cuando decía una frase ingeniosa, como si con ella se propusiera complacerme exclusivamente; si me disgustaba, se mostraba cariñosa; si se fingía enfadada, tenía, en cierto modo el derecho de interrogarla; si yo cometía una falta, dejaba que la suplicara insistentemente, antes de perdonarla. Estas querellas, a las que habíamos cobrado afición estaban impregnadas de amor. ¡Eran tales la gracia y la coquetería desplegadas por ella y tanto el placer que a mí me producían! En aquel momento, quedó absolutamente en suspenso nuestra intimidad, permaneciendo ambos frente a frente, como dos extraños. El aspecto de la condesa era glacial; yo recelaba una catástrofe.

»— ¡Acompáñeme usted! —me dijo, al terminar el acto.

»El tiempo había cambiado súbitamente. Cuando salimos, caía una nevada mezclada con lluvia. El carruaje de Fedora no pudo llegar a la puerta del vestíbulo. Al ver una dama tan bien vestida, obligada a cruzar la calle, un recadero extendió su paraguas sobre nuestras cabezas, reclamando el precio de su servicio al ocupar el vehículo. Yo no tenía un solo céntimo. Hubiera dado diez años de mi vida por poseer unas monedas de cobre. Todas las vanidades humanas fueron anuladas en mí por un dolor infernal.

»—No llevo suelto —le dije con acritud, aparentando que la causa de mi dureza era la pasión contrariada.

»¡Hablar en semejante tono yo, hermano de aquel hombre, que tan bien conocía la desgracia! ¡Yo, que en otro tiempo había dado setecientos mil francos con tanta facilidad! El lacayo apartó al recadero, y los caballos partieron al trote. En el camino de su casa, Fedora, distraída o afectando preocupación, respondió con desdeñosos monosílabos a mis preguntas. Acabé por guardar silencio. El rato fue horrible. Llegados a su casa, nos sentamos ante la chimenea. Cuando el criado se retiró, después de atizar el fuego, la condesa se volvió hacia mí con expresión indefinible y me dijo con cierta solemnidad:

»—Desde mi regreso a Francia, son varios los jóvenes a quienes ha tentado mi fortuna. He recibido declaraciones amorosas que hubieran podido halagar mi orgullo, he dado con hombres cuyo afecto era tan sincero y tan profundo, que no habrían vacilado en darme su mano, aun cuando no hubieran encontrado en mí más que a la modesta muchacha de otro tiempo. En resumen; sepa usted, señor Valentín, que se me han ofrecido nuevas riquezas y títulos nuevos; pero cónstele también que jamás he vuelto a ver a las personas que han tenido la mala inspiración de hablarme de amor. Si el afecto que le profeso fuera ligero, no le haría una advertencia, en la que entra por más la amistad que el orgullo. Una mujer se expone a recibir una especie de afrenta, cuando, suponiéndose amada, rechaza por anticipado un sentimiento siempre lisonjero. Conozco las escenas de Arsinoé y de Araminta, y estoy familiarizada con cuanto se me puede explicar en análogas circunstancias; pero hoy espero que no me juzgará mal un hombre superior, por haberle mostrado francamente mi alma.

»Al decir esto, se expresaba con la tranquilidad de un abogado, de un notario, que exponen a sus clientes las pruebas de un proceso o las cláusulas de un contrato. El timbre claro y seductor de su voz no acusaba la menor emoción; únicamente su fisonomía y su actitud, siempre nobles y correctas, me parecieron tener una frialdad, una sequedad diplomáticas.

»Había meditado indudablemente sus palabras y preparado el programa de la escena. ¡Ay! ¡Amigo mío! ¡Cuándo ciertas mujeres se complacen en desgarrarnos el corazón, cuando se han prometido hundir en él un puñal y removerlo en la herida, esas mujeres son adorables; aman o quieren ser amadas! Día llegará en que nos recompensarán de nuestros dolores, como Dios debe, según dicen, remunerar nuestras buenas obras, y nos devolverán en placeres el céntuplo del mal cuya violencia saben apreciar. Al fin, su maldad está llena de pasión. Pero, ¿no es un suplicio atroz, el de ser torturado por una mujer, que nos mata con indiferencia? En aquel momento, Fedora pisoteaba, sin saberlo, todas mis esperanzas, destrozaba mi vida y destruía mi porvenir, con la fría indiferencia y la inocente crueldad de un niño que, por curiosidad, arranca las alas a una mariposa.

»—Confío —añadió Fedora— en que más adelante reconocerá usted la solidez del afecto que brindo a mis amigos. Siempre me encontrará buena y leal para ellos. Sería capaz de sacrificarles mi vida, pero me despreciaría usted si soportase su amor sin corresponderle. No llego a tanto. Es usted el único hombre a quien he dicho estas últimas palabras.

»No supe qué contestar de momento, logrando a duras penas dominar el huracán que se desencadenaba en mi interior; pero no tardé en encerrar mis sensaciones en el fondo de mi alma, y contesté sonriendo:

»—Si declaro a usted que la amo, me expulsará; si me acuso de indiferencia, me castigará. Los sacerdotes, los magistrados y las mujeres, no se despojan nunca por completo de sus túnicas. El silencio no prejuzga nada; permita usted, pues, señora, que me calle. Para haberme dirigido tan fraternales advertencias, es preciso que haya usted temido perderme, y esta idea podría satisfacer mi orgullo. Pero no personalicemos. Es usted quizá la única mujer con quien se puede discutir filosóficamente una resolución tan contraria a las leyes de la naturaleza: en relación con los demás seres de su especie, es usted un fenómeno. Pues bien; indaguemos juntos, de buena fe, la causa de esta anomalía psicológica. ¿Existe en usted, como en muchas mujeres orgullosas de sí mismas, prendadas de sus perfecciones, un sentimiento de refinado egoísmo que rechaza con horror la idea de pertenecer a un hombre, de abdicar de su voluntad, para quedar sometida a una superioridad convencional que la ofende? En ese caso, me parecería usted mil veces más adorable. ¿Es que ha sido usted maltratada por el amor, la primera vez que le sintió? ¿O quizá que el valor que debe usted conceder a la elegancia de su talle, a su delicioso busto, la hace temer los estragos de la maternidad? ¿No será éste uno de sus más poderosos motivos secretos para rehusar un verdadero cariño? ¿Acaso tiene usted imperfecciones que la obliguen a ser virtuosa por fuerza? ¡Cuidado! ¡No se enfade usted! Discuto, estudio, estoy a mil leguas de la pasión. La Naturaleza, que hace ciegos de nacimiento, puede muy bien crear mujeres sordas, mudas y ciegas en amor. ¡Realmente, es usted un ejemplar precioso para la observación médica! ¡no sabe usted todo lo que vale! Por supuesto, su aversión a los hombres es muy legítima: estamos conformes en que todos son feos y antipáticos. ¡Sí! —añadí, sintiendo que mi corazón se oprimía—, tiene usted razón. ¡Debe despreciarnos a todos, no existe hombre que sea digno de usted!

»—No te diré todos los sarcasmos de que la hice blanco, medio en serio, medio en broma. Pues bien; ni las más aceradas frases, ni las más punzantes ironías consiguieron arrancarla un movimiento ni un gesto de despecho. Me escuchó conservando en sus labios, en sus ojos, su acostumbrada sonrisa; esa sonrisa que viene a ser el invariable ropaje de que se reviste ante amigos, conocidos y extraños.

»—Creo que no cabe mayor complacencia —replicó, aprovechando un instante en que yo la contemplaba en silencio—, que la de permitir esa especie de disección de anfiteatro anatómico. Pero ya lo ve usted —continuó riendo—, en punto a amistad, prescindo de necias susceptibilidades. ¡Cuántas mujeres castigarían su impertinencia cerrándole las puertas de su casa!

»—Está usted en el derecho de arrojarme de la suya, sin explicarme los motivos de su severidad —objeté, sintiéndome dispuesto a matarla, si me hubiera despedido.

»— ¡Está usted loco! —exclamó ella, con su eterna sonrisa—. ¿Ha pensado usted alguna vez le pregunté en los efectos de un amor violento? Se han dado varios casos de que un hombre desesperado asesine a su amada.

»—Más vale morir que vivir desgraciada —contestó ella con frialdad—. A lo mejor, llega un día en que ese hombre tan apasionado abandona a su mujer, de la noche a la mañana, dejándola en la indigencia, después de haberse comido su fortuna.

»Semejante cálculo me aturdió. Vi claramente un abismo entre aquella mujer y yo. No era posible que nos comprendiéramos.

»— ¡Adiós! —le dije con sequedad.

»— ¡Adiós! —me contestó, inclinando la cabeza en ademán amistoso—. Hasta mañana.

»La contemplé unos instantes, enviándola, envuelto en la mirada, todo el amor a que renunciaba. Ella permaneció en pie, lanzándome su sonrisa trivial, la detestable sonrisa de estatua de mármol, que parecía expresar el amor, pero sin fuego. Ya comprenderás los dolores que me asaltaron al volver a mi casa entre la lluvia y la nieve, caminando sobre el resbaladizo pavimento de los muelles, durante una hora, después de haberlo perdido todo. ¡Oh! ¡Saber que ella no pensaba siquiera en mi penuria, que me creía bien acomodado y muellemente conducido en carruaje! ¡Cuántas ruinas y decepciones! No se trataba ya de dinero, sino de todas las fortunas de mi alma. Marchaba al azar, discutiendo conmigo mismo las palabras de aquel extraño diálogo y perdiéndome de tal modo en mis comentarios, que acabé por dudar del valor nominal de los vocablos y de las ideas. Y seguía amando a aquella mujer de hielo, cuyo corazón deseaba ser conquistado a cada momento, y que, borrando siempre las promesas de la víspera, se presentaba al día siguiente como nueva pretendida.

»Al doblar los postigos del Instituto, me acometió un movimiento febril. En aquel momento, me acordé de que estaba en ayunas. Para colmo de desdichas, la lluvia deformaba mi sombrero. ¿Cómo abordar, en lo sucesivo a una mujer elegante, y presentarme en una reunión, sin un sombrero decoroso? Merced a mis solícitos cuidados y maldiciendo la estúpida y ridícula moda que nos condena a exhibir el forro de nuestros sombreros, teniéndolos constantemente en la mano, había logrado mantener el mío, hasta entonces en un estado dudoso. Sin ser flamante, tampoco era un desecho, y podía pasar por el sombrero de un hombre aprovechado; pero su existencia artificial llegaba a su último período; estaba deslucido, deteriorado, agotado, era un verdadero guiñapo, digno representante de su dueño. Por falta de unas monedas, perdía mi industriosa elegancia. ¡Cuántos sacrificios ignorados tributé a Fedora, en el transcurso de tres meses!

»Con frecuencia, consagraba el pan de una semana para ir a verla un momento. Abandonar mis trabajos y ayunar, no significaba nada; pero cruzar las calles de París sin salpicarse de lodo, correr para evitar la lluvia, llegar a su casa tan acicalado como los fatuos que la rodeaban ¡ah! eso, para un poeta enamorado y distraído, era tarea plagada de dificultades. ¡Mi dicha, mi amor, dependían de una mota de fango en mi único chaleco blanco! ¡Renunciar a verla si me manchaba, si me mojaba! ¡No disponer de unos cuantos céntimos, para que un limpiabotas charolara mi calzado!

»Mi pasión aumentaba con todos estos pequeños suplicios desconocidos, inmensos para un hombre vehemente. Los desventurados realizan sacrificios de los cuales no les está permitido hablar a las mujeres que viven en una esfera de lujo y de elegancia, porque éstas ven el mundo a través de un prisma que tiñe de oro a hombres y cosas. Optimistas por egoísmo, crueles por buen tono, se eximen de reflexionar, en nombre de sus goces, y se absuelven de su indiferencia para con la desgracia, por los atractivos del placer. Para ellas, un dinero nunca es un millón, pero un millón les parece un dinero. Si el amor debe defender su causa por medio de sacrificios, debe también cubrirlos delicadamente con un velo, sepultarlos en el silencio; mas al prodigar su fortuna y su vida, al sacrificarse, los hombres ricos aprovechan los prejuicios mundanos, que siempre dan cierta resonancia a sus amorosos devaneos. Para ellos, el silencio habla y el velo es una gracia, mientras que mi extrema penuria me condenaba a espantosos sufrimientos, sin que me fuera permitido decir: ¡Amo! o ¡Muero!

»Pero, bien mirado, ¿constituía esto sacrificio? ¿No estaba espléndidamente, recompensado con el placer que experimentaba inmolándolo todo por ella? La condesa me había hecho atribuir extraordinaria importancia, agregar excesivos goces a los accidentes más vulgares de mi vida. Poco escrupuloso antes en cuestión de indumentaria, respetaba a la sazón mi frac como parte integrante de mi personalidad. Entre recibir una herida o un desgarrón en mi frac, no habría vacilado. Con esto debes hacerte cargo de mi situación y comprender el turbión de ideas, el frenesí creciente que me agitaba durante la marcha, y que quizá la propia marcha excitaba. Sentía cierto júbilo infernal por encontrarme en el apogeo de mi desventura. Pretendía ver un presagio de fortuna en esta postrera crisis; pero el mal encierra tesoros inagotables.

»La puerta de mi domicilio estaba entornada. A través de los calados en forma de corazón practicados en el postigo, vi una claridad que proyectaba en la calle. Paulina y su madre conversaban, esperándome. Oí pronunciar mi nombre y escuché.

»—Rafael —decía Paulina— vale mucho más que el estudiante del número siete. ¿Te has fijado en el bonito rubio de sus cabellos? ¿No has notado algo en su voz, no sé qué, pero algo conmovedor? Además, aunque su aspecto es un poco altanero, ¡es tan bueno, tiene unos modales tan distinguidos! Realmente, es un buen tipo. Estoy segura de que todas las mujeres deben chiflarse por él.

»—Hablas como si también lo estuvieras tú —observó la señora Gaudin.

»— ¡Oh! le quiero como a un hermano —contestó la muchacha riendo—. Sería muy ingrata si no le profesara verdadero afecto. ¿A quién, sino a él, debo mis conocimientos de música, de dibujo, de gramática, en una palabra, todo lo que sé? Tú no prestas atención a mis progresos, mamaíta; pero he adelantado tanto, que dentro de muy poco estaré en aptitud de dar lecciones y entonces podremos tener criada.

»Me retiré cautelosamente, y después de hacer ruido, para denotar mi presencia, entré en la salita para tomar mi lámpara, que la misma Paulina se apresuraba a encender. La pobre niña acababa de derramar un bálsamo delicioso en mis heridas. Aquel sincero elogio de mi persona, me infundió algún ánimo. Tenía necesidad de creer en mí mismo y de aportar un juicio imparcial respecto a la verdadera valía de mis cualidades. Mis esperanzas, de tal modo reanimadas, se reflejaron, quizá, en las cosas que veía. Quizá también no había parado mientes en la escena que con tanta frecuencia venían ofreciendo a mis miradas las dos mujeres, en el centro de la sala; pero en aquella ocasión, admiré en su realidad el más delicioso cuadro de esos interiores modestos tan ingenuamente reproducidos por los pintores flamencos. La madre, sentada junto al casi extinguido hogar, hacía calceta, dejando vagar por sus labios una plácida sonrisa. Paulina pintaba países de abanico: sus colores, sus pinceles, extendidos sobre una mesita, hablaban a los ojos con sus vistosos contrastes. Al encender mi lámpara, después de abandonar su tarea, la luz dio de lleno en su blanquísimo rostro.

»Era preciso estar subyugado por una pasión avasalladora, para no admirar aquellas manos transparentes y sonrosadas, su cabeza ideal y su virginal actitud. La noche y el silencio prestaban su encanto a la laboriosa velada, a aquel hogar tan tranquilo. Aquellos trabajos continuos y alegremente soportados, atestiguaban una religiosa resignación, llena de sentimientos elevados. En aquel recinto, existía una armonía indefinible entre personas y cosas. En casa de Fedora, el lujo era seco; despertaba en mí malos pensamientos, mientras que la humildad y la placidez de aquel modesto hogar, refrigeraban mi alma. Quizá me sentía humillado en presencia del lujo de Fedora, mientras que junto a aquellas dos mujeres, en la penumbra de aquella salita, donde la vida simplificada parecía refugiarse en las emociones del corazón, tal vez me reconciliaba conmigo mismo, al encontrar modo de ejercer una protección que el hombre se siente ansioso de dispensar.

»Al acercarme a Paulina, me lanzó una mirada casi maternal y exclamó temblorosa y dejando presurosamente la lámpara.

»— ¡Dios mío! ¡Qué pálido está usted! ¡Es claro, viene calado! Mi madre secará sus ropas.

»Y después de una breve pausa, añadió:

»—Precisamente, esta noche hemos hecho crema y tenemos leche. Sé que a usted le gusta. ¿Quiere probarla?

»Y ágil como un gato, alcanzó un tazón de leche guardado en la alacena y me lo presentó tan vivamente, me lo acercó a los labios con tal gentileza, que me hizo titubear.

»— ¿Me desairará usted? —preguntó en voz alterada.

»Nuestras dos arrogancias se comprendían. Paulina parecía quejosa de su pobreza y reprocharme mi altivez. Me enternecí, y aunque aquella leche quizá fuera su desayuno del día siguiente, la acepté. La pobre muchacha procuró disimular su alegría, pero brillaba en sus ojos.

»— ¡Buena falta me hacía! —dije, dejándome caer sobre una silla, mientras velaba el rostro de la chicuela una sombra de preocupación—. ¿Recuerda usted, Paulina, aquel pasaje de Bossuet, en el que nos pinta a Dios recompensando un vaso de agua más generosamente que una victoria?

»—Sí —contestó, sin poder reprimir las palpitaciones de su seno, que se agitaba como un pajarillo en manos de un niño.

»—Pues bien —añadí en voz vacilante— como hemos de separarnos pronto, permítame usted testimoniarle mi reconocimiento por los cuidados y atenciones que me han dispensado usted y su madre.

»— ¡Oh! ¡No echemos cuentas! —replicó la muchacha, ocultando su emoción bajo una sonrisa que me hizo daño.

»—Mi piano —proseguí, fingiendo no haber oído sus palabras— es uno de los mejores que ha producido la casa Erard; acéptelo usted. Admítalo, sin escrúpulo, porque, realmente, no sería posible llevármelo en el viaje que pienso emprender.

»Prevenidas quizá por el melancólico acento de mis últimas palabras, las dos mujeres parecieron haberme comprendido, y me miraron con curiosidad mezclada de espanto. El afecto que yo buscaba en las frías regiones del gran mundo, residía verdaderamente en la modesta casa, sin ostentación, pero efusivo y tal vez duradero.

»—No hay que tomar las cosas tan a pecho —me dijo la madre—. Quédese aquí. A estas horas, mi marido debe estar en camino —añadió—. Esta noche he leído el Evangelio de San Juan, mientras Paulina tenía pendiente de sus dedos nuestra llave atada a la Biblia, y la llave ha dado vueltas. Esto es indicio de que Gaudin está bueno y prospera. Paulina ha repetido el experimento para usted y para el joven del número siete; pero la llave no ha girado más que para usted. Seremos todos ricos, porque mi marido volverá millonario. Le he visto en sueños en un barco lleno de serpientes; por fortuna, el agua estaba turbia, lo cual significa oro y piedras preciosas de Ultramar.

»Estas palabras amistosas y vacuas, semejantes a las vagas canciones con que una madre amortigua los dolores de su hijo, me devolvieron en cierto modo la calma. El acento y la mirada de la buena mujer exhalaban esa dulce cordialidad que no disipa la pena, pero que la mitiga, la arrulla y la embota. Más perspicaz que su madre, Paulina me examinaba con inquietud y sus inteligentes pupilas parecían penetrar en mi vida y en mi porvenir. Di gracias con una inclinación de cabeza a la madre y a la hija y me retiré presurosamente, temiendo conmoverme.

»Cuando me hallé a solas en mi cuarto, me acosté pensando en mi desventura. Mi fatal imaginación me trazó mil proyectos sin base y me dictó resoluciones imposibles. Cuando un hombre escarba en las ruinas de su fortuna, suele encontrar en ellas algunos recursos, pero yo estaba en la inopia. ¡Ay! ¡Amigo mío! culpamos demasiado fácilmente a la miseria y hay que ser indulgente para los efectos del más activo de todos los disolventes sociales. Donde reina la miseria, no existen ni el pudor, ni el crimen, ni la virtud, ni el espíritu.

»Yo carecía entonces de ideas, de energías, como una muchacha postrada de hinojos ante un tigre. Un hombre sin pasión y sin dinero sigue siendo dueño de su persona; pero un desdichado que ama, ya no se pertenece y no puede matarse. El amor nos produce una especie de propio culto; respetamos en nosotros otra vida, y entonces es la más horrible de las desgracias; la desgracia con una esperanza, pero una esperanza torturadora. Me dormí, con la idea de ir a confiar a Rastígnac, al día siguiente, la singular determinación de Fedora.

»— ¡Hola! —dijo aquél al verme entrar en su casa a las nueve de la mañana—. Ya sé lo que te trae. Debes haber sido despedido por Fedora. Algunas buenas almas, envidiosas de tu ascendiente sobre la condesa, han propalado la noticia de vuestra boda. ¡Dios sólo sabe las locuras que tus rivales te han achacado, y las calumnias de que has sido objeto!

»— ¡Así, todo se explica! —exclamé.

»Recordé todas mis impertinencias y encontré sublime a la condesa. Me consideré como un infame, digno de mayor castigo, y sólo vi en su indulgencia la paciente caridad del amor.

»— ¡Vamos con calma! —dijo el prudente gascón—. Fedora tiene la penetración natural de las mujeres profundamente egoístas, y te habrá juzgado quizá en el momento en que no veías en ella más que su fortuna y su lujo; a pesar de tu habilidad, habrá leído en tu alma. Es lo bastante disimulada para perdonar ningún disimulo. Creo haberte aventurado en un mal camino. A pesa: de la sutileza de su ingenio y de su distinción, esa mujer me parece imperiosa como todas aquellas para quienes el placer radica tan sólo en la cabeza. Para ella, toda la felicidad estriba en el bienestar de la vida, en los goces sociales:

en ella, el sentimiento es un papel. Te haría desgraciado y te convertiría en un lacayo favorito.

»Rastignac hablaba a un sordo. Le interrumpí, exponiéndole con aparente jovialidad mi situación financiera.

»—Anoche —me contestó—, una racha contraria me limpió de todo el dinero de que disponía. A no ser por este vulgar infortunio, partiría gustosamente mi bolsa contigo. Pero vámonos a almorzar a la fonda; puede que las ostras nos den un buen consejo.

»Se vistió y mandó enganchar su tílburi, y cual si se tratara de dos millonarios, entramos en el café de París, con la impertinencia de esos audaces especuladores que viven forjándose fortunas imaginarias. El endemoniado gascón me confundía con la desenvoltura de sus actitudes y con su imperturbable aplomo. En el momento de tomar el café, después de haber dado fin a un almuerzo exquisito y perfectamente combinado, Rastignac, que distribuía saludos de cabeza a diestra y siniestra, dirigidos a una porción de jóvenes, tan recomendables por sus gracias personales como por la elegancia de sus trajes, me dijo, al ver entrar a uno de aquellos petimetres:

»—Ahí tienes a tu hombre.

»E hizo señas para que se acercase a un señorito almibarado, que parecía buscar mesa a su gusto.

»—Ese mozalbete —agregó Rastignac a mi oído— ha sido condecorado por la publicación de diferentes obras, acerca de materias que desconoce en absoluto; es químico, historiador, novelista, publicista; tiene cuartos, tercios y mitades en no sé cuántas producciones teatrales, y es ignorante como un burro de reata. No es un hombre, sino un nombre; una etiqueta conocida del público. Se guardará muy bien de escribir donde alguien le vea; pero es tan ladino, que sería capaz de burlar a todo un congreso. En dos palabras: es un mestizo en moral: ni probo del todo, ni bribón en absoluto. Pero, como se ha batido en diversas ocasiones, la sociedad no exige más y le califica de hombre de honor. ¿Qué tal, mi excelente y distinguido amigo, cómo está Vuestra Inteligencia? —le preguntó Rastignac, en el momento en que el recién llegado se sentaba a la mesa contigua.

»—Pasando —contestó el interpelado—, abrumado de trabajo. Tengo entre manos todos los materiales necesarios para enjaretar unas memorias históricas curiosísimas, y no sé a quién referirlas. Esto me preocupa, porque hay que darse prisa, para que las memorias no pierdan su oportunidad.

»— ¿Son memorias contemporáneas, antiguas, relacionadas con la corte o de qué índole?

»—Se trata del asunto del collar.

»— ¡Qué providencial coincidencia! —me dijo Rastignac, riendo.

»Y, volviéndose hacia el especulador, continuó, designándome.

»—El señor Valentín, uno de mis íntimos amigos, a quien le presento como una de nuestras futuras notabilidades literarias. Es sobrino de una marquesa, muy bienquista en la corte, y hace dos años que trabaja en una historia realista de la Revolución.

»Y agregó, inclinándose al oído del singular negociante:

»—Es hombre de talento, pero un inocentón, que redactará las memorias que usted desea, con el nombre de su tía, por cien escudos tomo.

»— ¡Convenido! —contestó el otro, arreglándose la corbata—. ¡Camarero, vengan mis ostras!

»—Perfectamente —replicó Rastignac—; pero me abonará usted veinticinco luises de comisión y le pagará un tomo por adelantado.

»—No; sólo le anticiparé cincuenta escudos, para contar con la rapidez en la confección.

»Rastignac me repitió la conversación mercantil, en voz baja, y contestó, sin consultarme:

»—Estamos conformes. ¿Cuándo podremos ir a verle para cerrar el trato?

»—Vengan ustedes a comer aquí, mañana a las siete.

»Nos levantamos. Rastignac pagó la cuenta, se guardó la nota en el bolsillo y salimos. Yo estaba estupefacto de la ligereza, de la despreocupación con que había vendido a mi respetable tía, la marquesa de Montbauron.

»—Prefiero —le dije— embarcarme para el Brasil y enseñar allí el álgebra a los indios, y eso que no la sé, a mancillar el nombre de mi familia.

»Rastignac me interrumpió con una carcajada.

»— ¡Qué imbécil eres! —me replicó—. Toma desde luego los cincuenta escudos y escribe las memorias. Cuando las hayas terminado, te negarás a ponerlas a nombre de tu tía. La noble dama vilmente decapitada, sus tontillos, sus consideraciones, su hermosura, su distinción, sus chapines, bien valen más de seiscientos francos. Si el editor no accede entonces a tasar a tu tía en lo que vale ya encontrará cualquier viejo caballero de industria o alguna fangosa condesa, que se presten a autorizar las tales memorias.

»— ¡Oh! —exclamé—, ¿por qué habré salido de mi honrada buhardilla? ¡La sociedad tiene convencionalismos indecorosamente innobles!

»— ¡Vaya! ¡Vaya! —contestó Rastignac—. ¡Déjate de poesías! ¡El negocio es el negocio! ¡Eres un chiquillo! ¡Escúchame! Por lo que respecta a las memorias, el público las juzgará; en cuanto a mi tercería literaria, ¿no ha gastado ocho años de su vida y pagado con crueles pruebas sus relaciones con libreros y editores? Compartiendo desigualmente con él el trabajo del libro, ¿no resulta la mejor, también, tu participación en el dinero? Veinticinco luises representan, para ti, una cantidad mucho mayor que mil francos para él. ¡Bien puedes escribir memorias históricas, incluso una obra monumental, cuando Diderot hizo seis sermones por cien escudos!

»—La verdad es que necesito dinero —le contesté conmovido—, y debo agradecerte tu buena intención. Con veinticinco luises seré rico.

»— ¡Mucho más de lo que te figuras! —replicó Rastignac, riendo—. ¿No has adivinado que si Finot me abona una comisión en este negocio, será para ti? ¡Vamos al Bosque de Bolonia! Allí veremos a tu condesa, y te enseñaré la linda viudita con quien debo casarme; una alsaciana muy simpática y algo metidita en carnes, que lee a Kant, Schiller, Juan Pablo y una porción de libros hidráulicos. Tiene la manía de preguntarme siempre mi opinión, y me veo precisado a dármelas de entendido en esas sensiblerías alemanas, a fingir que conozco un montón de baladas, drogas, todas, que me tiene prohibidas el médico. Aún no he logrado convertirla de su entusiasmo literario; se desborda en llanto leyendo a Gothe, y he de llorar un poco, por halagarla, porque tiene cincuenta mil libras de renta, nada menos, y el pie más diminuto y la mano más bonita de la tierra.

»Vimos a la condesa, radiante, en un lujoso tren. La coqueta nos saludó muy afectuosamente, lanzándome una sonrisa que entonces me pareció angelical y llena de amor. ¡Ah! en aquel momento era feliz; me creía amado; contaba con dinero y con tesoros de pasión; nada de miseria.

»Ligero, alegre, satisfecho de todo, me pareció encantadora la novia de mi amigo. Los árboles, el aire, el cielo, la naturaleza entera, parecían repetirme la sonrisa de Fedora. Al volver de los Campos Elíseos, fuimos a ver al sombrerero y al sastre de Rastignac. El negocio del collar me permitió prescindir de mi modesto pie de paz, para pasar a mi formidable pie de guerra. En adelante, podía competir en apostura y en elegancia, sin temor alguno, con los jóvenes que se arremolinaban en torno de Fedora.

»Regresé a mi casa; me encerré permaneciendo aparentemente tranquilo junto a la ventana, pero despidiéndome para siempre de aquellos tejados, viviendo en el porvenir, dramatizando mi vida, descontando el amor y sus delicias. ¡Ah! ¡Qué borrascosa puede ser una existencia entre las cuatro paredes de una buhardilla! El alma humana es un hada, que metamorfosea una piedra en un brillante; al contacto de su varita mágica, brotan palacios encantados, como las flores silvestres a los cálidos efluvios del sol.

»Al mediar el día siguiente, Paulina golpeó con suavidad en mi puerta, presentándome, ¿a qué no lo aciertas?… ¡Una carta de Fedora! La condesa me rogaba que me reuniera con ella en el Luxemburgo, para ir juntos, desde allí, a ver el Museo y el jardín Botánico.

»—El mandadero que ha traído la carta, espera contestación —me dijo Paulina, después de un momento de silencio.

»Garabateé rápidamente unas cuantas líneas de gratitud y tas encerré bajo un sobre, que entregué a Paulina. En seguida me vestí; pero en el momento en que terminaba mi aliño personal, satisfecho de sí mismo, me asaltaron las siguientes ideas: ¿Irá Fedora en carruaje o a pie? ¿Lloverá o hará buen tiempo? Y en cualquiera de los casos, ¿quién es capaz de contar con las eventualidades de una mujer caprichosa? No llevará dinero, y se le antojará dar cinco francos al primer golfillo que le caiga en gracia. Yo estaba sin blanca, y no tendría dinero hasta la noche. ¡Oh! ¡Cuán cara paga un poeta, en estas crisis de nuestra juventud, la potencia intelectual de que se halla investido por el régimen y el trabajo! En un instante, me asaltaron, cual otros tantos dardos, mil pensamientos súbitos y dolorosos. Miré al cielo por el único hueco de mi estancia, observando la inseguridad del tiempo. En caso de apuro, podía alquilar un coche para todo el día; pero, ¿no me estremecía constantemente, en medio de mi felicidad, la idea de no encontrar a Finot por la noche? No me sentí con ánimo suficiente para soportar semejante tortura, perturbadora de mi alegría. A pesar de la certidumbre de no encontrar nada, emprendí una minuciosa exploración a través de mi cuarto, buscando escudos imaginarios hasta en el fondo de mi jergón; lo escudriñé todo, llegando hasta sacudir unas botas desechadas. Dominado por nerviosa fiebre, lanzaba hoscas miradas a los muebles, después de remover su interior.

»Comprenderás el delirio que me animó, cuando al abrir por séptima vez el cajón de mi mesa de trabajo, que registraba con esa especie de indolencia en que nos sume la desesperación, vi adosada a uno de los tableros laterales, solapadamente agazapada, pero limpia, brillante, reluciente como un lucero en todo su esplendor, una hermosa y bienhechora moneda de cinco francos. Sin pedirle cuenta, de su silencio ni de la crueldad de que se había hecho reo, permaneciendo escondida de tal suerte, la estreché como a un amigo fiel en la desgracia, y la saludé con una exclamación que halló eco. Me volví bruscamente y vi a Paulina, pálida y desencajada.

»—Creí que se había hecho usted daño —me dijo en voz trémula—. El mandadero…

»Y se interrumpió, como si se ahogara.

»—Pero ya le ha pagado mi madre —añadió, huyendo alocada y retozona, como un capricho.

»¡Pobre niña! Le deseaba mi propia felicidad. En aquel momento, me parecía que mi alma encerraba todo el placer de la tierra, y hubiera deseado restituir a los desgraciados la parte que suponía robarles.

»Como casi siempre se realizan los presentimientos adversos, la condesa había despedido su carruaje. Por uno de esos antojos que las mujeres bonitas suelen no saber explicarse, quería ir al Botánico por los bulevares y a pie.

»—Es fácil que llueva —le advertí.

»Pero se dio el gusto de contradecirme. Por casualidad, el tiempo se mantuvo en tal estado, mientras recorrimos el Luxemburgo. Pero a la salida, un nubarrón, cuyo avance me tenía ya inquieto, comenzó a descargar y montamos en un alquilón. Al llegar a los bulevares, cesó la lluvia y se despejó el firmamento.

»Ya en el Museo, intenté despedir el vehículo; pero Fedora me rogó que le retuviera. ¡Qué suplicio! Pero hablar con ella, comprimiendo un secreto delirio que sin duda se reflejaba en mi fisonomía en una sonrisa inocente y contenida; errar por el jardín Botánico, cruzando sus frondosas avenidas y sentir su brazo apoyado en el mío, tenía algo de fantástico, era un sueño en plena vigilia. Sin embargo, sus movimientos, tanto en marcha como al detenerse, no tenían nada de dulce ni de amoroso, a pesar de su aparente abandono. Cuando procuraba asociarme, en cierto modo, a la acción de su vida, encontraba en ella una íntima y secreta vivacidad, una especie de represión, algo anormal y excéntrico. Las mujeres sin alma son poco blandas al exteriorizar sus sentimientos. Así, no estábamos afines en la voluntad ni en el paso. No existen palabras para expresar ese desacuerdo material entre dos seres, porque aún no estamos habituados a reconocer un pensamiento en el ademán. Ese fenómeno de nuestra naturaleza se siente instintivamente, no se expresa.

»Rafael hizo una ligera pausa, y prosiguió, como si respondiese a una objeción que se hubiera formulado a sí mismo:

»—Durante esos violentos paroxismos de mi pasión, no he disecado mis sensaciones, analizado mis placeres, ni computado los latidos de mi corazón, como un avaro examina y pesa sus monedas de oro. ¡No! La experiencia derrama hoy su triste luz sobre los acontecimientos pasados, y el recuerdo trae a mi mente esas imágenes, como la bonanza arroja, uno por uno, a la playa, los restos de un naufragio.

»—Podría usted hacerme un señalado favor —me dijo la condesa, mirándome con aire confuso—. Después de haberle confiado mi antipatía al amor, me siento más libre para reclamarle un servicio, en nombre de la amistad. ¿No sería mayor mérito en usted —añadió riendo—, complacerme hoy?

»Yo la contemplé con dolor. Como no experimentaba sensación alguna junto a mí, estaba sugestiva, pero no afectuosa. Me parecía representar un papel como actriz consumada. De pronto, su acento, una mirada, una palabra, despertaban mis esperanzas; pero si mi amor, reanimado, se reflejaba en mis ojos, afrontaba su fulgor sin que se alterase la claridad de los suyos, que, a semejanza de los felinos, parecían blindados por una capa metálica. En tales momentos, la detestaba.

»—Me sería muy útil —prosiguió, dando a su voz mimosas reflexiones— la protección del duque de Navarreins cerca de una persona omnipotente en Rusia, cuya intervención necesito para que se me haga justicia en un asunto que concierne a la vez a mi fortuna y a mi estado social; el reconocimiento de mi matrimonio por el emperador. ¿No es usted primo del duque? Una carta suya sería decisiva.

»—Estoy a su disposición —contesté—. Ordene como guste.

»—Es usted muy amable —replicó, estrechándome la mano—. Venga usted a comer conmigo, y le enteraré de todo, como a un confesor.

»Aquella mujer tan desconfiada, tan discreta, y a la que nadie había oído hablar una palabra respeto a sus intereses, se resolvía, pues, a consultarme.

»— ¡Oh! —exclamé—, ¡cuánto me felicito ahora del silencio que me ha impuesto usted!

»Pero yo hubiera deseado una prueba todavía más ruda. En aquel momento, acogió gustosa la embriaguez de mis miradas y no se resistió a mi admiración. ¡Luego me amaba! Llegamos a su casa. Por fortuna, el fondo de mi bolsillo me permitió pagar al cochero. Pasé deliciosamente el día, solo con ella, en su casa.

»Era la primera vez que podía verla así. Hasta aquel día, la sociedad, con su molesta cortesía y sus ceremoniosas etiquetas nos había separado constantemente, aun durante sus fastuosos banquetes; pero entonces, estaba en su casa como si viviéramos bajo el mismo techo; la poseía, por decirlo así. Mi errante imaginación rompía las trabas, arreglaba a mi modo los acontecimientos de la vida y me sumía en las delicias de un amor afortunado. Suponiéndome su marido, la admiraba ocupándose en menudos detalles, llenándome de contento verla despojarse de su chal y de su sombrero. Me dejó solo un momento, y volvió después de atusar su peinado, arrebatadora. ¡Aquel primoroso tocado había sido hecho para mí!

»Durante la comida, me prodigó sus atenciones y desplegó sus infinitas gracias en mil cosas que parecen nonadas y que son, sin embargo, la mitad de la vida. Cuando ambos nos instalamos ante un chisporroteante fuego, sentados sobre sedas, rodeados de las apetecibles creaciones de un lujo oriental, cuando vi tan cerca de mí a aquella mujer, cuya notable belleza hacía palpitar tantos corazones, a aquella mujer tan difícil de conquistar, hablándome, haciéndome objeto de todas sus coqueterías, mi voluptuosa felicidad casi degeneró en sufrimiento. Por desgracia mía, me acordé del importante negocio que debía ultimar, y quise acudir a la cita que se me había dado la víspera.

»— ¡Cómo! ¿Se va usted ya? —dijo, al verme levantar para despedirme.

»¡Me amaba! Así lo creí al menos, al oírla formular su pregunta en tono acariciador. Por prolongar mi éxtasis, habría trocado gustosamente dos años de mi vida por cada una de las horas que parecía dispuesta a otorgarme. Mi dicha aumentó, en proporción del dinero que perdía. Era ya media noche cuando nos separamos. Pero, al día siguiente, mi heroísmo me costó no pocos remordimientos, pues temí el fracaso del asunto de las memorias, tan capital para mí. Corrí a casa de Rastignac, y ambos nos fuimos a sorprender, al saltar del lecho, al titular de mis futuros trabajos. Finot me leyó un sencillo contrato, en el que no se hacía mención de mi tía, y después de firmarlo, me entregó cincuenta escudos. Almorzamos los tres juntos. Cuando hube pagado mi sombrero nuevo y liquidado mis deudas, me sobraron tan sólo treinta francos; pero estaban allanadas, por unos días, todas las dificultades de la vida. En opinión de Rastignac, podía disponer de tesoros, adoptando francamente el «sistema inglés». Se obstinaba en que apelase al crédito y abriera empréstitos, alegando que éstos sostendrían aquél. A su juicio, el porvenir era el más considerable y el más sólido de todos los capitales del mundo Hipotecando así mis deudas sobre futuros contingentes, me hizo cliente de su sastre; un artista que disculpaba las «ligerezas de la juventud», y que se comprometió a dejarme tranquilo hasta que me casara.

»A partir de aquel día, rompí con la vida monástica y estudiosa que había llevado durante tres años. Concurrí asiduamente a casa de Fedora, procurando aventajar en apariencia a los impertinentes y aduladores que la cortejaban. Creyéndome libre para siempre de la miseria, recobré mi espiritualidad y eclipsé a mis rivales, pasando por un muchacho lleno de seducciones, prestigioso, irresistible.

»Entre tanto, las personas expertas decían, al referirse a mí. «¡Un joven de tanto talento, sólo debe albergar pasiones en la cabeza!». Ponderaban caritativamente mi espíritu a expensas de mi sensibilidad. «¡Qué feliz es no amando! —exclamaban—. Si amara, ¿cómo sería posible que tuviera tan buen humor, tanta inventiva?». ¡Y, sin embargo, resultaba bien neciamente enamorado, en presencia de Fedora! A solas con ella, o no atinaba a proferir palabra, o, si hablaba, maldecía del amor; estaba tristemente jovial, como cortesano que quiere ocultar un cruel despecho.

»En fin, traté de hacerme indispensable a su vida, a su dicha, a su vanidad; diariamente junto a ella, era un esclavo, un juguete manejable a su antojo. Después de perder así todo el día, trabajaba en mi casa de noche, durmiendo solamente dos o tres horas, por la mañana. Pero no teniendo, como Rastignac, el hábito del sistema inglés, tardé poco en encontrarme sin un céntimo.

»Desde entonces, amigo mío, petulante sin éxitos, elegante sin recursos, amante anónimo, recaí en esta vida precaria, en esa fría y profunda desventura cuidadosamente oculta bajo las mendaces apariencias del lujo. Desde entonces volví a experimentar añejos sufrimientos, pero menos intensos: sin duda, me había familiarizado con sus terribles crisis. Con frecuencia, las pastas y el té, tan parsimoniosamente servidos en los salones, constituían mi único alimento.

»En algunas ocasiones, me sustentaban, durante un par de días, las opíparas comidas de la condesa. Invertía mi tiempo, mis esfuerzos y mi ciencia de observación, en penetrar algo más en el impenetrable carácter de Fedora. Hasta entonces, la esperanza o la desesperación habían influido en mis apreciaciones, haciéndome ver en ella, sucesivamente, la mujer más amante o la menos sensible; pero estas alternativas de alegría y de tristeza se me hicieron intolerables, y quise buscar un desenlace a la horrible lucha, matando mi amor. A veces brillaban en mi alma siniestros fulgores, haciéndome vislumbrar los abismos abiertos entre ambos.

»La condesa justificaba todos mis recelos; aún no había sorprendido una lágrima en sus ojos. En el teatro, una escena enternecedora no la producía la menor emoción. Reservaba toda su sensibilidad para sí misma, sin adivinar la desventura ni la felicidad ajenas. En una palabra, ¡me había engañado!

»Dichoso de sacrificarme por ella, casi me rebajé yendo a ver a mi pariente el duque de Navarreins, hombre egoísta, a quien sonrojaba mi pobreza y que había cometido demasiadas faltas conmigo para no aborrecerme; me recibió con esa ceremoniosa urbanidad que da a los ademanes y a las palabras la apariencia de un insulto. La inquietud de su mirada me movió a compasión; me avergoncé por él de su pequeñez en medio de tanta grandeza, de su pobreza en medio de tanto lujo. Me habló de las considerables pérdidas que le ocasionaba el tres por ciento, y entonces le expuse el objeto de mi visita. El cambio de actitud, que de glacial se fue tornando paulatinamente en afectuosa, me repugnó. ¡Pues bien, amigo mío! ¡Fue a casa de la condesa y me suplantó! Fedora tuvo para él condescendencias y agasajos inusitados; le sedujo, trató sin mi intervención de aquel asunto misterioso, del cual no supe una palabra; ¡había sido para ella un medio!... Fingía no verme, mientras mi primo permanecía en su casa, y en tales circunstancias, me recibía con menos cordialidad, quizá, que el día en que le fui presentado.

»Una noche, me humilló ante el duque, con uno de esos gestos y una de esas miradas que no es posible definir con palabras. Salí llorando, formando mil proyectos de venganza, combinando espantosas violencias de hecho. Algunas veces, la acompañaba a los Bufos; allí, junto a ella, entregado por completo a mi amor, la contemplaba, disfrutando de los encantos de la música y apurando en mi alma el doble goce de amar y de advertir la estrecha concordancia entre las frases del compositor y los movimientos de mi corazón. Mi pasión flotaba en el ambiente, en la escena; triunfaba en todas partes, excepto en el ánimo de mi adorada. Entonces, tomaba la mano de Fedora, estudiaba sus facciones y sus ojos, solicitando una fusión de nuestros sentimientos, una de esas súbitas armonías que, despertadas por las notas, hace vibrar las almas al unísono.

»Pero su mano permanecía insensible y sus pupilas callaban. Cuando el fuego de mi corazón, emanado de todo mi semblante, hería con demasiada fuerza el suyo, me lanzaba esa sonrisa rebuscada, esa frase convencional que se reproduce en una exposición pictórica, en los labios de todos los retratos. Ni siquiera escuchaba la música. Las divinas páginas de Rossini, de Cimarosa, de Zingarelli, no la recordaban ningún sentimiento, no la traducían ninguna poesía de su vida: su alma estaba seca. Fedora se producía en el teatro como un espectáculo en el espectáculo. Sus gemelos vagaban incesantemente de palco en palco; inquieta, aunque tranquila, era víctima de la moda; su palco, su sombrero, su carruaje, su persona, lo representaba todo para ella.

»A veces se encuentran personas de apariencia gigantesca, cuyo cuerpo de bronce alberga un corazón tierno y delicado; pero ella ocultaba un corazón de bronce, bajo una endeble y gentil envoltura. Mi ciencia fatal rasgaba numerosos velos.

»Si el buen tono consiste en olvidarse de sí mismo por los demás, en dar a su acento y a sus actitudes una constante dulzura, en complacer a las gentes dejándolas satisfechas de sí propias, Fedora, a pesar de su sagacidad, no había desechado todos los vestigios de su origen plebeyo; su olvido de sí misma era falsía; sus modales, en lugar de ser ingénitos, revelaban un laborioso estudio; su cortesía, en fin, trascendía a servilismo. Y, sin embargo, sus melosas palabras eran para sus favoritos la expresión de la bondad, su pretenciosa exageración, noble entusiasmo. Sólo yo había estudiado sus muecas; había descubierto su interior, despojándola de la tenue corteza exigida por la sociedad; yo era el único a quien no podía embaucar con sus arterías, porque conocía a fondo su alma felina. Cuando un necio la cumplimentaba, la ensalzaba, me avergonzaba por ella.

»¡Pero continuaba amándola! ¡Esperaba fundir los témpanos de su alma bajo las alas de un amor de poeta! Si alguna vez lograba abrir su corazón a las ternuras femeninas, si la iniciaba en la sublimidad de los sacrificios, la veía perfecta, convertida en ángel. La amaba como hombre, como pretendiente, como artista, cuando habría precisado no amarla, para obtenerla. Un ente ridículo cargado de fatuidad, un calculador frío, quizá hubieran triunfado.

»Vana y artificiosa, habría oído indudablemente el lenguaje de la vanidad, se hubiera dejado enredar en las redes de una intriga, la hubiera dominado un hombre seco y glacial. Cuando me revelaba francamente su egoísmo, laceraban mi alma los más agudos dolores. Miraba con tristeza al porvenir, viéndola sola en la vida, sin saber a quién tender la mano, sin encontrar una mirada amiga en que reposar la suya.

»Una noche, tuve el valor de pintarle con vivos colores su vejez aislada, vacía y triste. A la vista de la espantosa venganza de la naturaleza engañada, profirió una frase atroz:

»—Pienso ser siempre rica —me contestó—, y con dinero, nada más fácil que crear en torno nuestro los sentimientos necesarios a nuestro bienestar.

»Salí aterrado por la lógica de aquel lujo, de aquella mujer, de aquella sociedad, vituperando mi estúpida idolatría. Así como yo no amaba a Paulina, pobre, ¿no asistía el mismo derecho a Fedora, rica, para rechazarme? Nuestra conciencia es un juez infalible, cuando aún no hemos acallado sus dictados.

»—Fedora —me gritaba una voz sofística— no ama ni desdeña a nadie; es libre, pero en otro tiempo se entregó por dinero. Amante o esposo, el conde ruso la ha poseído. No la faltará una tentación en su vida. ¡Espérala!

»Aquella mujer, ni virtuosa ni perversa, vivía apartada de la humanidad, en una esfera propia, infierno o paraíso. Aquel misterio femenino, vestido de cachemires y de bordados, ponía en juego en mi corazón todos los sentimientos humanos: orgullo, ambición, amor, curiosidad. Un capricho de la moda, o ese afán de originalidad que a todos nos domina, dio en la manía de alabar a un teatrucho de ínfima categoría. La condesa testimonió su deseo de ver la cara enharinada de un actor que hacía las delicias de algunas personas de talento, y merecí el honor de acompañarla al estreno de no sé qué mamarrachada. El palco apenas costaba cinco francos, pero yo no poseía ni un maravedí. Como aún estaba en la mitad del tomo de las memorias, no me atrevía a mendigar el auxilio de Finot, y Rastignac, mi providencia, estaba ausente. Aquella indisposición crónica maleficiaba toda mi existencia.

»Una noche, al salir de los Bufos, con una lluvia torrencial, hizo avanzar un carruaje, sin que yo pudiera substraerme a su ostentosa oficiosidad; no admitió ninguna de mis excusas, ni mi afición a la lluvia, ni mi deseo de ir a jugar. No adivinó mi penuria, ni en lo embarazoso de mi actitud, ni en la afectada jovialidad de mis palabras. Mis ojos chispeaban, pero, ¿acaso comprendía ella una mirada? La vida de los jóvenes está sometida a singulares caprichos. En el camino, cada vuelta de las ruedas despertó ideas que me abrasaban el corazón. Traté de arrancar una tabla del fondo del vehículo, para deslizarme al arroyo; pero al tropezar con obstáculos invencibles, me eché a reír convulsivamente y permanecí en una calma tétrica, embotado, como malhechor expuesto a la vergüenza pública. A las primeras palabras que balbuceé, al llegar a mi casa, Paulina me interrumpió diciendo:

»—Si no tiene usted dinero…

»¡Ah! La música de Rossini no era nada, comparada con aquellas palabras… Pero volvamos a lo de los funámbulos. Para poder llevar al espectáculo a la condesa, se me ocurrió empeñar el cerco de oro que rodeaba el retrato de mi madre. Aun cuando el Monte de Piedad hubiese aparecido siempre a mi imaginación como una de las antesalas del presidio, valía más llevar a él hasta la propia cama, aunque fuese a cuestas, que solicitar una limosna. ¡Hace tanto daño la mirada de un hombre a quien se pide dinero! Ciertos préstamos deshonran, como ciertas negativas, pronunciadas por labios amigos, arrebatan una ilusión postrera.

»Paulina trabajaba; su madre se había acostado. Dirigí una ojeada furtiva hacia el lecho, cuyas cortinas estaban ligeramente levantadas, y creí profundamente dormida a la señora Gaudin, al ver en la penumbra su perfil sereno y amarillento hundido en la almohada.

»—Usted tiene algún pesar —me dijo Paulina, depositando el pincel en el platillo.

»—Hija mía, podría usted prestarme un gran servicio —contesté.

»La muchacha me miró con tal expresión de contento, que me estremecí.

»— ¿Si me amará? —pensé, agregando en alta voz—: ¡Paulina!

»Y me senté a su lado, para estudiarla bien. Ella me adivinó, tan inquisidor era mi acento, y bajó la vista. Yo la examiné, creyendo poder leer en su corazón como en el mío, tan sencilla y tan pura era su fisonomía.

»— ¿Me ama usted? —le pregunté.

»—Un poco, pero todavía no me he apasionado —contestó.

»No me amaba. Su acento burlón y su gracioso mohín, denotaban tan sólo una retozona gratitud infantil. Entonces le confesé mis apuros, rogándole que me ayudase.

»— ¡Cómo! —replicó—. ¿De modo que no quiere usted ir al Monte de Piedad y me envía a mí?

»Yo enrojecí, confundido por la lógica de la chiquilla. Ella tomó entonces mi mano, como si hubiera querido compensar con una caricia la franqueza de su observación.

»—Iría con mucho gusto —agregó—, pero el paseo es inútil. Esta mañana, encontré detrás del piano dos monedas de cinco francos, que se debieron deslizar sin que usted lo notara, y las he dejado sobre la mesa.

»—Pronto recibirá usted dinero, don Rafael —repuso la bondadosa madre, asomando la cabeza por la abertura de las cortinas—; entretanto, puedo prestarle algunos escudos.

»— ¡Ay, Paulina! —exclamé, estrechando la mano de la muchacha—, ¡quisiera ser rico!

»— ¿Para qué? —preguntó ella, con aire picaresco.

»Su mano temblaba, respondiendo a cada latido de mi corazón. La muchacha la retiró vivamente, y dijo, examinando la mía:

»—Se casará usted con una mujer rica, pero que le dará muchos disgustos. ¡Sí! ¡Le matará! ¡Estoy segura de ello!

»En su exclamación había una especie de asentimiento a las insensatas supersticiones de su madre.

»— ¡Es usted muy crédula, Paulina! —objeté.

— ¡Oh! Estoy convencida —insistió, contemplándome con terror—, de que la mujer a quien usted ame le matará.

»Y tomando de nuevo su pincel, lo mojó en el color, reflejando una intensa emoción, y no volvió a mirarme. En aquel momento hubiera deseado crecer en quimeras. El hombre supersticioso no puede ser del todo miserable. Una superstición es una esperanza. Retirado a mi cuarto, vi efectivamente las dos relucientes monedas, cuya existencia en aquel sitio, me pareció inexplicable. Entre la confusión de ideas del primer sueño, traté de verificar mis gastos, para justificar a mis ojos aquel hallazgo inesperado; pero me dormí, perdido en inútiles cálculos. Al día siguiente, Paulina fue a verme, en el momento en que yo salía para comprar un palco.

»—Como quizá no le alcancen los diez francos —me dijo, ruborizándose, la simpática y cariñosa chicuela—, mi madre me ha encargado que le ofrezca este dinero. ¡Tome usted!

»Y arrojó tres escudos sobre la mesa, intentando escapar; pero yo la retuve. La admiración secó las lágrimas que afluían a mis ojos.

»— ¡Paulina, es usted un ángel! —murmuré—. Me conmueve mucho menos el préstamo, que la delicadeza del sentimiento con que me lo ofrece. Hace un instante, deseaba una mujer opulenta, elegante, noble; ahora, quisiera poseer millones y encontrar una muchacha pobre como usted, pero rica de corazón, también como usted, para renunciar a una pasión fatal que agotará mi existencia. ¡Quizá tenga usted razón!

»— ¡Bueno! ¡Bueno! —replicó, emprendiendo veloz carrera y dando al viento los armoniosos trinos de su sonoro canto de ruiseñor.

»— ¡Dichosa ella, que aún no sabe lo que es amar! —exclamé para mí, pensando en las torturas que venía sufriendo hada varios meses.

»Los quince francos de Paulina vinieron a pedir de boca. Fedora, temiendo las emociones del populacho de la sala, en la que debíamos permanecer algunas horas, lamentó carecer de un ramo. Fui a buscar las flores, entregándole con ellas mi vida y mi fortuna.

»Experimenté simultáneamente remordimiento y placer al obsequiarla con aquel ramo, cuyo precio me reveló todo lo que la galantería superficial, en uso en la sociedad, tiene de dispendiosa. No tardó en quejarse del penetrante aroma de un jazmín de Méjico, en sentir una intolerable repugnancia ante el aspecto de la sala y la dureza de los taburetes, y en reprocharme haberla llevado allí. Aun estando a mi lado, se obstinó en marcharse, y se fue. ¡Haberme impuesto tantos desvelos, haber disipado dos meses de mi existencia, para no agradarla! Jamás existió ángel malo tan gentil ni tan insensible. En el camino, sentado junto a ella en una reducida berlina, respiraba su aliento, tocaba su guante perfumado, veía distintamente los tesoros de su belleza, percibía un vaho suave como el iris; toda la mujer y nada de mujer. En aquel momento, un rayo de luz me permitió ver en las profundidades de aquella vida misteriosa. Pensé de pronto en el libro recientemente publicado por un poeta, una verdadera concepción de artista, calcada en la estatua de Policleto. Me pareció contemplar aquel monstruo, que era oficial, doma un fogoso corcel, ora doncella, arregla su tocado y desespera a sus amantes, y que, amante, desespera a una virgen dulce y modesta. No pudiendo reducir de otro modo a Fedora, le relaté la fantástica historia; pero no recelando nada respecto a su semejanza con aquella poesía quimérica, se distrajo de buena fe, como se distrae un niño con un cuento de las «Mil y una noches».

»—Para resistir al amor de un hombre de mi edad, al ardor comunicativo de ese hermoso contagio del alma, Fedora debe estar guardada por algún misterio —me dije al volver a mi casa—. ¿La devorará un cáncer, como a lady Delacour? Su vida es, sin duda, una vida artificial.

»A este pensamiento, me invadió un escalofrío. Luego, formé el proyecto más extravagante, a la vez que el más razonable de cuantos puedan ocurrírsele a un amante. Para examinar a aquella mujer corporalmente como la había estudiado intelectualmente, para conocerla por completo, resolví pasar una noche en su casa, en su cámara, sin que ella lo supiera. He aquí cómo llevé a cabo esta empresa, que me devoraba el alma, como un deseo de venganza muerde el corazón de un monje corso.

»En los días de recepción, era demasiado numerosa la concurrencia en casa de Fedora, para que el portero pudiera establecer un cómputo exacto entre las entradas y salidas. Seguro de poder quedarme sin promover escándalo, aguardé impaciente la próxima velada de la condesa. Al vestirme, puse en uno de los bolsillos de mi chaleco un cortaplumas inglés, a falta de puñal. Si me lo encontraban encima, aquel instrumento, de uso corriente para todo el que lee y escribe, no tenía nada de sospechoso, y no sabiendo hasta dónde me llevaría mi novelesca resolución, quería ir armado. Cuando los salones comenzaron a poblarse, fui al dormitorio, para enterarme de todos los detalles, y encontré cerrados los postigos y las persianas, lo cual era una primera circunstancia favorable. Como la camarera podía entrar a correr los cortinajes, sujetos en los alzapaños, solté los cordones de pasamanería. Era un verdadero riesgo anticipar aquellos preparativos; pero estaba decidido a arrostrar los peligros de mi situación, que había calculado ya fríamente.

»Hacia media noche, me escondí en el hueco de un balcón. Adoptadas mis precauciones, medido el espacio que me separaba de los cortinajes, logré familiarizarme con las dificultades de mi posición, arreglándome para permanecer allí sin ser descubierto, a menos que me delataran cualquier movimiento nervioso, un golpe de tos o un estornudo. Desde mi escondite, percibía vagamente el murmullo de los salones, las risas y las voces de los que conversaban. Aquel tumulto vaporoso, aquella sorda agitación, fueron disminuyendo gradualmente.

»Algunos invitados acudieron a recoger sus sombreros, depositados sobre la cómoda de la condesa, a poca distancia de mí. Cuando rozaban los cortinajes, me estremecí pensando en las distracciones, en los azares de aquellas pesquisas, realizadas por gentes ansiosas de partir y que van directamente a su objeto, huroneando por todas partes. Auguré bien de mi empresa al no sufrir percance alguno. El último sombrero que quedaba lo recogió un viejo enamorado de Fedora, que, creyéndose sólo, miró al lecho y lanzó un hondo suspiro, seguido de una enérgica exclamación.

»La condesa, a quien ya no rodeaban más que cinco o seis de sus íntimos, en el tocador contiguo al dormitorio, les propuso tomar allí el té. Las calumnias, para las cuales ha reservado la sociedad actual la poca fe que le queda, se mezclaron entonces con los epigramas, las críticas ingeniosas y el ruido de tazas y de cucharillas. Rastignac, despiadado con mis rivales, producía extraordinaria hilaridad con sus mordaces ocurrencias.

»—Rastignac es un hombre con quien no conviene enemistarse —dijo la condesa, riendo.

»— ¡Me parece! —contestó ingenuamente el aludido—. Pero mis antipatías siempre han sido fundadas… lo mismo que mis simpatías —añadió —. Mis enemigos me sirven quizá tanto como mis amigos. He realizado un estudio especial del idioma moderno y de los artificios naturales de que se vale para atacarlo todo o para defenderlo todo. La elocuencia ministerial es un perfeccionamiento social. ¿Qué uno de nuestros amigos carece de talento? Se habla de su probidad, de su franqueza. ¿Qué la obra de otro resulta pesada? Se la presenta como un trabajo concienzudo. Si el libro está mal escrito, se elogian las ideas. ¿Qué Fulano es un descreído, un inconstante, un tarambana? ¡Bah! En cambio, es un hombre seductor, original, divertidísimo. Pero, ¿se trata de un enemigo? ¡Ah! Entonces se le achacan todas las culpas, se invierten con él los términos del lenguaje, y se muestra tanta perspicacia en descubrir sus defectos, como habilidad se puso para hacer resaltar las virtudes de los amigos.

»Esta aplicación de las lentes a la observación moral, es el secreto de nuestras conversaciones, y en ella estriba todo el arte de la cortesanía. No usar este procedimiento equivale a querer combatir sin armas con gentes forradas de hierro, como los capitanes de mesnada. Yo lo uso, y aun abuso de él en ocasiones. Así se me respeta, lo mismo que a mis amigos, porque, además, mi espada vale tanto como mi lengua.

»Uno de los más fervientes admiradores de Fedora, joven cuya impertinencia gozaba fama, y que la utilizaba como uno de los medios para prosperar, recogió el guante tan desdeñosamente lanzado por Rastignac. Comenzó a hablar de mí, encomiando exageradamente mis talentos y mi persona. Rastignac se había olvidado de este género de maledicencia. El sardónico elogio engañó a la condesa, que me inmoló sin piedad; para distraer a sus amigos, abusó de mis secretos, de mis pretensiones y de mis esperanzas.

»—Es un muchacho de porvenir —dijo Rastignac—. Es posible que llegue algún día en que se desquite cruelmente, porque sus aptitudes igualan, por lo menos, a su valor. Por eso creo que hacen mal los que le atacan, porque tiene memoria…

»—Y escribe memorias —replicó la condesa, a quien pareció desagradar el profundo silencio que siguió a las palabras de Rastignac.

»—Memorias de condesa supuesta, señora —advirtió Rastignac—. Para escribirlas se necesita otra clase de valor.

»—Creo que lo tiene a toda prueba —contestó la condesa—. Me es fiel…

»Tentado estuve de presentarme súbitamente a la burlona reunión, como la sombra de Banquo en Macbeth. ¡Perdería una amante, pero me quedaría un amigo! Sin embargo, el amor me sugirió de pronto una de esas ruines y sutiles paradojas con que sabe adormecer todos nuestros dolores.

»—Si Fedora me ama —pensé—. ¿No es lógico que disimule su afecto bajo una burla maliciosa? ¿Cuántas veces no ha desmentido el corazón a los labios?

»Por fin, mi impertinente rival, que había quedado solo con la condesa, hizo ademán de retirarse.

»— ¿Se va usted tan pronto? —le preguntó ella, en un tono mimoso que puso en conmoción todas mis fibras—. ¿No me concede usted un momento más? ¿No tiene nada que decirme, ni se decide a sacrificarme alguno de sus placeres?

»El amigo se marchó.

»— ¡Ah! —exclamó la condesa bostezando—, ¡qué fastidiosos son todos!

»Y tirando con fuerza de un cordón, hizo resonar en el interior el ruido de una campanilla, y entró en su cámara, tarareando una frase del «Pria che spunti». Nadie había oído cantar nunca a la condesa, y su mutismo daba motivo a extrañas interpretaciones. Decíase que había prometido a su primer amante, prendado de sus talentos y celoso de ellos hasta más allá de la tumba, que no proporcionaría a nadie un placer, que deseaba ser el único en gustar. Aspiré aquellos sonidos, poniendo en tensión toda mi alma. De nota en nota, la voz fue acentuándose, Fedora pareció animarse, desplegando todas las riquezas de su garganta, y la melodía adquirió, en aquel instante, algo de divino. La condesa tenía en su órgano vocal una limpieza, un ajuste, no sé qué de armónico y de vibrante, que penetraba, conmovía y halagaba al corazón.

»Las mujeres inteligentes en música suelen ser enamoradas: la que así cantaba, debía saber amar intensamente. La hermosura de su voz fue, pues, un misterio más en aquella mujer ya tan misteriosa. La veía entonces a la misma distancia que ahora a ti; parecía escucharse a sí misma y experimentar un deleite que le fuera peculiar; una especie de goce amoroso. Así avanzó hasta la chimenea, entonando el motivo principal del rondó. Al terminarlo, su semblante se demudó, sus facciones se descompusieron y su rostro expresó el cansancio. Acababa de quitarse la máscara; actriz, había dado fin a su papel. Sin embargo, la especie de marchitez impresa en su belleza por su trabajo de artista, o por la lasitud de la velada, no carecía de atractivo.

»— ¡Hela tal como es! —me dije.

»La condesa, como para calentarse, apoyó un pie sobre la barra de bronce que coronaba el guardachispas, se quitó los guantes y los brazaletes y retiró del cuello, por encima de la cabeza, una cadena de oro, de cuyo extremo pendía un medallón adornado de piedras preciosas. Yo sentía un placer indecible al observar aquellos movimientos, llenos de la gracia exclusiva de los felinos, cuando se asean al sol. Ella se miró al espejo, y dijo en voz alta, con visible malhumor:

»— ¡Qué poco vale mi cara esta noche! Mi cutis se aja con espantosa rapidez. Quizá me conviniese acostarme más temprano, renunciar a esta vida disipada… Pero, ¿y Justina? ¿Se estará burlando de mí?

»Y llamó de nuevo. La camarera acudió a este segundo requerimiento. ¿Dónde estaba situado su cuarto? Lo ignoro. Sólo sé que bajó por una escalera interior. Yo tenía curiosidad por conocerla. Varias veces, mi fantástico numen poético se había imaginado a la invisible sirvienta como una mocetona morena y garrida.

»— ¿Ha llamado la señora? —preguntó al entrar.

»— ¡Dos veces! —contestó Fedora—. ¿Te vas volviendo sorda?

»—Estaba preparando la leche de almendras para la señora.

»Justina se arrodilló, desató los lazos de los zapatos y descalzó a su ama, que indolentemente reclinada sobre un sillón de muelles, junto a la chimenea, bostezaba, rascándose la cabeza. Sus movimientos eran absolutamente naturales, sin el menor síntoma revelador de los sufrimientos secretos ni de las pasiones que yo había supuesto.

»—Jorge está enamorado —dijo—, tendré que despedirle. Aún no ha arreglado las cortinas. ¿En qué estará pensando?

»Toda la sangre afluyó a mi corazón al oír estas palabras; pero no se habló más de las cortinas.

»—La vida es bien tonta —prosiguió la condesa—. ¡Eh! ¡cuidado con arañarme, como ayer! ¡Mira! —agregó, enseñando una sedosa pantorrilla—, todavía conservo la señal de tus uñas.

»Y metiendo los desnudos pies en unas babuchas de terciopelo forradas de plumón de cisne, desabrochó su vestido, mientras Justina tomaba un peine para alisarle los cabellos.

»—Debería usted casarse, señora—, tener hijos…

»— ¿Hijos? ¡Sería lo único que faltaría para agotarme! ¿Marido? ¿Cuál es el hombre al que pudiera…? ¿Iba bien peinada esta noche?

»—No mucho, señora.

»— ¡Qué tonta eres!

»—Nada sienta peor a la señora que el cabello demasiado crespo. Liso y en grandes bucles, va mucho mejor.

»— ¿De veras?

»—Sí, señora; los cabellos rizados y sueltos sólo sientan bien a las rubias.

»— ¡Casarme! —repuso la condesa—. ¡No! ¡Imposible! El matrimonio es un tráfico para el cual no he nacido.

»¡Qué escena tan horrible para un amante! Aquella mujer sola, sin parientes, sin amigos, atea en amor, incrédula a todo sentimiento, y que por escasa que fuera en ella esa necesidad de expansión cordial, innata en todo ser humano, se veía reducida, para satisfacerla, a conversar con su camarera, a cambiar con una sirvienta frases insulsas y anodinas, me inspiró lástima. Justina la desnudó.

»Yo la contemplé con curiosidad, en el momento de descorrer el último velo. Su talle virginal me deslumbró; al través de la camisa y al resplandor de las bujías, su cuerpo blanco y sonrosado fulguró como una estatua de plata que brilla bajo su envoltura de gasa. No existía en él ninguna imperfección que pudiera hacerla temer las miradas furtivas del amor. ¡Ay! Un cuerpo hermoso triunfará siempre de las resoluciones más belicosas.

»Fedora se sentó ante el fuego, muda y pensativa, mientras la camarera encendía la vela de la lámpara de alabastro suspendida frente al lecho. Inmediatamente después, Justina fue a buscar un calentador, preparó la cama y ayudó a su señora a acostarse; luego, pasando un largo rato, invertido en minuciosos servicios, que acusaban la profunda veneración que Fedora se profesaba a sí misma, se retiró la doméstica. La condesa cambió de postura varias veces; estaba agitada, suspiraba; sus labios dejaban escapar un leve ruido perceptible al oído, que indicaba sus movimientos de impaciencia: alargó la mano a la mesilla, tomó un frasquito, vertió en la leche, antes de beberla, unas cuantas gotas de un licor obscuro, y por último, lanzó varios angustiosos suspiros y exclamó:

»— ¡Dios mío!

»Aquella exclamación, y más aún el acento en que la pronunció, me partió el alma. Insensiblemente, quedó inmóvil. Yo me asusté, pero a los pocos instantes percibí la respiración fuerte y acompasada de una persona dormida. Entonces aparté la crujiente seda de los cortinajes, abandoné mi escondrijo y fui a situarme a los pies de su cama, contemplándola con indefinible sentimiento. Su hermosura era peregrina. Cubría la cabeza con el brazo, como un niño; su tranquilo y lindo rostro, envuelto en blondas, expresaba una dulzura que me inflamó. Presumiendo demasiado de mí mismo, no había comprendido mi suplicio; ¡estar tan cerca y tan lejos de ella! Hube de soportar todas las torturas que me había preparado. Aquel «¡Dios mío!» jirón de un pensamiento desconocido, que debía llevarme por toda luz, cambió repentinamente mis ideas respecto a Fedora.

»La exclamación, insignificante o profunda, insustancial o llena de realidades, podía interpretarse igualmente como satisfacción o pesadumbre, como dolor corporal o moral. ¿Era imprecación o súplica, previsión o recuerdo, pesar o temor? Aquella frase encerraba toda una vida, vida de indigencia o de riqueza; ¡hasta cabía en ella un crimen! El enigma oculto en aquel hechicero semblante de mujer, renacía. Fedora podía ser explicada de tantos modos, que resultaba inexplicable. Los caprichos del aliento que pasaba entre sus dientes, ya débil, ya acentuado, grave o leve, formaban una especie de lenguaje, al que yo atribuía ideas y sentimientos. Soñaba con ella, esperaba iniciarme en sus secretos penetrando en su sueño, fluctuaba entre mil partidos opuestos, entre mil opiniones. Viendo aquel hermoso rostro, puro y sereno, me fue imposible negar un corazón a aquella mujer.

»Resolví realizar una nueva tentativa. Si le refería mi existencia, mi amor, mis sacrificios, quizá podría despertar en ella la piedad, arrancar una lágrima de aquellos ojos, que no habían llorado nunca. Cifrando estaba todas mis esperanzas en esta última prueba, cuando el rumor callejero me anunció el amanecer.

»Hubo un momento, en el que me representé a Fedora despertando en mis brazos. Podía colocarme cautelosamente a su lado, deslizarme entre las ropas y estrecharla. La idea me dominó con tal tenacidad, que, para resistir a ella, salí corriendo hacia el salón, sin adoptar precauciones para evitar el ruido. Afortunadamente, di con una puerta excusada, recayente a una escalerilla de servicio. Como lo presumí, la llave estaba en la cerradura; abrí la puerta con violencia, descendí resueltamente al zaguán y, sin reparar en ser visto, me puse en el arroyo en tres saltos.

»Dos días después, había de leer su autor una comedia, en casa de la condesa, y fui a ella, con la intención de quedarme el último, para deducir una pretensión algo singular. Quería rogarle que me otorgara la noche siguiente, consagrándomela en absoluto y cerrando su puerta a los demás. Cuando estuve a solas con ella, flaqueó mi ánimo. Cada oscilación del péndulo me infundía espanto: eran las doce menos cuarto.

»—Si me falta valor para exponerle mi deseo —me dije—, me rompo el cráneo con el ángulo de la chimenea.

»Y me concedí tres minutos de plazo, que transcurrieron con exceso sin que mi cabeza se estrellara contra el mármol. Mi corazón me pesaba como una esponja empapada.

»—Está usted sumamente amable —me dijo ella.

»— ¡Ah, señora —contesté—, si pudiera usted comprenderme!

»— ¿Qué le pasa? Se pone usted pálido.

»—Señora, vacilo en solicitar una gracia de usted.

»Ella me alentó, con un ademán, y me atreví a pedir la cita.

»—Con mucho gusto —me contestó—; pero, ¿por qué no me habla usted ahora?

»—Para no engañarla; debo mostrar a usted la extensión de su compromiso, y deseo que pasemos la velada juntos, como si fuéramos hermanos. No tema usted; conozco sus antipatías; ha podido apreciarme lo bastante para estar segura de que no he de exigir nada que pueda disgustarla. Además, los atrevidos no proceden así. Me ha testimoniado usted su amistad, es usted buena, en extremo indulgente. Pues bien; sepa que mañana pienso despedirme de usted. ¡No se retracte! —exclamé, al ver que se disponía a replicar.

»Y desaparecí. A eso de las ocho de una noche de mayo último, me hallé a solas con Fedora, en su tocador gótico. Ya no temblaba: estaba seguro de mi dicha. O mi amada me pertenecería, o me refugiaría en los brazos de la muerte. Había condenado a mi cobarde amor. El hombre se fortalece cuando se confiesa su debilidad. La condesa, vestida con una bata de cachemir azul, estaba reclinada en un diván, con los pies sobre un almohadón. Un gorrillo oriental, adorno que los pintores atribuyen a los primitivos hebreos, añadía cierto incitante y extraño atractivo a sus seducciones. Su rostro aparecía impregnado de un encanto fugitivo que parecía demostrar que a cada momento nos transformamos en seres nuevos, únicos, sin ninguna similitud con el «nosotros» del porvenir ni con el «nosotros» del pasado. Declaro que jamás la vi tan deslumbradora.

»— ¿Sabe usted —me dijo riendo—, que ha picado mi curiosidad?

»—No la defraudaré —contesté con frialdad, sentándome junto a ella y tomando una de sus manos, que me abandonó—. Tiene usted una voz preciosa.

»— ¡Si no me ha oído usted nunca! —exclamó ella, sin poder reprimir un movimiento de sorpresa.

»—Ya le demostraré lo contrario, cuando llegue la ocasión. Así, pues, ¿constituye un misterio más su delicioso canto? ¡Tranquilícese, no me propongo penetrarlo!

»Cerca de una hora permanecimos conversando familiarmente. Y si bien adopté el tono, el ademán y el gesto de un hombre a quien Fedora no debía rehusar nada, guardé también todo el respeto de un amante. Procediendo así, obtuve la merced de besar su mano. Se quitó el guante con un mohín coquetón, y yo estaba en aquel momento tan voluptuosamente abismado en la ilusión que pretendía imponerme, que mi alma se fundió y se dilató en aquel beso. Fedora se dejó halagar, acariciar con increíble abandono. Pero no me acuses de cortedad; si hubiera intentado excederme en mi expansión fraternal, habría sentido el zarpazo de la gata.

»Permanecimos unos diez minutos sumidos en profundo silencio. La admiraba, atribuyéndola mentidos encantos. En aquel momento era mía, exclusivamente mía. Me hallaba en posesión de aquella hechicera criatura, como era permitido poseerla intuitivamente; la envolvía en mi deseo, la tenía, la oprimía, me desposaba mentalmente con ella. Vencí entonces a la condesa, por el poder de una fascinación magnética. ¡Cuántas veces he lamentado no haberla sometido enteramente a mí! Pero en aquel momento no ambicionaba su cuerpo; anhelaba un alma, una vida, esa dicha ideal y completa, hermoso ensueño que se prolonga, poco.

»—Señora —dije al fin, sintiendo llegada la última hora de embriaguez—, présteme atención unos instantes. Amo a usted lo sabe, por habérselo repetido mil veces, y hubiera debido darme oídos. No queriendo deber su amor a ridículas fatuidades, ni a necias lisonjas o importunidades, no he sido comprendido. ¡Cuántos sinsabores he padecido por usted, de los que, sin embargo es inocente! Pero no tardará en juzgarme. Existen dos miserias, señora: la que anda por las calles descaradamente, en harapos, que imita, sin saberlo, a Diógenes, se alimenta mal y reduce la vida a lo indispensable; miseria quizá más feliz que la opulencia, indiferente cuando menos, que toma el mundo allí donde los poderosos no lo quieren ya; y la miseria del lujo, miseria altiva, que oculta la mendicidad bajo un título: arrogante, empenachada, esa miseria de frac y guante blanco va en carruaje y pierde fortunas, sin poseer un céntimo. La una es la miseria del pueblo; la otra, la de los vividores, reyes y gentes de talento; yo no soy pueblo, rey, ni vividor; quizá no tengo talento; soy una excepción. Mi apellido me ordena morir antes que mendigar. ¡Tranquilícese usted, señora, por ahora soy rico, poseo cuanto de material necesito! —agregué, al ver que su fisonomía tomaba la fría expresión que se pinta en nuestras facciones, cuando nos vemos sorprendidos por pedigüeños de buena sociedad—. ¿Se acuerda usted de aquella noche en que prescindió de mi compañía, yendo sola al Gimnasio creyendo que no me encontraría allí?

»La condesa hizo un signo afirmativo con la cabeza.

»—Pues gasté mi último dinero para ir a verla. ¿Recuerda usted el paseo que dimos por el Jardín Botánico? Pues el carruaje me costó el resto de mi fortuna.

»Le relaté mis sacrificios, le describí mi vida, no como lo hago ahora, entre los vapores del vino, sino en la noble embriaguez del corazón. Mi pasión se desbordó en palabras ardientes, en rasgos sentimentales olvidados después, que ni el arte ni la memoria serían capaces de reproducir. No fue la narración sin calor de un afecto detestado, sino que mi amor, en la plenitud y en la ilusión de su esperanza, me inspiró esas frases que proyectan toda una vida, repitiendo los lamentos de un alma desgarrada. Mi acento fue el de las postreras preces elevadas por un moribundo en el campo de batalla. Fedora lloró. Yo guardé silencio. ¡Gran Dios! Sus lágrimas eran el fruto de esa emoción pasajera que se experimenta a cambio del precio de una localidad adquirida en la taquilla de un teatro; yo había alcanzado el éxito de un buen actor.

»—Si lo hubiera sabido… —me dijo.

»— ¡No termine usted! —interrumpí—. Aun amo a usted lo bastante para matarla.

»Ella hizo ademán de tirar del cordón de la campanilla. Yo me eché a reír.

»—No llame usted —proseguí diciendo—. La dejaré acabar apaciblemente su vida. Matarla, sería entender el odio equivocadamente. No tema ninguna violencia. He pasado una noche entera a los pies de su cama, sin…

»— ¡Caballero!… —exclamó, ruborizándose.

»Pero después de este primer arranque concedido al pudor, propio de toda mujer, aun la más insensible, me lanzó una mirada despectiva y añadió:

»— ¡Se quedaría usted helado!

»— ¿Supone usted acaso que tengo en tanta estima su belleza? —repliqué, adivinando los pensamientos que la agitaban—. Su rostro es para mí la promesa de un alma que exceda en hermosura a sus encantos físicos. ¡Ah! ¡Señora! ¡Los hombres que no ven más que la compañera en una mujer, pueden comprar todas las noches odaliscas dignas del serrallo y ser felices a poca costa! Pero yo ambicionaba más, quería vivir uniendo mi corazón al que a usted le falta. Ahora ya lo sé. Si hubiera usted de pertenecer a un hombre, le asesinaría… ¡Pero no! ¡Le amaría usted, y quizá su muerte le causaría un pensar!… ¡Cuánto sufro!

»—Si esta promesa puede consolarle —me dijo ella, riendo—, aseguro a usted que no perteneceré a nadie.

»— ¡Pues bien! —contesté interrumpiéndola—. ¡Eso es un insulto al mismo Dios, que no puede quedar sin castigo! Día llegará en que tendida en un diván, sin poder soportar el ruido ni la luz, condenada a vivir en una especie de tumba, sufrirá usted martirios inauditos. Cuando indague usted la causa de aquellos lentos y vengadores dolores, recuerde las desventuras que tan profundamente ha esparcido en su camino. Ha sembrado usted imprecaciones y cosechará odios. Somos nuestros propios jueces, los ejecutores de una justicia que reina en la tierra, imponiéndose a la de los hombres y sometiéndose a la de Dios.

»— ¡Caramba! —replicó ella riendo—, ¿tan grave es mi delito de no amarle? ¿Qué culpa tengo yo? No, no le amo. Es usted hombre, y basta. Encontrándome muy a gusto sola, ¿a qué cambiar mi vida, egoísta si usted quiere, por las genialidades de un amo? El matrimonio es un sacramento, en virtud del cual no nos comunicamos más que disgustos. Además, los hijos me encocoran. ¿No le previne lealmente mi carácter? ¿Por qué no se ha conformado con mi amistad? Quisiera poder mitigar las penas que le he causado. En la imposibilidad de calcularla cuantía de sus gastos, aprecio la extensión de sus sacrificios; pero sólo el amor podría pagar su abnegación, sus delicadezas, y yo le amo tan poco, que esta escena me afecta desagradablemente.

»—También me hago yo cargo de mi ridiculez; ¡perdóneme usted! —le dije con dulzura, sin poder contener mis lágrimas—. Amo a usted lo bastante para oír con delicia las palabras que ha pronunciado. ¡Oh! ¡Quisiera poder sellar mi amor con toda mi sangre!

»—Todos los hombres nos dicen, peor o mejor, esas frases clásicas —contestó ella riendo—. Pero debe ser muy difícil morir a nuestros pies, porque luego veo a esos muertos en todas partes. Son las doce; permítame usted que me acueste.

»—Y dentro de un par de horas, exclamará usted: «¡Dios mío!» —repliqué yo.

»— ¡Ah! ¡Sí! Anteayer, en efecto, prorrumpí en esa exclamación, pensando en mi agente de cambio, a quien me olvidé encargar que convirtiera mis «cincos» en «treses» y en que aquel día bajaron los «treses».

»Yo la contemplé, con las pupilas centelleantes de ira. ¡Ah! ¡Comprendo que, en ciertas ocasiones, un crimen debe ser todo un poema! Familiarizada sin duda con las más apasionadas declaraciones, hada caso omiso de mis lágrimas y de mis palabras.

»— ¿Se casaría usted con un par de Francia? —le pregunté con frialdad.

»—Es posible, siendo duque.

»Tomé mi sombrero, me levanté y la saludé con una inclinación.

»—Permítame usted que le acompañe hasta la puerta de mi aposento —me dijo, poniendo una punzante ironía en su expresión, en la actitud de su cabeza y en su acento.

»— ¡Señora!…

»— ¡Caballero!…

»—Ya no volveré a verla.

»—Así lo espero —contestó ella, inclinando la cabeza con impertinente ademán.

»— ¿Quiere usted ser duquesa? —repuse, animado por una especie de frenesí que su gesto inflamó en mi corazón—. ¿Siente usted ansia de títulos y de honores? ¡Pues bien! ¡Deje usted tan sólo que yo la ame, diga a mi pluma que no escriba, a mi voz que no resuene más que por usted; sea usted el principio secreto de mi vida, mi estrella! Y luego, no me acepte por esposo más que ministro, par de Francia, duque… ¡Llegaré a cuanto quiera usted que sea!

»—No ha malgastado usted el tiempo en el bufete de su maestro —replicó ella sonriendo—. Sus alegatos no carecen de fogosidad.

»— ¡Tuyo es el presente —exclamé—; pero el porvenir es mío! Yo no pierdo más que una mujer, mientras que tú pierdes un nombre, una familia. ¡El tiempo, saturado de mi venganza, será portador de tu fealdad y de una muerte solitaria, en tanto que a mí me conducirá a la gloria!

»— ¡Gracias por el sermón! —dijo, conteniendo un bostezo y testimoniando con su actitud el deseo de no volver a verme.

»Esta frase me impuso silencio. Envolví a Fedora en una mirada de odio y salí precipitadamente. Había que olvidar a aquella mujer, curarme de mi locura, reanudar mis solitarios estudios o morir. En consecuencia, me impuse trabajos exorbitantes, quise acabar mis obras. Durante quince días, no salí de mi cuchitril, consumiendo las noches en infructuosos escarceos. A pesar de mi ánimo y de las inspiraciones de mi desesperación, trabajaba penosamente y con intermitencias. Había huido la musa. No podía desechar el fantasma esplendoroso y burlón de Fedora. Cada pensamiento mío incubaba otro enfermizo, cierto deseo terrible como un remordimiento. Imitaba a los anacoretas de Tebaida. Sin orar, como ellos, moraba en análoga soledad, socavando mi alma en lugar de socavarlas peñas. En caso necesario habría ceñido mi cuerpo con un cinturón de aceradas púas, para domar el dolor moral por el dolor físico.

»Una noche, Paulina entró en mi habitación.

»—Se está usted matando —me dijo en voz suplicante—. Debería salir, ir a reunirse con sus amigos.

»— ¡Ay! ¡Paulina! —exclamé—. Acertó usted en su predicción. Fedora me mata. ¡Quiero morir! ¡La vida es ya insoportable para mí!

»— ¿Acaso no existe más que una mujer en el mundo? —objetó la muchacha—. ¿Por qué acibarar una vida tan corta, obstinándose en amontonar pesares?

»Miré con estupor a Paulina, que se retiró sin que yo lo advirtiera. Había oído su voz, sin comprender el sentido de sus palabras. Pronto me vi precisado a llevar el original de mis memorias a mi contratista literario. Preocupado por mi pasión, ignoraba cómo había podido vivir sin dinero; sólo sabía que los cuatrocientos cincuenta francos que restaban de pico, bastarían para liquidar mis deudas.

»Al ir en busca de mis emolumentos, tropecé con Rastignac, que me encontró transformado, enflaquecido.

»— ¿Sales de algún hospital chico? —me preguntó.

»—Esa mujer me mata —le contesté—. No puedo despreciarla ni olvidarla.

»—Vale más que la mates tú, y así no pensarás ya en ella —me aconsejó en tono jovial.

»—Ya lo he reflexionado más de una vez —le repliqué—; pero si en alguna ocasión he calmado mi alma con la idea de un delito de violación o de asesinato, o de ambos reunidos, me siento incapaz de cometerlo en realidad. La condesa es un monstruo admirable, que demandaría gracia, y no es Otelo todo el que quiere serlo.

»—La condesa es una mujer como todas las que no podemos lograr —arguyó Rastignac.

»— ¡Estoy loco! —exclamé—. Siento que el ansia invade por momentos mi cerebro. Mis ideas son manera de fantasmas— danzan ante mí, sin que me sea posible aprehenderlas. Prefiero la muerte a esta vida; por eso busco escrupulosamente el medio más apropiado de poner término a la lucha. Ya no se trata dela Fedora viviente, de la Fedora del arrabal de San Honorato, sino de mi Fedora, de la que está aquí —dije, llevándome la mano a la frente—. ¿Qué te parece el opio?

»—Hace padecer mucho —contestó Rastignac.

»— ¿Y la asfixia?

»— ¡Eso es muy plebeyo!

»— ¿Y el Sena?

»—Están muy sucias las redes de la Morgue.

»— ¿Y un pistoletazo?

»—Si yerras el tiro, quedarás desfigurado. ¡Óyeme! —repuso Rastignac—. Yo, como todos los jóvenes, he pensado en el suicidio. ¿Quién de nosotros, o los treinta años, no ha estado a punto de matarse dos o tres veces? Pues bien; el mejor procedimiento, a mi juicio, es consumir la existencia en el placer. Entrégate a la disolución, y tu pasión o tú pereceréis en ella. La intemperancia, chico, es la reina de las muertes. ¡Cómo que conduce a la apoplejía fulminante, y la apoplejía es un disparo que no falla! Las orgías nos prodigan todos los goces físicos, viniendo a ser una especie de opio administrado en pequeñas dosis. La francachela, con sus excesos, constituye un reto mortal al vino. ¿Y no es más agradable y delicado sumergirse en un tonel de malvasía, como el duque de Clarence, que en las cenagosas aguas del Sena? Las nobles caídas bajo la mesa del festín, ¿qué significan sino una lenta y periódica asfixia? Si una patrulla nos recoge en la vía pública y nos tiende sobre los duros camastros dela prevención, ¿no disfrutamos allí, durante nuestra permanencia, las delicias de la Morgue, salvo la tumefacción, turgencia y coloración del vientre, y con la ventaja del conocimiento dela crisis? ¡Desengáñate! ¡Este suicidio paulatino, difiere absolutamente del fin de un tendero quebrado! Los negociantes han deshonrado al río, desde que se arrojan al agua para enternecer a sus acreedores. En tu lugar, procuraría morir con distinción. Si quieres crear un nuevo género de muerte, bregando así contra la vida, te secundo. Me aburro, estoy contrariado. La alsaciana cuya mano se me había prometido, tiene seis dedos en el pie izquierdo, y yo no puedo vivir con una mujer que tiene seis dedos: se sabría, y me pondría en ridículo. Además, tan sólo posee diez y ocho mil francos de renta, es decir, que su fortuna disminuye y sus dedos aumentan. ¡Al diablo! Llevando una vida desordenada, quizá tropecemos casualmente con la felicidad.

»Rastinac me arrastró. Su proyecto brindaba con tentadoras seducciones, reavivaba numerosas esperanzas, tenía, en fin, un acentuado matiz poético, para no agradar a un poeta.

»— ¿Y el dinero? —le pregunté.

»— ¿No cuentas con cuatrocientos cincuenta francos?

»—Sí; pero debo al sastre y a la patrona.

»— ¿Pero pagas al sastre? ¡Chico! ¡Nunca serás nada, ni siquiera ministro!

»— ¿Y qué podemos hacer con veinte luises?

»—Ir a jugar.

»Yo me estremecí.

»— ¡Calla! —repuso Rastignac, al observar mis remilgos—. ¿Intentas lanzarte a lo que yo califico de «sistema disipacional», y te asusta un tapete verde?

»—No es eso —le contesté—. Es que prometí a mi padre, al morir, que jamás pondría los pies en una casa de juego. Y no sólo quiero cumplir esta promesa, tan sagrada para mí, sino que siento un horror invencible al pasar por delante de un garito. Llévate mis cien escudos y ve solo. Mientras tú arriesgas nuestra fortuna, yo iré a poner en orden mis asuntos y volveré a esperarte a tu casa.

»Ahí tienes, amigo mío, las causas de mi perdición. Basta con que un joven dé con una mujer que no le ame, o que le ame con exceso, para quebrantar toda su existencia. La dicha devora nuestras energías, como la desgracia extingue nuestras virtudes. De regreso en mi alojamiento, contemplé largo rato la buhardilla en que había llevado la metódica y morigerada vida del hombre laborioso, una vida que quizá hubiera sido larga y honrosa, y que nunca debía abandonar por la vertiginosa y apasionada que me arrastraba a un abismo. Paulina me sorprendió en actitud melancólica.

»— ¿Qué tiene usted? —me preguntó.

»Yo me levanté pausadamente y conté la cantidad que adeudaba a su madre, agregando el importe de un semestre de alquiler.

»La muchacha me miró fijamente, con una especie de terror.

»—Dejo a ustedes, Paulina.

»—Me lo figuraba —contestó ella.

»—A pesar de ello, hija mía, no renuncio a volver por aquí. Resérvenme ustedes mi celda durante medio año. Si no he vuelto hacia el quince de noviembre, será usted mi heredera. Este manuscrito sellado —continué, mostrándole un legajo de papeles— es el original de mi obra magna sobre «La Voluntad», que depositará usted en la Real Biblioteca. Respecto a lo demás, dispondrá de ello como guste.

»Paulina me dirigió miradas que me acongojaban; estaba allí como una conciencia viviente.

»—Se acabaron mis lecciones —dijo, señalándome el piano.

»Yo no contesté.

»— ¿Me escribirá usted? —preguntó.

»— ¡Adiós, Paulina! —me limité a responder.

»Y atrayéndola suavemente hacia mí, acerqué a mis labios su frente virginal, pura como la nieve que no ha tocado tierra, y estampé en ella un ósculo fraternal, un beso de anciano. Ella escapó presurosamente. No quise ver a su madre. Coloqué mi llave en el sitio acostumbrado, y partí.

»Al desembocar de la calle de Cluny, percibí tras de mí el paso precipitado de una mujer. Era Paulina.

»—Había bordado este bolsillo para usted —me dijo—. Espero que lo aceptará.

»A la luz del farol inmediato, creí ver una lágrima en los ojos de la muchacha y suspiré. Luego, como impulsados ambos por el mismo pensamiento, nos separamos apresuradamente, como quien huye de la peste. La nueva vida de disipación a que iba a consagrarme, apareció ante mi vista singularmente reflejada en el aposento en que aguardé, con olímpica indiferencia, el regreso de Rastignac.

»En el centro de la chimenea se destacaba un reloj rematado por una Venus agazapada en su concha, que tenía entre sus brazos un cigarro a medio apurar. Diseminados por todas partes, se veían muebles elegantes, presentes del amor. Unas botas viejas reposaban sobre un voluptuoso diván. El cómodo sillón de muelles en que me arrellané, lucía cicatrices, como un soldado veterano, ofrecía a las miradas sus brazos desgarrados, y ostentaba, incrustada en el respaldo, la grasa de las pomadas, de los cosméticos y aceites que habían perfumado las cabezas de todos los amigos. La opulencia y la miseria se acoplaban con la mayor naturalidad en la cama, en las paredes, en todas partes. El visitante hubiérase creído en un palacio napolitano, invadido por la chusma. Era la casa de un jugador o de un calavera, cuyo boato es puramente personal que vive de sensaciones, sin preocuparse para nada de las incoherencias.

»Pero el cuadro no carecía de poesía. La vida se mostraba con sus oropeles y con sus harapos, brusca, incompleta, como lo es en realidad, pero animada, fantástica, como en un alto, en el que el merodeador se ha despachado a su gusto. Un tomo de Byron, al que faltaban varias hojas, se había utilizado para pegar fuego a los hierbajos amontonados en el hogar de aquel joven, que arriesgaba mil francos a un envite y no tenía leña para calentarse, que paseaba en carruaje, sin poseer una camisa presentable. Al día siguiente, una condesa, una actriz o los azares de una partida, le proporcionaban un ajuar regio. Sobre la mesilla, rodaba la bujía sin palmatoria; de las paredes pendían retratos femeninos desprovistos de marco, que debieron ser materia de pignoración.

»¿Cómo había de renunciar un muchacho, ávido de emociones, por temperamento, a los atractivos de una vida tan rica en contrastes y que le deparaba los placeres de la guerra en tiempo de paz? Ya estaba medio amodorrado cuando Rastignac abrió la puerta de un violento puntapié, exclamando:

»— ¡Victoria! ¡Ya podemos morir a gusto!

»Y me mostró su sombrero lleno de oro, que vació sobre la mesa. A su vista, comenzamos a danzar en torno del mueble, como caníbales a punto de devorar su presa, aullando, pataleando, brincando, asestándonos puñetazos capaces de matar a un rinoceronte y cantando ante la perspectiva de todos los placeres del mundo, contenidos para nosotros en aquel sombrero.

»— ¡Veintisiete mil francos! —dijo Rastignac, añadiendo algunos billetes de Banco al montón de oro—. A otros, les bastaría este dinero para vivir, ¿nos bastará a nosotros para morir? ¡Sí! ¡Expiraremos en un baño de oro! ¡Hurra!

»Y reanudamos nuestras cabriolas. Repartimos el caudal como herederos, moneda por moneda, de mayor a menor, y rebosando de júbilo cada vez que repetíamos:

»—Para ti.

»—Para mí.

»—Esta noche no se duerme —dispuso Rastignac—. ¡José! ¡Trae ponche!

»Y lanzó unas monedas a su fiel doméstico.

»—Ya tienes tu parte —me dijo después—. Entiérrate, si puedes.

»Al día siguiente, adquirí muebles, alquilé el piso en que me conociste, en la calle Taitbout, y encargué al mejor tapicero que lo decorara. Tuve caballos. Me lancé en un torbellino de placeres, frívolos y reales a la vez. Jugaba, ganando y perdiendo alternativamente sumas enormes, pero en los bailes, entre amigos, nunca en las casas de juego, contra las cuales conservaba mi santa y primitiva aversión. Insensiblemente, fui haciéndome amigos, debiendo su afecto a querellas, o a esa confiada facilidad con que nos revelamos nuestros secretos, envileciéndonos de consuno.

»¿Acaso hay algo que ligue más que el vicio? Aventuré algunas composiciones literarias, que me valieron plácemes. Los grandes hombres de la literatura mercantil, no viendo en mí un rival temible, me alabaron, menos indudablemente por mi mérito personal que por rebajar el de sus colegas. Me convertí en un «tronera», valiéndome de la expresión pintoresca consagrada por vuestro léxico de orgía. Cifraba mi amor propio en achicar a los más alegres camaradas con mi autoridad y mis inventivas. Me presentaba siempre atildado y boyante. Pasaba por ingenioso. Nada revelaba en mí la espantosa existencia que hace de un hombre un embudo, un aparato destilador, un caballo de lujo.

»Poco tardó en aparecérseme el libertinaje en toda la majestad de su horror, y la comprendí. Realmente, los hombres cuerdos y ordenados que rotulan botellas para sus herederos, apenas pueden concebir la teoría de tan holgada vida, ni su estado normal. ¿Cómo inculcar su poesía en el ánimo de rústicos provincianos, para quienes el opio y el té, tan pródigos en delicias, no son aún más que dos medicamentos? En París mismo, en esta capital del pensamiento, ¿no existen sibaritas incompletos? Incapaces de soportar el exceso de placer, ¿no se retiran fatigados de una orgía, a semejanza de lo que ocurre a esos pacíficos ciudadanos que después de haber oído una nueva ópera de Rossini abominan de la música? No renuncian a esa vida, imitando al hombre sobrio que se resiste a comer algún manjar delicado, porque se le indigestó la primera vez que lo probó. ¡No cabe duda! El libertinaje es un arte, como la poesía, que requiere almas esforzadas. Para incautarse de los misterios, para saborear las bellezas, el hombre debe, en cierto modo, profundizar en su estudio. Como en todas las ciencias, los comienzos son repulsivos, espinosos. Son inmensos los obstáculos que rodean a los placeres del hombre, no en los goces de detalle, sino en los sistemas que erigen en hábito sus más raras sensaciones, las resumen, las fertilizan, creándole una vida dramática en su vida, exigiendo una exorbitante, una pronta disipación de sus fuerzas.

»La guerra, la política, las artes, son corrupciones puestas tan lejos del alcance humano, tan profundas como el libertinaje, y todas son de difícil acceso.

»Pero tan luego como el hombre ha logrado asaltar esos grandes misterios, ¿no se desarrolla en un nuevo ambiente? Los generales, los ministros, los artistas, se inclinan todos, más o menos, a la disolución, por la necesidad de oponer violentas distracciones a su existencia, tan marcadamente fuera de la vida común.

»Bien mirado, la guerra es el libertinaje de la sangre, como la política es el de los intereses. Todos los excesos son hermanos. Esas monstruosidades sociales tienen el poder de los abismos; nos atraen, como Santa Elena llamaba a Napoleón; producen vértigos, fascinan, y queremos ver el fondo, sin saber por qué.

»Quizá exista en esos precipicios la idea de lo infinito; quizás encierren extraordinarios halagos para el hombre; en todo caso, ¿no le interesa por igual? Para contrastarlo con el paraíso de sus horas de labor, con las delicias de la concepción, el artista, fatigado, pide, ya como Dios el reposo del domingo, ya como el diablo las voluptuosidades del infierno, a fin de oponer el trabajo de sus sentidos al trabajo de sus facultades. A lord Byron no podía distraerle el gárrulo boston, encanto de cualquier modesto rentista; poeta, propuso a Mahmud jugarse Grecia.

»En la guerra, ¿no se convierte el hombre en ángel exterminador, en una especie de verdugo, pero gigantesco? ¿No precisan extraordinarios encantamientos para hacernos aceptar esos atroces dolores, enemigos de nuestra débil envoltura, que rodean las pasiones como un valladar espinoso? Si el fumador se revuelca convulsivamente, sufriendo una especie de agonía, después de abusar del tabaco, ¿no asiste, en cambio, a deliciosas fiestas en regiones desconocidas? ¿No se reanuda incesantemente la guerra en Europa, sin tomarse el tiempo necesario para enjugarse los pies, impregnados en sangre hasta el tobillo? ¿Será que el hombre en masa tiene su embriaguez, como la naturaleza tiene sus accesos de amor?

»Para el hombre en particular, para el Mirabeau que vegeta bajo un reinado apacible y sueña con tempestades, el libertinaje lo comprende todo; es una perpetua contienda, o, mejor dicho, un duelo con un poder desconocido, con un monstruo. Al principio, el monstruo causa pavor; hay que dominarle, a costa de penalidades inauditas. ¿La naturaleza nos ha dotado de un estómago reducido y perezoso? ¡Pues se le doma, se le ensancha, se le enseña a resistir el vino; se domestica a la embriaguez, se pasan las noches en claro, se forma, en fin, un temperamento a prueba de bomba, y nos creamos a nosotros mismos por segunda vez, como para competir con Dios!

»Cuando el hombre se ha metamorfoseado así, cuando el neófito, ya veterano, ha amoldado su cuerpo a los ataques y sus piernas a la resistencia, sin pertenecer aún al monstruo, pero sin saber quién domina, forcejean y ruedan, ambos, ya vencedores, ya vencidos en una esfera en la que todo es maravilloso donde se adormecen los dolores del alma, donde reviven solamente los fantasmas de ideas. Llega un momento en el que se impone la terrible lucha.

»A semejanza de los fabulosos personajes, que según la leyenda vendían su alma al diablo, para obtener la facultad de hacer daño, el disipador trueca su muerte por todos los goces de la vida, pero abundantes, fecundos. En lugar de discurrir mansa y pausada entre dos riberas monótonas, en el fondo de un escritorio o de una oficina, la existencia hierve y se precipita como un torrente.

»En resumen, el libertinaje viene a ser al cuerpo lo que son al alma los placeres místicos. La embriaguez nos sume en delirios, cuyas fantasmagorías son tan curiosas como pueden serlo las del éxtasis. Hay horas arrobadoras como ensueños de virgen, pláticas deliciosas como amigos, frases que pintan una vida entera, alegrías francas y expansivas, viajes sin cansancio, pomas desarrollados en pocas frases. La brutal satisfacción de la bestia, en cuyo fondo ha ido a buscar un alma la ciencia, va seguida de gratísimos sopores, que persiguen, suspirando, los hombres hastiados de su inteligencia.

»¿Acaso no sienten la imprescindible necesidad de un absoluto reposo, y no es el libertinaje una especie de impuesto que el genio paga al mal? Fíjate en todos los grandes hombres: si no son sensuales, la naturaleza los crea entecos. Un poder, celoso o burlón, les vicia el alma o el cuerpo, para neutralizar los esfuerzos de sus talentos. Durante la influencia del vino, los hombres y las cosas comparecen ante nosotros, vestidos con nuestras libreas. Reyes de la Creación, la transformamos a nuestro antojo.

»A través de ese delirio perpetuo, el juego vierte, a discreción, su plomo fundido en nuestras venas. Un día nos domina el monstruo, y entonces, como a mí me sucedió, el despertar es rabioso y la impotencia se instala a nuestra cabecera. Guerreros veteranos, nos consume una tisis; diplomáticos, un aneurisma suspende la muerte de un hilo en nuestro corazón; a mí, quizá será una pulmonía la que me diga: «¡Partamos!», como se lo dijo en otro tiempo a Rafael le Urbino, muerto por un exceso de amor. ¡He aquí cómo he vivido! Llegaba muy pronto o muy tarde a la vida del mundo, sin duda mi fuerza hubiera sido peligrosa en él, de no haberla amortiguado así; ¿no se curó el Universo de las violencias de Alejandro, gracias a la copa de Hércules, al final de una orgía? En suma, ciertos destinos truncados, necesitan el cielo o el infierno, la disipación o el asilo del monte de San Bernardo.

»Hace un momento, no me sentí con ánimos para moralizar a estas dos criaturas —dijo, señalando a Eufrasia y Aquilina—. ¿No eran, acaso, mi historia personificada, una imagen de mi vida? No podía acusarlas de nada, porque se me aparecían como jueces.

»En medio de ese poema viviente, en el curso de esa enfermedad aturdidora, tuve dos crisis bien fértiles en acerbos dolores. Primeramente, a los pocos días de haberme arrojado a mi pira, como Sardanápalo, encontré a Fedora bajo el peristilo de los Bufos. Ambos esperábamos nuestros carruajes.

»— ¡Calla! ¿Todavía vive usted?

»Tal fue la interpretación que di a su sonrisa, a las maliciosas y quedas palabras que pronunció al oído de su galán, relatándole sin duda mi historia y juzgando mi amor como un amor vulgar. Se jactaba de su falsa perspicacia.

»¡Oh! ¡Morir por ella, seguía adorándola, verla en mis excesos, en mis embriagueces, en el lecho de las cortesanas y sentirme blanco de sus mofas! ¡No poder desgarrar mi pecho y extraer de él mi amor, para lanzarlo a sus plantas! Por último, agoté fácilmente mi tesoro; pero tres años de régimen me habían constituido el más robusto de los organismos, y el día en que se me acabó el dinero, disfrutaba de una salud a toda prueba. Para continuar muriendo, firmé letras de cambio a corto plazo y llegó la época de su vencimiento.

»¡Bien puede afirmarse que las emocione fuertes no hacen mella en el corazón de un joven! Yo no estaba, ni remotamente, para envejecer: mi alma se conservaba fresca, vivaz, lozana. Mi primera deuda reanimó mis virtudes, que fueron desfilando pausadamente, en actitud desolada. Supe transigir con ellas, como con esas ancianas tías que comienzan por refunfuñar y acaban facilitándonos lágrimas y dinero. Más severa, mi imaginación me mostró mi nombre viajando de ciudad en ciudad, por todas las plazas de Europa. «Nuestro nombre somos nosotros mismos», ha dicho Eusebio Salverte. Después de miserrabundas caminatas, volvía a mi casa, de la que no había salido, para despertarme a mí mismo con sobresalto.

»Tiempo atrás, veía con indiferencia por las calles de París a esos cobradores de Bancos, a esos remordimientos comerciales, uniformados de gris y luciendo en gorras y solapas las iniciales de sus patronos a la sazón, les odiaba instintivamente. ¿No era posible que se me presentara la mañana menos pensada cualquiera de ellos, reclamando el abono de las once letras de cambio que había subscrito?

»¡Mi firma valía tres mil francos y no los valía mi propia personalidad! Los funcionarios judiciales, de rostro impasible ante las mayores desventuras, hasta en presencia de la muerte, surgían a mi vista, como verdugos que anuncian a un reo la hora fatal. Sus agentes tenían el derecho de detenerme, de anotar mi nombre, de mancillarle, de hacerle objeto de sus chacotas.

»¡Debía! ¿Y por acaso se pertenece quien debe? ¿No podían otros hombres pedirme cuenta de mi vida? ¿Por qué me obsequiaba con golosinas y refrescos? ¿Por qué paseaba, dormía, pensaba y me distraía sin pagarles? En medio de una poesía, en la improvisación de una idea, almorzando alegremente con mis amigos, podía ver entrar a un señor enfundado en un traje color marrón, con un sombrero raído en la mano. Y aquel individuo, quizá fuera mi letra de cambio, un espectro que aguara la fiesta, obligándome a levantarme de la mesa para hablarle, quien me arrebatara mi alegría, mi querida, todo, hasta mi lecho.

»El remordimiento es más tolerable: no nos conduce a la calle de Santa Pelagia, no nos zambulle en esa execrable sentina del vicio, impone la sanción de la falta, ennobleciendo.

»En el momento de la expiación, todo el mundo cree en nuestra inocencia, mientras que la sociedad no concede una virtud al libertino sin dinero. Además, esas deudas ambulantes, con las que tropezamos de pies a boca a la vuelta de una esquina; esas deudas, encarnadas en entes estrafalarios vestidos de paño verde, con gafas azules o paraguas multicolores, que tienen el horrible privilegio de decir: «El señor Valentín es un tramposo. Ya le pesqué ¡Veremos la cara que me pone!».

»Es preciso saludar a nuestros acreedores, y saludarles con afabilidad. «¿Cuándo me pagará usted?», preguntan. Y nos vemos en la necesidad de mentir, de acudir a otros, en súplica de dinero, de humillarnos a un necio sentado ante su caja, de aguantar su mirada fría, mirada de sanguijuela, más odiosa que un bofetón, de soportar su moral metalizada y su crasa ignorancia. Una deuda es un prodigio imaginativo que no comprenden.

»Hay arranques del alma, que arrastran, que subyugan a veces al prestatario; pero no hay nada grande que subyugue, nada generoso que guíe a los que viven por y para el dinero. Yo le tenía horror. La letra de cambio, en fin, puede metamorfosearse en un anciano cargado de familia, guarnecido de virtudes. Quizá debiese a un cuadro viviente de Greuze, a un paralítico rodeado de chicuelos, a la viuda de un soldado, que me tenderían sus manos suplicantes. Terribles acreedores, con los cuales es preciso llorar, y a los que, después de pagados, hay que socorrer todavía.

»La víspera del vencimiento, reposé con ese ficticio sosiego de los que duermen pendientes de su ejecución, de un duelo, y se dejan mecer por falaces esperanzas.

»Pero al despertarme, cuando recobré mi sangre fría, cuando sentí aprisionada mi alma en la cartera de un banquero, tirada sobre sus liquidaciones escritas en tinta roja, mis deudas brotaron de todas partes, cual plaga de langosta Veía las cifras estampadas en mi reloj de sobremesa, en butacas, en mis muebles preferidos. Presa de las arpías de Chatelet, aquellos dóciles esclavos materiales iban a ser botados por los corchetes y lanzados brutalmente a la pila pública.

»El despojo no respetaría ni mi persona, la campanilla de mi domicilio resonaba en mi corazón; sus sacudidas golpeaban en el sitio en que debe herirse a los reyes: en la cabeza. Aquello era un martirio, sin el cielo por recompensa. ¡Sí! Par un hombre generoso una deuda es el infierno con alguaciles con toda clase de curiales. Una deuda sin saldar es la bajeza, u principio de truhanería, y lo que es peor aún, la mentira: es la antesala del crimen y la senda del patíbulo.

»Mis letras fuero protestadas, pero las pagué a los tres días, del modo que te diré:

»Un especulador me propuso que le vendiera la isla que poseí en el Loira y en la que estaba la tumba de mi madre. Acepté. Al firmar la escritura en casa del notario del adquirente, sentí en el fondo de aquel obscuro estudio una frescura semejante a la de una cueva. Me estremecí, al reconocer la misma frialdad húmeda que noté al borde de la fosa en que yacía mi madre. Tomé la coincidencia como un funesto presagio. Me parecía oír la voz de mi madre y ver su sombra no sé qué poder hacía resonar vagamente mi propio nombré en mis oídos, en medio de un ruido de campanas. El importe de la isla me dejó un remanente de dos mil francos, después de liquidadas todas mis deudas.

»Realmente, hubiera podido volver a la tranquila existencia del estudio, regresar a mi buhardilla, con la experiencia adquirida en el mundo y gozando ya de cierta reputación. Pero Fedora no había soltado su presa. Nos encontrábamos con bastante frecuencia. Yo hacía que sus galanteadores zumbaran mi nombre en sus oídos, admirándose de mi talento, de mis éxitos, de mi boato, de mis caballos y de mis trenes.

»Ella permanecía fría e insensible a todo, hasta a la horrible frase: «¡Se está matando por usted!», dicha por Rastignac.

»Yo encargaba al mundo entero de mi venganza, pero no era feliz. Cuanto más ahondaba en el fango de la vida, más anhelaba las delicias de un amor correspondido, persiguiendo su fantasma a través de las contingencias de mis disipaciones, en el seno de las orgías. Por desgracia, resultaba engañado en mis hermosas ilusiones, castigado por mis beneficios con la ingratitud, recompensado por mis faltas con abundantes placeres. ¡Siniestra filosofía, pero exacta para el libertino!

»Por fin, Fedora me había contagiado la lepra de su vanidad. Al sondear mi alma, la encontré gangrenada, podrida. El demonio había clavado su espolón en mi frente. En adelante, me habría sido imposible prescindir de los continuos sobresaltos de una vida arriesgada a cada paso, de los execrables refinamientos de la riqueza. Aun sobrándome los millones, habría seguido jugando, habría mantenido la irregularidad de mis costumbres. Evitaba quedarme a solas con mi conciencia; necesitaba cortesanas, falsas amistades, plétora de manjares y de vinos, para aturdirme. Los lazos que unen al hombre con la familia, estaban rotos a perpetuidad para mí. Galeote del placer, debía cumplir mi destino de suicida.

»Durante los últimos días de mi fortuna, cometí excesos increíbles todas las noches; pero, cada mañana, la muerte me lanzaba de nuevo a la vida. Semejante a un rentista vitalicio, no me apuraba por nada; pero, al fin, me vi con una moneda de veinte francos por todo capital. Entonces me acordé de la suerte de Rastignac… ¡Pero, calla! —exclamó de pronto, pensando en su talismán, que sacó del bolsillo.

Fuera porque, fatigado de las luchas de aquella larga jornada, te faltaran ya energías para gobernar su inteligencia, entre las oleadas de vino y de ponche, fuera porque, exasperado por la imagen de su vida, le hubiera embriagado insensiblemente el torrente de sus palabras, Rafael se animó, se exaltó como un hombre completamente privado de razón.

— ¡Al diablo la muerte! —gritó blandiendo la piel—. ¡Ahora, quiero vivir! Soy rico, poseo todas las virtudes, no habrá nada que se me resista. ¿Quién no es bueno, cuando todo lo puede? ¡Oye! ¡Ambiciono doscientas mil libras de renta y las tendré! Saludadme, puercos que os revolcáis en estas alfombras como sobre el cieno! Me pertenecéis. ¡Valiente propiedad! Soy rico, puedo compraros a todos, hasta al diputado que ronca en aquel extremo. ¡Hola! ¡Canallas de alto copete! ¡Bendecidme! ¡Soy pontífice!

Las exclamaciones de Rafael, apagadas hasta entonces por el sordo rumor de los ronquidos, llegaron en aquel momento a oídos de los durmientes. Casi todos ellos se incorporaron gritando, y al ver al interruptor mal afirmado sobre sus piernas, maldijeron su estruendosa borrachera con un concierto de juramentos.

— ¡Callad! —ordenó Rafael—. ¡Perros! ¡A vuestras casetas! Amigo Emilio, poseo tesoros: fumarás cigarros habanos.

—Ya te oigo —contestó el poeta—. «¡Fedora o la muerte!». ¡Sigue tu camino! Esa melindrosa condesa te ha engañado. Al fin y al cabo, todas las mujeres son hijas de Eva. Tu historia no tiene nada de dramática.

— ¡Ahí! ¿Con que te habías dormido también? ¡Trapalón!

— ¡No! ¡Fedora o la muerte!. Ya estoy en ello.

— ¡Despiértate! —gritó Rafael, frotando a Emilio con la piel de zapa, como si quisiera producir fluido eléctrico.

— ¡Mil rayos! —exclamó Emilio, levantándose y agarrando a brazo partido con su amigo—. ¡Ten en cuenta que estás con mujerzuelas!

— ¡Soy millonario!

—No sé si serás millonario, pero, positivamente, eres un curda.

— ¡Ebrio de poder! Puedo matarte. ¡Silencio! ¡Soy Nerón! ¡Soy Nabucodonosor!

—Repara, Rafael, en que estamos en mala compañía: deberías guardar silencio, por dignidad.

—Mi vida ha sido un prolongado silencio. Ahora, voy a vengarme del mundo entero. No me entretendré en disipar vil escudos, sino que imitaré, resumiré mi época consumiendo vidas humanas, inteligencias, almas. He ahí un lujo nada mezquino semejante a la opulencia de la peste. Lucharé con la fiebre amarilla, azul, verde, con los ejércitos, con los cadalsos. Puedo poseer a Fedora. ¡Pero no! No quiero nada de Fedora; es mi enfermedad y muero de ella. ¡Quiero olvidar a Fedora!

—Si continúas gritando, te llevo al comedor.

— ¿Ves esta piel? Es el testamento de Salomón. Tengo en mis manos a ese reyezuelo galopín. Soy dueño de Arabia, todavía Petrea. El Universo me pertenece. Tú eres mío, si quiero. ¡Ah! ¡Cuidado con mis caprichos! Puedo comprar todo tu periódico y convertirte en mi amanuense; me escribirás versos y me rayarás el papel. Después de todo, es un oficio bien socorrido, porque no hay nada en qué pensar.

Al verle tan desatinado, Emilio se llevó a Rafael al comedor.

—Está bien —le dijo—, soy tu amanuense. Tú serás el redactor jefe de un periódico, ¡pero calla, sé decente, siquiera por consideración a mí! ¿Me aprecias?

— ¿Qué si te aprecio?… Fumarás soberbios habanos, a costa de esta piel.

— ¡Siempre la piel, chico, la piel soberana! Excelente tópico para la curación de los callos. ¿Tienes callos? ¡Te los quito!

—Jamás te he visto tan estúpido.

— ¿Estúpido yo? ¡Nada de eso! Esta piel mengua, cada vez que tengo un deseo… es una antífrasis. El brahmán, porque has de saber que anda un brahmán mezclado en el ajo, el brahmán, digo, era un pillastre redomado, porque los deseos deben alargar…

—Sí, convenido.

Te digo que…

—Tienes razón, estoy conforme contigo… El deseo alarga…

—Digo que la piel…

—Perfectamente de acuerdo.

—Veo que no me crees. Te conozco, mi amigo, mientes.

— ¿Cómo quieres que admita las divagaciones de tu embriaguez?

—Apostemos. Puedo demostrártelo; midamos la piel.

— ¡Está visto que no se dormirá! —exclamó Emilio para sí, al ver huronear a Rafael por el comedor.

Valentín, animado por una destreza de simio, gracias a esa singular lucidez cuyos fenómenos contrastan a veces en los beodos con las obtusas visiones de la embriaguez, dio con una escribanía y una servilleta, sin cesar de repetir:

— ¡Midamos la piel! ¡Midamos la piel!

— ¡Sea! —contestó Emilio—. ¡Midámosla!

Los dos amigos extendieron la servilleta, colocando sobre ella la piel de zapa. Emilio, cuya mano parecía más firme que la de Rafael, trazó a pluma los contornos del talismán, mientras su compañero le decía:

—He pedido doscientas mil libras de renta, ¿no es verdad? Pues bien, cuando las tenga, observarás la disminución de la piel.

—Bueno, pero ahora duerme. ¿Quieres que te acomode en ese sofá? ¡Vamos a verla! ¿Estás bien?

— ¡Sí, cachorro de la prensa! Tú me distraerás, me espantarás las moscas. El amigo en la desgracia tiene derecho a serlo en la prosperidad. Descuida, que fumarás... ci... garros... haba... ¡Vaya! ¡Empolla tu oro, millonario!

—Y tú ¡empolla tus artículos! ¡Buenas noches!... ¡Hombre!

Despídete de Nabucodonosor... ¡Amor! ¡Bebamos!... ¡Francia!... ¡Gloria y riquezas... muchas riquezas!...

Al poco rato, los dos amigos unieron sus ronquidos a las músicas que resonaba en los salones. ¡Concierto inútil! Las bujías se consumieron una a una, quebrando las arandelas de cristal. La noche envolvió en crespones aquella prolongada bacanal, en la que el relato de Rafael vio a ser una orgía de palabras, de frases sin ideas y de ideas a las que frecuentemente faltaba la expresión.

Al mediodía siguiente se levantó la hermosa Aquilina, bostezando, rendida y con las mejillas veteadas por el tinte del taburete de terciopelo pintado, en el que había tenido apoyada la cabeza. Eufrasia, despierta, por el movimiento de su compañera, se alzó rápidamente, lanzando un grito ronco; su lindo rostro, tan blanco, tan fresco la víspera, estaba lívido y macilento, como el de una meretriz que ingresa en el hospital. Insensiblemente, los comensales fueron desperezándose, prorrumpiendo en siniestros gemidos y sintiendo entumecidos brazos y piernas, doloridos los músculos, molidos los huesos. Un criado abrió las persianas y las vidrieras de los balcones. La concurrencia se puso en pie, llamada a la vida por los ardientes rayos del sol, que retozaban sobre las cabezas de los durmientes.

Como los movimientos del sueño habían desmoronado el artístico edificio de los peinados y ajado los trajes, las mujeres ofrecían un repugnante espectáculo, a los fulgores del día. Sus cabellos colgaban sin gracia, sus fisonomías habían variado de expresión, sus pupilas, antes tan relucientes, estaban empañadas por la lasitud. Los cutis biliosos, tan brillantes a la luz artificial, horrorizaban; los rostros linfáticos, tan blancos, tan finos en estado de reposo, se habían vuelto verdes; los labios, antes provocativos y rojos, ahora secos y descoloridos, llevaban impresos los vergonzosos estigmas de la embriaguez. Los hombres renegaban de sus amantes nocturnas, al verlas lívidas, marchitas, como flores pisoteadas en el arroyo, después del paso de una procesión.

Pero el aspecto de aquellos hombres desdeñosos era todavía peor. Estremecía, contemplar aquellas caras humanas, ojerosas, con las pupilas hundidas y fijas, abotagadas por el vino, embrutecidas por un sueño agitado, más fatigoso que reparador.

Aquellos rostros descompuestos, en los que aparecían al desnudo los apetitos físicos, sin la poesía con que los adorna el alma, tenían algo de feroz y de fríamente bestial. Aquel despertar del vicio, sin ropajes ni afeites; aquel esqueleto del mal desarrapado, ostensible, escueto, privado de dos sofismas del espíritu o de los atractivos del lujo, no pudo menos de asustar a aquellos intrépidos atletas, a pesar de hallarse avezados a la lucha con la licencia. Artistas y cortesanas guardaron silencio, examinando con mirada hosca el desorden de la estancia, en la que todo había sido devastado, asolado por el fuego de las pasiones.

De pronto resonó en la sala una carcajada satánica de Taillefer, que al oír el sordo estertor de sus invitados, intentó saludarles con una mueca. Su rostro sudoroso y sanguinolento cernió sobre la infernal escena la imagen del crimen sin remordimientos, de la «Posada roja».

El cuadro fue completo. Era la vida cenagosa en el seno del lujo, una horrible mezcolanza de las pompas y de las miserias humanas, el despertar de la crápula, cuando ha exprimido con su vigorosa mano todo el zumo de la vida, para no dejar en su derredor más que innobles desperdicios o mentiras en las que ya no cree. Hubiérase imaginado la muerte, sonriendo en medio de una familia apestada. Nada de perfumes ni de luces deslumbradoras; nada de alegría ni de deseos; únicamente el asco, la aversión, con sus olores nauseabundos y su punzante filosofía.

El sol, resplandeciente como la verdad, y el aire, puro como la virtud, contrastaban con aquella atmósfera caliginosa, cargada de miasmas, ¡los miasmas de una orgía!

A pesar de sus hábitos de vicio, varias de aquellas jóvenes pensaron en su despertar de otros tiempos, cuando, inocentes y castas, columbraban por sus ventanas campesinas, adornadas de madreselvas y de rosas, un risueño paisaje amenizado por los jubilosos trinos de la alondra, vaporosamente iluminado por los destellos de la aurora y engalanado con perlas de rocío. Otras rememoraban el almuerzo familiar, la mesa en cuyo torno reían cándidamente los hijos y el padre, en la que todo respiraba un encanto indefinible y los manjares eran tan sencillos como los corazones. Un artista pensaba en la paz de su taller, en su casta estatua, en la gentil modelo que le esperaba. Un letrado, al recordar el litigo de que dependía la suerte de una familia, pensaba en la importante transacción que reclamaba su presencia. El erudito echaba de menos su despacho, al que le llamaba una interesante obra. Casi todos se quejaban de sí mismos.

En aquel momento apareció Emilio, sonriente y fresco, como el mancebo más gallardo de una tienda en boga.

— ¡Valientes fachas tenéis! —exclamó—. ¡Cualquiera os hace trabajar hoy! Puesto que ya se ha perdido el día, propongo que almorcemos aquí.

Apenas formulada la proposición, Taillefer salió a comunicar las órdenes oportunas. Las mujeres se situaron lánguidamente ante los espejos, para reponer el desorden de sus tocados. Todos sacudieron la pereza. Los más viciosos exhortaron a los más comedidos. Las cortesanas se burlaron de los que aparentaban carecer de energías para continuar el rudo holgorio. En un momento, aquellos espectros se animaron, formaron corrillos, charlaron y bromearon. Unos cuantos camareros hábiles y diligentes, dispusieron rápidamente la mesa y sus accesorios y sirvieron un opíparo almuerzo. Los comensales invadieron atropelladamente el comedor, donde, si todo llevó el sello imborrable de los excesos de la víspera, hubo al menos vestigios de vida y de raciocinio, como en las postreras convulsiones de un moribundo.

A semejanza del Carnaval, en la noche del martes, la saturnal fue enterrada por máscaras fatigadas de sus danzas, ebrias de embriaguez, y empañadas en tildar al placer de impotencia, por no confesarse la propia. En el momento en que el intrépido concurso abordaba la mesa del capitalista, Cardot, que la noche anterior había desaparecido prudentemente, después de la comida, para terminar su orgía en el hecho conyugal, asomó su cara oficiosa, por la que vagaba una plácida sonrisa. Parecía haber adivinado alguna herencia que saborear, que repartir, que inventariar, que autorizar, una escritura de partición abundante en testimonios y fértil de honorarios, tan jugosa como el tierno solomillo en que acababa de hundir el anfitrión el filo de su cuchillo.

— ¡Señores! ¡Vamos a almorzar ante notario! —dijo Cursy.

—Llega usted a tiempo para marginar y rubricar todas estas piezas —agregó el banquero, señalando a los manjares.

—Aquí nadie piensa en hacer testamento, pero contratos de boda, ¡quién sabe! —repuso el erudito, que por primera vez, desde hacía un año, había matrimoniado superiormente.

— ¡Oh! ¡Oh!

— ¡Ah! ¡Ah!

— ¡Un momento, señores! —replicó el notario, ensordecido por un coro de epigramáticas cuchufletas—. Vengo aquí para un asunto serio. Traigo seis millones a uno de ustedes.

Un profundo silencio siguió a estas palabras.

—Caballero —continuó el notario, dirigiéndose a Rafael, que en aquel momento se ocupaba, sin cumplidos, en secarse los ojos con una punta de la servilleta—, ¿no se apellidaba O'Flaharty su señora madre?

—Sí —contestó Rafael, casi maquinalmente—. Bárbara María.

— ¿Tiene usted en su poder —preguntó Cardot— los documentos justificativos de su personalidad y el óbito dela señora de Valentín?

— ¡Ya lo creo!

— ¡Pues bien! Es usted el único y universal heredero del mayor O'Flaharty, fallecido en agosto de 1828 en Calcuta.

— ¡Es una fortuna «incalculable!» —exclamó el crítico.

—Como el mayor había dispuesto en su testamento de algunas sumas en favor de varios establecimientos públicos —continuó el notario—, el gobierno francés reclamó la liquidación a la Compañía de Indias. Así, pues, la herencia existe actualmente en dinero contante y sonante. Hacía quince días que buscaba infructuosamente a los derecho-habientes de la difunta señora Bárbara María O'Flaharty, cuando ayer, en la mesa…

En aquel momento, Rafael se levantó súbitamente, haciendo un movimiento brusco, como si acabara de recibir una herida. Hubo una especie de aclamación silenciosa. El primer sentimiento de los comensales fue dictado por una envidia sorda, y todas las miradas se volvieron hacia él, como otras tantas llamas. Luego, se inició un murmullo semejante al del público airado del patio de un teatro, rumor que fue acentuándose, y acabó por exteriorizarse en una frase de cada concurrente, para dar la bienvenida a la inmensa fortuna aportada por el notario.

Reintegrado a la razón por la brusca obediencia de la suerte, Rafael extendió apresuradamente sobre la mesa la servilleta en que había trazado, poco antes, las líneas determinantes del tamaño de la piel de zapa. Sin atender observaciones, superpuso el talismán, y se sintió violentamente acometido por un estremecimiento, al observar un pequeño espacio entre el contorno marcado sobre el lienzo y el de la piel.

— ¿Qué es eso? ¿Qué le pasa? —inquirió Taillefer—. Su fortuna está perfectamente asegurada.

— ¡Sosténle, Chatillán! —dijo Bixiou a Emilio—. Va a matarle la alegría.

Una densa palidez cubrió los músculos del desencajado rostro del heredero; sus facciones se contrajeron y sus pupilas quedaron fijas. ¡Veía la muerte! Aquel espléndido banquero rodeado de ajadas cortesanas, de semblantes ahítos, aquella agonía del placer, era una imagen viviente de su vida.

Rafael miró tres veces al talismán, que se movía holgadamente entre las implacables líneas impresas en la servilleta, queriendo dudar; pero un claro presentimiento aniquilaba su incredulidad. El mundo le pertenecía; lo podía todo y ya no quería nada. Como viajero en medio del desierto, tenía un poco de agua para calmar la sed y había de medir su vida por el número de sorbos. Se percataba de lo caro que había de costarle cada deseo. No pudiendo dudar de la piel de zapa, observó su respiración, se sintió ya enfermo y se preguntó:

— ¿Si estaré tísico? ¿Por qué no, cuando mi madre murió del pecho?

— ¡Cómo se va usted a divertir, Rafael! —dijo Aquilina—. ¿Qué me regalará?

— ¡Bebamos a la memoria de su tío, el mayor Martín O'Flaharty! —propuso un comensal—. ¡Era todo un hombre!

—Será par de Francia —profetizó un segundo.

— ¡Bah! ¿Qué significa un par de Francia, después de la Revolución de Julio? —objetó el crítico.

— ¿Tendrás palco en los Bufos? —le preguntó un amigo.

—Supongo que nos obsequiarás a todos —expuso Bixiou.

—Un hombre como él, sabe hacer las cosas en grande —contesté Emilio.

El ¡hurra! de aquella bulliciosa reunión resonó en los oídos de Valentín, sin que acertase a explicarse el sentido de una sola de las frases. Pensaba de una manera vaga en la existencia mecánica y sin aspiraciones de un campesino bretón cargado de hijos, labrando sus tierras, comiendo borona, bebiendo sidra a chorro en su «porrón», creyendo en la Virgen y en el rey, comulgando en Pascua florida, bailando el domingo en una verde pradera y no comprendiendo el sermón de su «rector».

El espectáculo que ofrecían en aquel momento a sus ojos aquellos dorados artesonados, aquellas cortesanas, aquel ágape y aquel lujo, le provocaban náuseas.

— ¿Quiere usted espárragos? —le gritó el banquero.

— ¡No quiero nada! —contestó Rafael en voz tonante.

— ¡Bravo! —replicó Taillefer—. Comprende usted la fortuna, que es una patente de impertinencia. Es usted de los nuestros. ¡Señores, bebamos al poder del oro! El señor Valentín, seis veces millonario actualmente, acaba de ascender al trono. Es rey, lo puede todo, está por encima de todo, como sucede a todos los ricos. En lo sucesivo «la igualdad ante la ley», consignada al frente de la Constitución, será un mito para él. No estará sometido a las leyes, sino que las leyes se le someterán. Para los millonarios, no existen tribunales ni sanciones.

—Sí —arguyó Rafael—, porque se las imponen ellos mismos.

— ¡Otra preocupación! —opuso el banquero.

— ¡Bebamos! —dijo Rafael, guardando el talismán.

— ¿Qué haces? —preguntó Emilio, impidiéndolo—. ¡Señores! —agregó, dirigiéndose a los congregados, sorprendidos de la actitud de Rafael—, sepan ustedes que nuestro amigo Valentín, ¿qué digo? ¡El excelentísimo señor marqués de Valentín!, posee un secreto para hacer fortuna. Sus deseos se realizan en el instante mismo en que los formula. A menos de pasar por un cualquiera, va a enriquecernos a todos.

— ¡Ay! ¡Rafaelito, yo quiero un aderezo de perlas! —instó Eufrasia.

—Si es agradecido —manifestó Aquilina—, me regalará un par de carruajes con sus correspondientes troncos, ¡y que corran mucho!

— ¡Pida usted para mí cien mil libras de renta!

—A mí me basta con unos vestidos de seda.

— ¡Pague usted mis deudas!

— ¡Envía un torozón a mi tío, que se conserva como una momia!

— ¡Rafael! ¡Con diez mil libras de renta, estamos salvados!

— ¡Vaya un modo de pedir! —exclamó el notario.

— ¡Bien podía curarme la gota! —imploró un dolorido.

— ¡O hacer bajar los títulos de la Deuda! —requirió el banquero.

Todas estas frases estallaron como el haz de cohetes que pone término a un castillo de fuegos de artificio. Los vehementes deseos, quizá tenían más de serio que de jocoso.

—Amigo mío —dijo Emilio—, yo me conformo con doscientas mil libras de renta. ¡No me niegues ese favor!

—Pero, Emilio ¿no sabes lo que cuesta? —replicó Rafael.

— ¡Bonita excusa! —exclamó el poeta—. ¿No merecen un sacrificio los amigos?

— ¡Casi me dan tentaciones de desearos la muerte a todos! —contestó Valentín, envolviendo a los comensales en una furibunda mirada.

—Los moribundos son crueles hasta la barbarie —declaró Emilio riendo —. ¡Ya eres rico! —añadió formalizándose—. ¡Pues bien! Antes de dos meses, estarás convertido en el más repugnante de los egoístas. Ya eres un estúpido, que no sabes llevar una broma. ¡No te falta más que creer en tu piel de zapa!

Rafael, temeroso de la irrisión de los concurrentes, guardó silencio, bebió sin tino y se embriagó, para olvidar momentáneamente su funesto poder.

III

LA AGONÍA

En uno de los primeros días del mes de diciembre, un anciano septuagenario, arrostrando la lluvia, iba por la calle de Varennes, levantando la cabeza a la puerta de cada casa, en busca del domicilio del marqués Rafael de Valentín, con la candidez de un niño y el aire absorto de los filósofos. En aquella cara, encuadrada por largos y desgreñados cabellos grises y reseca como un viejo pergamino que se retuerce en el fuego, se reflejaba la huella de un profundo pesar, en pugna con un carácter despótico. Si un pintor hubiera tropezado con el singular personaje, vestido de negro, flaco y huesoso, de seguro le habría transcrito a su álbum, al llegar al taller, poniendo al pie del retrato la siguiente inscripción: «Poeta clásico, en busca de un consonante». Después de cerciorarse del número que se le había indicado, aquella palingenesia viviente de Rollin llamó suavemente a la puerta de una soberbia mansión.

— ¿Está don Rafael? —preguntó el buen hombre a un suizo galoneado.

—El señor marqués no recibe a nadie —contestó el servidor, engullendo una enorme sopa de pan, extraída de un hondo tazón de café.

—Veo ahí su carruaje —observó el anciano desconocido, señalando a un magnífico tren estacionado bajo la marquesina, que figuraba un pabellón de lona listada y que guarecía los peldaños de la escalinata exterior—. Como sin duda se disponía a salir, esperaré.

— ¡Ay, buen anciano! ¡Sería muy fácil que hubiera usted de esperar hasta mañana! —replicó el suizo—. Constantemente, hay un carruaje enganchado para el señor. Pero ruego a usted que salga, porque perdería una renta vitalicia de seiscientos francos, si permitiera entrar una vez siquiera, sin previa orden, a cualquier persona extraña a la casa.

En aquel momento, salió del vestíbulo un hombre de elevada estatura y de avanzada edad, cuyo uniforme se asemejaba al de un ujier ministerial, y descendió precipitadamente algunos escalones, examinando al asombrado pretendiente.

—En último término, ahí tiene usted al señor Jonatás —agregó el portero —. Hable con él.

Los dos ancianos, atraídos por mutua simpatía o curiosidad, fueron a reunirse en el centro del espacioso patio de honor, en una especie de plazoleta, entre cuyas losas crecía la hierba. Un silencio pavoroso reinaba en toda la casa. Al ver a Jonatás, asaltaba el deseo de penetrar el misterio que se cernía sobre su semblante, y del que parecían saturados todos los ámbitos de la tétrica morada.

El primer cuidado de Rafael, al entrar en posesión de la cuantiosa herencia de su tío, fue averiguar el paradero del antiguo y fiel servidor, con cuyo afecto podía contar. Jonatás lloró de alegría al verse nuevamente cerca de su joven amo, de quien ya creyó hacerse despedido para la eternidad; pero nada igualó a la dicha de que el marqués le promoviera al elevado cargo de mayordomo. El anciano Jonatás vino a ser un poder intermedio colocado entre Rafael y el resto del mundo. Ordenador supremo de la fortuna de su amo, ejecutor ciego de un pensamiento desconocido, era como un sexto sentido, a través del cual llegaban a Rafael las emociones de la vida.

—Señor mío —dijo el anciano desconocido a Jonatás—, desearía hablar con don Rafael.

— ¡Hablar con el señor marqués! —exclamó el mayordomo—. ¡Apenas me dirige la palabra a mí, al marido de su nodriza!...

— ¡Ah! —interrumpió el anciano peticionario—, tenemos cierto punto de contacto. Si su esposa le crio, yo también hice que le amamantaran las Musas en su seno. ¡Es mi hechura, mi discípulo predilecto, «carus alumnus»! Yo he formado su cerebro, he cultivado su inteligencia, desarrollado su genio, ¡me atrevo a proclamarlo muy alto, en mi honor y en mi gloria! ¿No es, por ventura, uno de los hombres más notables de nuestra época? Pues bien; yo he dirigido su educación durante varios años; le expliqué dos cursos de latinidad y le enseñé la Retórica. Soy su maestro.

—Así, ¿es usted el señor Porriquet?

—Servidor de usted. Pero, ¿es que...?

— ¡Chist! —siseó Jonatás a dos marmitones, cuyas voces rompían el silencio claustral en que la casa estaba sepultada.

— ¿Es que está enfermo el señor marqués? —acabó de preguntar el profesor.

—Dios sólo sabe lo que tiene mi amo —contestó Jonatás—. Con seguridad, no existen en París dos casas como la nuestra... ésta es la única. El señor marqués adquirió este palacio, que perteneció antes a un duque y par, y gastó trescientos mil francos en amueblarlo. Como ve usted, es una suma de alguna consideración, pero aquí, cada detalle es un prodigio. ¡Vaya!, dije para mí, al observar tal magnificencia, lo mismo que en casa de su difunto abuelo: el joven marqués va a recibir en corte. ¡Sí, sí! ¡Todo lo contrario! El señor no quiere ver a nadie. Hace una vida rarísima, ¿me entiende usted, señor Porriquet? una vida; invariable. Se levanta diariamente a la misma hora, y únicamente yo, yo solo, puedo entrar en sus habitaciones. Abro a las siete, lo mismo en verano que en invierno; ya es cosa convenida. Al entrar, le digo: «Señor marqués, ya es hora de levantarse». Se levanta y se viste. Yo le preparo su bata, que es siempre de la misma forma y de igual tela. Yo me encargo de reemplazarla, cuando se va desluciendo, tan sólo para evitarle la molestia de pedir una nueva. ¡Ya ve usted qué capricho!

»Pero es natural, el muchacho tiene mil francos diarios a su disposición y hace lo que le parece. Además, es tanto el cariño que le profeso, que si me diera una bofetada en la mejilla derecha, pondría la izquierda. Aunque me mandara cosas imposibles, las haría, ¿me entiende usted? Por supuesto, son tantas las menudencias que tengo a mi cargo, que nunca me falta ocupación. Lee los periódicos, por ejemplo: pues he de colocarlos todos los días en la misma mesa y en el mismo sitio. Todos los días también, a la misma hora, he de afeitarle, ¡y no hay cuidado de que me tiemble el pulso! El cocinero perdería mil escudos de pensión, que le tiene legada el señor marqués en su testamento, si el almuerzo no estuviera servido invariablemente a las diez de la mañana y la comida a las cinco en punto de la tarde. La minuta está confeccionada para todo el año, día por día.

»El señor marqués no necesita formular la menor indicación: se le sirven las primicias de todos los frutos del mar y de la tierra. La lista está extendida, y desde la mañana, sabe de memoria lo que ha de comer por la tarde. Para sentarse a la mesa, se viste a la misma hora, con idénticas prendas exteriores e interiores, previamente depositadas por mí ¡fíjese usted! en el mismo sillón.

»Yo he de cuidarme de que tenga siempre la misma ropa; que se va estropeando una levita, supongamos; pues la substituyo por otra, sin decirle una palabra. Si el tiempo es bueno, entro y le digo: «Señor marqués, podría usted salir un rato»; y atiende o no atiende mi observación. Si se le ocurre dar un paseo, no necesita ordenar que enganchen, porque siempre tiene dispuesto un carruaje a la puerta. El cochero permanece invariablemente látigo en mano, como lo ha visto usted. Por la noche, después de comer, el señor va un día a la Opera, otros a los Italia… ¡no! todavía no ha ido a los italianos, porque hasta ayer no he podido proporcionarme un palco. Luego, se retira a las once en punto y se acuesta. Las restantes horas del día, las invierte leyendo; no hace más que leer. ¡Vea usted! Una manía como cualquiera otra. Tengo la orden de darle cuenta de las variaciones introducidas en los catálogos de las librerías para comprar las obras nuevas en el momento en que se ponen a la venta. Tengo la consigna de entrar de hora en hora en sus habitaciones, para alimentar la chimenea, para dar un vistazo a todo, para procurar que no le falte nada. Me ha entregado un librito de notas, para que me lo aprenda de memoria, en el que aparecen consignadas todas mis obligaciones; un verdadero catecismo. En verano, debo mantener una temperatura constantemente fresca y uniforme, por medio de hielo, y en todo tiempo, inundar la casa de flores y renovarlas. ¡Qué diantre! Es rico; tiene mil francos diarios y puede satisfacer sus caprichos.

»¡Bastante tiempo ha carecido de lo necesario, el pobre chico! No molesta a nadie, es bueno como el pan bendito y no se queja de nada; ¡eso sí! lo único que exige, es el más absoluto silencio en la casa y en el jardín. En fin, mi amo no tiene que formular el más mínimo deseo; todo marcha como sobre ruedas y todos andan más derechos que una vela. Y así ha de ser; si no se sujeta a los criados, no hay orden ni concierto. Yo le digo lo que debe hacer, y me atiende. No puede usted imaginarse el extremo a que ha llevado las cosas. Sus habitaciones están en… ¿cómo se dice?… ¡ah! en crujía. Pues bien; abre, por ejemplo, la puerta de su dormitorio o la de su despacho, y ¡crac! todas las puertas se abren automáticamente, por medio de un mecanismo. De este modo, puede recorrer la casa, de un extremo a otro, sin encontrar una sola puerta cerrada. Es un procedimiento de lo más cómodo y agradable, pero que ha costado un dineral. Por último, señor Porriquet, me tiene advertido: «Cuidarás de mí, Jonatás, como de un niño en mantillas». En mantillas sí, señor. ¡Así como suena! Pensarás por mí, y proveerás a todas mis necesidades. Por tanto puede decirse que soy el amo, y él, casi, casi el criado. ¿El motivo? ¡Ah! Eso no lo sabe nadie más que Dios y él. ¡Es inverosímil!

—Estará componiendo algún poema —dijo el anciano profesor.

—Tal vez. ¿Un poema, dice usted? Ya es cosa que debe sujetar mucho. Sin embargo, no lo creo. Me repite con mucha frecuencia que quiere vivir como una planta, vegetando. Sin ir más lejos, ayer, mientras se vestía, me dijo contemplando un tulipán: «¡Esa es mi vida! ¡Vegeto, mi buen Jonatás!». Hay muchos que pretenden que es monomaníaco. ¡Es inverosímil!

—Todo eso me prueba —repuso el profesor con gravedad verdaderamente magistral, que imprimió profundo respeto al antiguo servidor— que su señor se ocupa en algo grande. Está sumido en hondas meditaciones, y no quiere que le distraigan las preocupaciones de la vida vulgar. Cuando un hombre de genio está entregado de lleno a sus tareas intelectuales, se olvida de todo. En cierta ocasión, el célebre Newton…

— ¿Newton ha dicho usted? —interrumpió Jonatás—. No le conozco.

—Fue un gran geómetra —contestó Porriquet—. Pues, como iba diciendo, Newton se pasó veinticuatro horas seguidas apoyado de codos en una mesa, y cuando salió de su ensimismamiento, al día siguiente, creyó estar aún en la víspera como si hubiera dormido. ¡Ea! Voy a ver a mi querido discípulo, quizá pueda serle útil.

— ¡Un momento! —exclamó Jonatás—. Aunque fuera usted el propio rey de Francia, ¡el antiguo, se entiende! no entraría, a menos que forzara las puertas y pasara sobre mi cuerpo. Pero corro a decirle que está usted aquí y a preguntarle, según costumbre: «¿Le permitiré subir?». El me contestará, como lo hace siempre, accediendo o negándose a ello, con un monosílabo «sí» o «no». Porque le advierto que las frases: «¿Desea usted?», «¿quiere usted?» y demás análogas, están desterradas de la conversación, en esta casa. Una vez se me escapó una, y el señor me apostrofó, montando en cólera: «¿Es que pretendes causarme la muerte?».

Jonatás dejó al antiguo profesor en el vestíbulo, haciéndole señas de que no avanzara; pero volvió en breve con una respuesta favorable, y condujo al benemérito anciano a través de suntuosas habitaciones, cuyas puertas estaban abiertas de par en par. Porriquet vio desde lejos a su discípulo, junto a una chimenea.

Envuelto en una bata a grandes cuadros. La postración de su cuerpo denotaba la extrema melancolía que parecía invadirle, y que se reflejaba en su frente, en su rostro, pálido como una flor marchita.

Destacábase de su persona una especie de gracia afeminada y esas extravagancias propias de los enfermos ricos. Sus manos, semejantes a las de una mujer bonita, eran de una blancura suave y delicada. Sus ya escasos cabellos blondos, se ensortijaban alrededor de las sienes, con rebuscada coquetería. Un gorro griego, de cuyo centro pendía un borlón, demasiado pesado para la ligereza de la tela de aquél, caía inclinado a uno de los lados de la cabeza. A sus pies, se veía un cuchillo de malaquita con adornos de oro, del que se había servido para cortar las hojas de un libro. Sobre sus rodillas, descansaba la boquilla de ámbar de una magnífica «huka» india, cuyos frescos perfumes se olvidaba de aspirar.

Pero la debilidad general de su cuerpo contrastaba con la viveza de sus ojos azules, en los que parecía haberse concentrado toda la vida, y en los que brillaba un sentimiento extraordinario, que sorprendía a primera vista.

Aquella mirada era irresistible: unos podían leer en ella la desesperación; otros adivinar un combate interior, tan terrible como un remordimiento. Era la ojeada profunda del impotente, que relega sus deseos al fondo del corazón, o la del avaro, que, gozando mentalmente de todos los placeres que su dinero podría proporcionarle se abstiene de ellos para no mermar su tesoro. Era la mirada de Prometeo encadenado, de Napoleón caído, que al saber en el Elíseo, en 1815, la falta estratégica cometida por sus enemigos solicita el mando por veinticuatro horas, sin obtenerlo. Verdadera mirada de conquistador y de réprobo, y mejor aún, la mirada que meses antes lanzó Rafael al Sena, o a su última moneda arriesgada en el juego. Sometía su voluntad, su inteligencia, al tosco criterio de un viejo lugareño, apenas civilizado por cincuenta años de domesticidad.

Casi gozoso de hallarse convertido en una especie de autómata, abdicaba la vida por vivir y despojaba a su alma de todas las poesías del deseo.

Para luchar mejor con la cruel potestad cuyo reto había aceptado, se hizo casto a la manera de Orígenes, castrando su imaginación. Al día siguiente en que, enriquecido repentinamente por un testamento, vio menguar la piel de zapa, fue a casa de su notario. Allí, un médico bastante afamado, refirió seriamente a los postres de la comida, la forma en que se curó un suizo atacado al pulmón. Aquel hombre no pronunció una palabra durante diez años, y se sometió a no respirar más que seis veces por minuto el denso ambiente de una vaquería, guardando un régimen alimenticio sumamente ligero.

— ¡Yo seré ese hombre! —exclamó para sí Rafael que quería vivir a toda costa.

Y, rodeado de lujo, se convirtió en una máquina de vapor. Cuando el antiguo profesor contempló al cadavérico joven, experimentó un sobresalto, todo le pareció artificial en aquel cuerpo desmedrado y endeble. Al observar la ansiosa mirada del marqués, su frente agobiada por la preocupación, no pudo reconocer en él al discípulo de tez fresca y sonrosada, robusto y ágil, cuyo recuerdo conservaba. Si el bondadoso clásico, crítico sagaz y conservador del buen gusto, había leído a lord Byron, se imaginaría ver a Manfredo, creyendo encontrar a Childe Harold.

—Buenos días, señor Porriquet —dijo Rafael, estrechando los helados dedos del anciano entre su mano ardiente y sudorosa—. ¿Cómo está usted?

—Yo bien —contestó el anciano, asustado por el contacto de aquella mano febril—. ¿Y tú?

— ¡Oh! Confío en ir tirando.

— ¿Supongo que estarás escribiendo algo bueno?

—No —contestó Rafael—. «Exigí monumentum», señor Porriquet. He terminado una gran página y he dado un adiós eterno a la ciencia. Ni siquiera sé dónde para el original.

— ¡Su estilo será puro, les claro! Supongo que no habrás adoptado los barbarismos de esa nueva escuela, que pretende asombrar al mundo descubriendo a Ronsard.

—Mi obra es puramente fisiológica.

— ¡Pues no digas más! —repuso el profesor—. En las ciencias, la gramática debe amoldarse a las exigencias del progreso. Sin embargo, hijo mío, un estilo claro, armonioso, la lengua de Massillon, de Buffon, del gran Racine, siempre va bien… Pero me olvidaba del objeto de mi visita —añadió, interrumpiéndose—. Es una visita interesada.

Recordando, ya tarde, la verbosa elegancia y las elocuentes perífrasis que por un largo profesorado constituían hábito en su maestro, Rafael casi se arrepintió de haberle recibido; pero en el instante de asaltarle el deseo de que se marchara, comprimió prontamente su secreto anhelo, al lanzar una furtiva ojeada a la piel de zapa, suspendida ante él y adosada sobre una tela blanca, en la que aparecían cuidadosamente marcados los fatídicos contornos de aquella, con una línea roja que la encuadraba con matemática exactitud. Desde la fatal orgía, Rafael ahogaba el más ligero de sus caprichos, para no producir alteración alguna en el terrible talismán. La piel de zapa era como un tigre con el que había de vivir forzosamente, sin excitar su ferocidad.

Escuchó, pues, pacientemente, las ampulosas manifestaciones del viejo profesor. Porriquet invirtió una hora en el relato de las persecuciones de que había sido objeto desde la revolución de Julio. El pobre hombre, que deseaba un gobierno enérgico y vigoroso, emitió el patriótico voto de que los tenderos permanecieran detrás de sus mostradores, los estadistas al frente de los asuntos públicos, los abogados en el foro y los pares de Francia en el Luxemburgo; pero uno de los ministros populares del rey constitucional le expulsó de su cátedra, acusándole de carlismo. El anciano se encontraba sin destino, sin retiro y sin pan; y siendo la providencia de un sobrino pobre, a quien pagaba la pensión en el seminario de San Sulpicio, iba a rogar a su antiguo discípulo, menos por sí que por su hijo adoptivo, que gestionara cerca del nuevo ministro, no ya su reposición, sino el cargo de director de cualquier colegio de provincia.

Rafael se sentía dominado por una somnolencia invencible, cuando cesó de resonar en sus oídos la monótona voz del pobre señor. Obligado por cortesía a mirar a los ojos inexpresivos y casi inmóviles de aquel anciano, tardo y pesado en su expresión, había quedado atónito, magnetizado por una inexplicable fuerza de inercia.

—Pues bien, mi estimado señor Porriquet —contestó, sin darse cuenta exacta del contenido de la petición—, yo no puedo hacer nada en eso, absolutamente nada. Deseo vivamente que el éxito corone los suyos y…

Pero en el mismo instante, sin pararse a observar el efecto producido en la marfileña y rugosa frente del anciano por aquellas palabras triviales, impregnadas de apático egoísmo, Rafael se irguió como cervatillo espantado. Acababa de ver un pequeño espacio blanco entre el negro borde de la piel y el trozo rojo, y lanzó un grito tan terrible, que el pobre profesor quedó atónito.

— ¡Salga usted de aquí, so animal! —exclamó—. Será usted nombrado profesor. ¿No ha podido pedirme una pensión vitalicia de mil escudos, mejor que un deseo homicida? Su visita no me habría costado nada. Hay cien mil destinos en Francia, mientras que yo sólo tengo una vida, y la vida de un hombre vale más que todos los empleos del mundo… ¡Jonatás!

El mayordomo acudió.

— ¡Recréate en tu obra, grandísimo imbécil! —le dijo su amo—. ¿Por qué me has propuesto recibir al señor? —añadió, señalando al petrificado anciano —. ¿He puesto mi alma en tus manos para que la desgarres? ¡En este momento, me arrebatas diez años de existencia! ¡Otra falta como ésta, y habrás de conducirme a la mansión en que mora mi padre! ¿No habría preferido poseer a Fedora, a comprometer mi vida por complacer a esta especie de esqueleto ambulante? Me sobraba dinero para socorrerle. Además, ¿qué me importa que se mueran de hambre todos los Porriquet del mundo?

La cólera hizo palidecer a Rafael; sus trémulos labios destilaban una ligera espuma y la expresión de sus ojos era sanguinaria. Ante semejante aspecto, los dos ancianos se sintieron acometidos por un temblor convulso, como dos niños en presencia de una fiera. El joven se dejó caer sobre un sillón. A los pocos instantes, la reacción operada en su alma hizo brotar copiosas lágrimas de sus centelleantes ojos.

— ¿Dónde está mi vida? ¿Dónde mi juventud? —exclamó—. ¡Nada de ideas bienhechoras! ¡Nada de amor! ¡Todo ha desaparecido para siempre!

Y, volviéndose hacia el profesor, añadió, en tono afectuoso:

—Ya está hecho el daño, mi querido maestro. De buena gana le habría recompensado generosamente por sus cuidados; pero, al menos, mi desventura redundará en beneficio de una persona bondadosa y digna.

Había tanta ingenuidad en el acento que matizó estas palabras casi ininteligibles, que los dos ancianos prorrumpieron en llanto, como se llora al oír los conmovedores aires del terruño, cantados en idioma extranjero.

—Es un epiléptico —murmuró Porriquet.

—Reconozco sus bondades, mi estimado maestro —prosiguió afablemente Rafael—, y le ruego que me perdone. La enfermedad es un accidente; la inhumanidad sería un defecto… Déjeme usted ahora —añadió—. Mañana o pasado, esta misma tarde quizá, recibirá usted su credencial porque la «resistencia» ha triunfado del «movimiento». ¡Adiós!

El anciano se retiró, amedrentado y presa de vivas inquietudes por la salud moral de Valentín. Aquella escena tuvo para él algo de sobrenatural. Dudaba de sí mismo y se interrogaba, como si acabara de despertar de una penosa pesadilla.

— ¡Oye, Jonatás! —dijo el joven, dirigiéndose a su antiguo servidor—. Procura penetrarte bien de la misión que te he confiado.

—Está bien, señor marqués.

—Yo soy, por decirlo así, un hombre colocado fuera de la ley.

—Está bien, señor marqués.

—Todos los placeres mundanos revolotean en torno de mi lecho de muerte, danzando ante mí como mujeres hermosas; si los llamo, muero. ¡Siempre la muerte! Tú debes ser una barrera entre el mundo y yo.

—Está bien, señor marqués —repitió el anciano doméstico, enjugando las gotas de sudor que surcaban las arrugas de su frente—. Pero, si no quiere usted ver mujeres hermosas, ¿cómo se las arreglará esta noche en los Italianos? Una familia inglesa que ha regresado a Londres, me ha cedido el resto de su abono a uno de los mejores palcos. ¡Un palco soberbio, de verdadera preferencia!

Sumido en profunda meditación, Rafael ni siquiera escuchó a su mayordomo.

¿Adónde va ese fastuoso carruaje, esa berlina tan sencilla en apariencia, pero en cuyas portezuelas se destaca el escudo de noble y linajuda familia? Cuando la berlina pasa rápidamente, las grisetas la admiran, envidiando su adorno y comodidad interior. Dos lacayos uniformados se mantienen en pie a la trasera del aristocrático vehículo, y en el fondo, sobre la muelle tapicería, descansa una cabeza ardiente, cuyos ojos rodean amoratados círculos; la cabeza de Rafael, triste y pensativo. ¡Fatal imagen de la riqueza! Cruza París como una exhalación, llega al peristilo del teatro Favart, se desdobla el estribo, que sostienen los dos lacayos, contemplados por una envidiosa multitud.

— ¿Qué habrá hecho éste, para ser tan rico? —pregunta un pobre estudiante de leyes, que por falta de un escudo no podía oír los mágicos acordes de Rossini.

Rafael avanzó lentamente a través de los corredores, sin prometerse ningún goce de aquella diversión, tan apetecida en otro tiempo. Durante el primer entreacto de «Semiramis», paseó por la sala de descanso, vagó por las galerías, sin acordarse de su palco, en el cual no había entrado aún. Ya no existía en su corazón el sentimiento de la propiedad. Como todos los enfermos, únicamente pensaba en su dolencia.

Apoyado, en la repisa de la chimenea, en cuyo torno pululaban jóvenes y viejos distinguidos, ex ministros y consejeros recientes, pares despojados de su dignidad, como consecuencia de las innovaciones introducidas por la revolución de Julio, una verdadera baraúnda, en fin, de especuladores y de periodistas vio a pocos pasos una figura estrambótica y singular. Rafael se adelantó hacia el estrafalario personaje, entornando insolentemente los ojos, a fin de contemplarle más de cerca.

— ¡Qué tipo para un cuadro! —dijo para sí.

Las cejas, el pelo, la perilla a lo Mazarino, que ostentaba vanidosamente el desconocido, estaban teñidos de negro; pero la tintura aplicada sin duda a cabellos demasiado blancos, había producido un indeciso color avinado, cuyos matices cambiaban según la mayor o menor intensidad de los reflejos de las luces.

Su rostro reducido y achatado, cuyas arrugas disimulaban espesas capas de afeite, expresaba simultáneamente astucia y zozobra. El retoque faltaba en algunos puntos de la cara, haciendo resaltar más su decrepitud y su tez plomiza. Era imposible contener la risa al ver aquella cabeza de barbilla puntiaguda y frente prominente, bastante parecida a las de esos grotescos monigotes de madera tallados en Alemania por los pastores en sus ratos de ocio.

Examinando alternativamente al viejo Adonis y a Rafael, un observador habría creído descubrir en el marqués la mirada de un joven, tras el disfraz de un viejo, y en el desconocido, la mirada empañada de un anciano, tras el disfraz de un joven.

Valentín trató de recordar en qué ocasión había visto a aquel vejete seco, acicalado y arrogante como si derramara juventud. Su porte no acusaba nada de apocamiento ni de afectación. Su correcto frac, cuidadosamente abotonado, envolvía la vetusta y recia armazón, dándole el aspecto de un viejo presumido, que sigue aún los vaivenes de la moda.

Aquel muñeco animado tenía todos los caracteres de una aparición para Rafael, que le contempló como un antiguo Rembrandt ahumado, pero recientemente restaurado, barnizado y cambiado de marco.

La comparación le hizo dar con el rastro de la verdad, en sus confusos recuerdos, y reconocer en el viejo al anticuario, al causante de su desventura.

En aquel momento, se dibujó una sarcástica sonrisa en los marchitos labios del fantástico personaje, distendidos por una dentadura postiza. La risita evocó en la viva imaginación de Rafael las sorprendentes semejanzas de aquel hombre con la cabeza imaginaria que los pintores han asignado al Mefistófeles de Goethe. Mil supersticiones invadieron el alma bien templada de Rafael, que se inclinó a creer en el poder del demonio, en todos los sortilegios tomados de las leyendas de la Edad Media y puestas en obra por los poetas. Rechazando con horror la suerte de Fausto, invocó presurosamente al Cielo, teniendo, como los moribundos, una fe ferviente en Dios, en la Virgen María. Una radiante y diáfana claridad le permitió divisar el Cielo de Miguel Angel y de Sanzio de Urbino; nubes, un anciano de luenga barba blanca, cabezas aladas, una bellísima mujer, circundada por brillante aureola.

Entonces comprendió, adoptó esas admirables creaciones, cuyas fantasías, casi humanas, le explicaban su aventura y le infundían aún alguna esperanza.

Pero al recaer sus miradas sobre la sala de descanso de los Italianos, en lugar de la Virgen vio a una linda muchacha, la detestable Eufrasia, la bailarina de cuerpo flexible y ligero, que luciendo un traje llamativo, cubierta de perlas orientales, acudía impaciente a su impaciente viejo y acababa de presentarse audaz, desvergonzada, con las pupilas chispeantes, a aquel concurso envidioso y especulador, para testimoniar la ilimitada riqueza del mercader cuyos tesoros derrochaba. Rafael recordó el deseo zumbón que le hizo aceptar el fatal presente del viejo, y saboreó todos los placeres de la venganza, al contemplar la profunda humillación de aquella sabiduría sublime, cuya caída parecía entonces imposible.

La fúnebre sonrisa del centenario iba dirigida a Eufrasia, que correspondió a ella con una frase de amor. El la ofreció su descarnado brazo, y dio dos o tres vueltas al salón, recogiendo con delicia las apasionadas miradas y los requiebros lanzados por los concurrentes a su amante, sin observar las risas desdeñosas, sin oír las mordaces cuchufletas de que se le hacía objeto.

— ¿De qué cementerio habrá desenterrado ese cadáver, este monísimo vampiro? —preguntó al paso el más elegante de los románticos.

Eufrasia esbozó una sonrisa. El bromista era un joven de cabellos blondos, ojos azules y brillantes, esbelto y con largos mostachos, que llevaba un frac deteriorado y el sombrero echado sobre una ceja, y tenía trazas de resuelto y dicharachero.

— ¡Cuántos ancianos! —dijo Rafael para su coleto— coronan una vida de probidad, de trabajo y de virtud, con una calaverada. Este tiene un pie en la sepultura y se le ha ocurrido enamorarse.

Y añadió en alta voz, deteniendo al anticuario y lanzando una ojeada a su pareja:

—Por lo visto, señor mío, ha dado usted Ya al olvido las severas máximas de su filosofía.

— ¡Ah! —contestó el mercader con voz cascada—, ahora soy dichoso como un joven. Había errado el camino. Una hora de amor vale por toda una existencia.

En aquel momento sonó la campanada de aviso, y los espectadores abandonaron el salón, dirigiéndose a ocupar sus respectivas localidades. El anciano y Rafael se separaron.

Al entrar en su palco, el marqués vio a Fedora en la platea frontera. Recién llegada, sin duda, la condesa echó atrás su abrigo, dejando al descubierto el cuello y haciendo esos leves movimientos con que las coquetas preparan la postura que han de adoptar.

Todas las miradas convergieron hacia ella. La acompañaba un joven par de Francia a quien pidió los gemelos de que le había hecho depositario. De su gesto, de la manera de mirar al nuevo pretendiente, Rafael dedujo la tiranía a que su sucesor se hallaba sometido. Fascinado sin duda, como él lo estuvo en otro tiempo, burlado como él y luchando idénticamente, con toda la pujanza de un amor verdadero, contra los fríos cálculos de aquella mujer, el malaventurado joven debía sufrir los tormentos a que Valentín había renunciado, por fortuna para él. Un júbilo indescriptible animó la fisonomía de Fedora, cuando después de haber asestado sus gemelos a todos los palcos y examinado rápidamente los tocados, adquirió la convicción de eclipsar con su atavío y con su belleza a las más lindas y elegantes parisinas; se echó a reír, para enseñar su blanca dentadura; agitó su cabeza adornada de flores, para hacerse admirar, y su mirada fue pasando de palco en palco burlándose, ya de un gorrillo desmañadamente ajustado a la frente de una princesa rusa, ya de un sombrero defectuoso que afeaba a la hija de un banquero.

De pronto palideció, al tropezar con la mirada fija de Rafael. Su desdeñado amante la envolvió en una insoportable ojeada de desprecio. De todos sus adoradores desahuciados, Valentín era el único que desconocía su dominio, el único que se hallaba a cubierto de sus seducciones.

Un poder arrostrado impune mente, toca a su ruina. Esta máxima permanece más profundamente grabada en el corazón de una mujer que en la cabeza de los reyes. Así, pues, Fedora vio en Rafael la muerte de sus prestigios y de su coquetería. Una frase pronunciada por él la noche anterior en la Opera, se había hecho célebre en los salones de París. El filo del acerado epigrama, había inferido a la condesa una herida incurable. En Francia, se sabe cauterizar una llaga, pero no se conoce aún el remedio para el daño que produce una frase. En el momento en que todas las mujeres miraban alternativamente al marqués y a la condesa, Fedora hubiera querido sepultarle en las mazmorras de cualquier Bastilla, porque, a pesar de su talento para el disimulo, sus rivales se percataron de su sufrimiento. Al fin, perdía el consuelo que la restaba. Las deliciosas palabras: ¡soy la más hermosa!, la eterna frase que calmaba todos los afanes de su vanidad, resultaba ya una mentira.

Al comenzar el segundo acto, se instaló una mujer en el palco inmediato al de Rafael, vacío hasta entonces. Todo el patio prorrumpió en un murmullo de admiración. Aquel mar de caras humanas agitó sus conscientes ondas, y todos los ojos se fijaron en la recién llegada. Jóvenes y viejos promovieron tan prolongado rumor, que, mientras se levantaba el telón, los profesores de la orquesta se volvieron hacia el público, reclamando silencio; pero acabaron por asociarse a la unánime demostración aumentando el confuso alboroto. En todos los palcos se entablaron animadas conversaciones. Las mujeres requirieron sus gemelos, y los viejos, sintiéndose remozados, limpiaron con la cabritilla de sus guantes los cristales de sus lentes. El entusiasmo se fue atenuando gradualmente, la representación siguió su curso y todo volvió a la normalidad. La selecta concurrencia, como avergonzada de haber cedido a su espontáneo impulso, recobró la frialdad aristocrática de su correcta distinción. Los ricos alardean de no asombrarse de nada, y han de apreciar a primera vista, en la más acabada obra, un defecto que les dispense del sentimiento vulgar de la admiración. Sin embargo, varios hombres permanecieron inmóviles, sin oír la música y como embobados, contemplando a la vecina de Rafael.

Valentín vio en un sillón circular, próximo al de Aquilina la innoble y congestionada faz de Taillefer, que le hizo una mueca de aprobación. Luego reparó en Emilio, que en pie, detrás de la orquesta, parecía indicarle que se fijara en la celestial criatura que tenía a su lado. Por último, Rastignac, sentado junto a una joven, seguramente viuda, retorcía los guantes entre sus manos, como desesperado de su encadenamiento, que le impedía aproximarse a la incógnita divinidad.

La vida de Rafael dependía de un pacto consigo mismo, no quebrantado hasta entonces; habíase prometido no mirar jamás atentamente a ninguna mujer, y para precaverse contra las tentaciones, llevaba unos gemelos, cuyas microscópicas lentes, artísticamente combinadas, destruían el conjunto armónico de las más hermosas facciones, dándoles un aspecto repulsivo. Dominado aún por el terror que le acometió por la mañana, cuando al formular un voto dictado por la más elemental cortesía, menguó instantáneamente el talismán, Rafael adoptó la firme resolución de no volverse a mirar a su vecina.

Sentado de espalda en el ángulo de su palco, ocultaba impertinentemente la mitad de la escena a la desconocida, afectando menospreciarla y hasta ignorar que había detrás una mujer bonita. Su vecina imitaba con exactitud la postura de Valentín: con el codo apoyado en el antepecho, y asomando apenas la cabeza, miraba fijamente al escenario, inmóvil como modelo de pintor.

Ambos jóvenes parecían dos novios reñidos, que están de monos y se vuelven la espalda, dispuestos a hacer las paces a la primera palabra de amor. En algunos momentos, las ligeras plumas o los cabellos de la desconocida rozaban la cabeza de Rafael, causándole una sensación voluptuosa contra la que luchaba animosamente; poco después, sintió el suave contacto de los encañonados encajes que guarnecían el borde del vestido, y hasta el crujir de los pliegues de la propia tela, estremecimiento lleno de inefables encantos; por último, el imperceptible movimiento impreso por la respiración al seno, a la espalda, a las ropas de la gentil muchacha, comunicó a Rafael los efluvios de aquella reposada existencia, como una descarga eléctrica. El tul y las blondas transmitieron fielmente a sus estimulados nervios el delicioso calor del nítido y torneado busto.

Por un capricho de la naturaleza, aquellos dos seres, desunidos por el buen tono, separados por los abismos de la muerte, respiraron juntos y quizá pensaron uno en otro. Los penetrantes perfumes del áloe acabaron de embriagar a Rafael. Su imaginación, excitada por un obstáculo, y a la que las trabas hacían aún más fantásticas, le bosquejó con rapidez una mujer de facciones de fuego. Se volvió bruscamente. La desconocida, enojada y molesta sin duda por aquel contacto con una persona extraña, hizo un movimiento semejante, y ambos rostros quedaron frente a frente, animados por idéntico pensamiento.

— ¡Paulina!

— ¡Don Rafael!

Los dos jóvenes se miraron un instante en silencio, como petrificados. Rafael contempló a Paulina, en un tocado sencillo y de buen gusto. A través de la gasa que cubría castamente su busto, una mirada experta podía vislumbrar una blancura de lirio y adivinar formas que hasta una mujer habría admirado. Mantenía su modestia virginal, su celestial candor, su graciosa actitud. La manga del vestido acusaba el temblor que hacía palpitar el cuerpo, como palpitaba el corazón.

—Vaya usted mañana —dijo a Rafael— a la posada de San Quintín, para recoger sus papeles. Al mediodía estaré yo allí. Sea puntual.

Y, levantándose precipitadamente, desapareció. Rafael estuvo a punto de seguir a la muchacha; pero se quedó, temiendo comprometerla. Luego miró a Fedora, encontrándola fea, y no pudiendo comprender una sola frase de la música, ahogándose en la sala, oprimido el corazón, abandonó el teatro y regresó a su casa.

—Jonatás —dijo a su antiguo criado, al tiempo de acostarse—, dame media gota de láudano en un terrón de azúcar, y no me despiertes mañana hasta las doce menos veinte.

Al saltar del lecho, al día siguiente, fijó su mirada en el talismán, con indefinible angustia.

— ¡Quiero que me ame Paulina! —demandó.

La piel no hizo ningún movimiento, como si hubiera perdido su fuerza contráctil: sin duda, no podía satisfacer un deseo ya realizado.

— ¡Ah! —exclamó Rafael, como si se hubiera descargado de una plancha de plomo, que pesara sobre sus hombros desde que poseyó el talismán—. ¡Mientes, no me obedeces! ¡Queda roto el pacto! Estoy libre y viviré. Esto ha sido una broma de mal género.

Pero al expresarse así, no se atrevía a creer en su propio pensamiento. Se vistió con la modestia de pasados tiempos, y quiso ir a pie a su antiguo domicilio, tratando de transportarse mentalmente a los dichosos días en que se entregaba sin riesgo a la furia de sus deseos, sin haber apreciado todavía todos lo; goces humanos.

Caminaba imaginándose, no ya a la Paulina de la posada de San Quintín, sino a la Paulina de la víspera, la perfecta mujer de su casa, tantas veces soñada, a la doncella espiritual, amante, artista, que comprende a los poetas por comprender la poesía y vive en el seno del lujo; en una palabra, a Fedora dotada de un alma sensible, o a Paulina condesa y dos veces millonaria, como lo era Fedora.

Al pisar el vetusto umbral, el carcomido batiente de aquella puerta, en la que tantas veces le habían asaltado ideas desesperadas, salió una viejecita de la salita, preguntándole:

— ¿Es usted, por ventura, don Rafael de Valentín?

—El mismo, buena mujer —contestó el interpelado.

—Puesto que ya sabe usted su antiguo cuarto —dijo la anciana—, puede subir solo. Allí le esperan.

— ¿Continúa el establecimiento a cargo de la señora de Gaudin? —interrogó Rafael.

— ¡Ca! no, señor. Actualmente, la señora de Gaudin es baronesa. Habita una preciosa casa propia, en la otra orilla del río. Volvió su marido y trajo el dinero a espuertas; tanto, que, según dicen, podría comprar todo el barrio de Santiago, si quisiera. Me ha cedido gratis el negocio y lo que tenía pagado por arrendamiento. ¡Dios la bendiga! es una buena señora, que sigue siendo tan sencilla y tan llana como antes.

Rafael subió presurosamente a su buhardilla, y al llegar a los últimos peldaños, oyó los acordes del piano. Entró, viendo a Paulina, modestamente vestida con un traje de percal; pero la hechura del mismo, los guantes, el sombrero, la manteleta, negligentemente tirados sobre la cama, denotaban lo desahogado de su posición.

— ¡Ah! ¿ya está usted aquí? —exclamó Paulina, volviendo la cabeza y levantándose, en un impulso de jubilosa ingenuidad. Rafael se fue hacia ella, ruboroso, avergonzado, feliz, contemplándola sin articular palabra.

— ¿Por qué nos abandonó usted? —siguió preguntando la muchacha, bajando los ojos y tiñéndose de carmín—. ¿Qué ha sido de usted?

— ¡Ay, Paulina! ¡He sido y continúo siendo muy desgraciado!

— ¡Ya, ya! —dijo ella, enternecida—. Me lo figuré ayer, al verle tan elegante, rico en apariencia, pero… ¡dígame usted, don Rafael! ¿no han variado las circunstancias?

Valentín no pudo contener algunas lágrimas, que resbalaron por sus mejillas, y exclamó:

— ¡Paulina!… estoy…

No pudo terminar la frase. La pasión brilló en sus ojos, y su corazón se desbordó en una mirada.

— ¡Oh! ¡me ama! ¡me ama! —exclamó a su vez Paulina.

Rafael asintió con un signo de cabeza, por sentirse imposibilitado de pronunciar una palabra. Al observar aquel ademán, la muchacha le tomó la mano, la oprimió entre las suyas y le dijo, mezclando la risa con los sollozos:

— ¡Al fin, ricos y dichosos!… ¡Sí! tu Paulina es rica, por más que en este instante debería volver a su antigua pobreza. ¡Cuántas veces he prometido renunciar a todos los tesoros de la tierra, con tal de poder pronunciar esa frase! ¡Me ama!… ¡Ah, Rafael mío! Soy millonaria. Te gusta el lujo y estarás capacitado para satisfacer todos tus antojos; pero también debes reservar algún afecto para mi corazón, que tanto amor encierra para ti… ¿No sabes que volvió mi padre y que soy la única heredera de una inmensa fortuna? Tanto él, como mi madre, respetan en absoluto las decisiones de mi voluntad. ¿Comprendes lo que quiero decirte?

Presa de una especie de delirio, Rafael conservaba sus manos enlazadas a las de Paulina, y las besaba con tal ardor, tan ávidamente, que parecía víctima de una convulsión. Paulina se desprendió, colocó sus manos sobre los hombros del joven y le contempló con fijeza. Ambos se comprendieron y se unieron —; en estrecho abrazo, con ese santo y delicioso fervor, exento de toda malicia, en el que se imprime un solo beso, el primer beso, en el que quedan fundidas dos almas, posesionándose mutuamente.

— ¡Ah! —exclamó Paulina, dejándose caer sobre la silla—. ¡No quiero que volvamos a separarnos!… ¿Cómo juzgarás este atrevimiento mío? —preguntó ruborizándose.

— ¡Atrevimiento, Paulina de mi alma! ¡No temas nada; eso es amor, amor verdadero, profundo, eterno como el mío! ¿verdad que sí?

— ¡Oh! ¡habla! ¡habla! —contestó ella—. ¡Han permanecido cerrados para mí tus labios durante tanto tiempo!

— ¿Luego me amabas?

— ¿Y me lo preguntas? ¡Cuántas veces he llorado aquí mismo, al arreglar tu cuarto, deplorando tu miseria y la mía! ¡Hubiera vendido mi alma al diablo, por evitarte un disgusto! Ahora, bien mío, ¡porque eres mío, me pertenecen ese cerebro tan inteligente y ese corazón tan noble!... ¡Sí! sobre todo tu corazón, que es riqueza que no se agota... ¿Qué iba diciéndote? —prosiguió después de una pausa—. ¡Ah! ¡ya recuerdo! ¡Poseemos tres, cuatro, cinco millones, no sé cuántos! Si fuera pobre, tendría empeño en llevar tu apellido, en llamarme tu esposa; pero en este momento, quisiera sacrificarte el mundo entero, quisiera ser tu sierva eternamente. ¡Mira, Rafael! ofreciéndote hoy cariño, mi fortuna, mi persona, no podría darte más que el día en que deposité allí —dijo señalando al cajón de la mesa— cierta moneda de cinco francos... ¡Ay! ¡Cuánto daño me causó entonces tu alegría!

— ¿Por qué eres rica? —repuso Rafael—, ¿por qué no tienes vanidad? Siendo como eres, nada vale lo que yo pueda ofrecerte.

Y se retorció las manos de júbilo, de desesperación, de amor.

—Cuando te conviertas en la señora marquesa de Valentín —agregó—, ¡te conozco, alma celestial!, ese título y mi fortuna no valdrán...

—Ni uno solo de tus cabellos —interrumpió Paulina.

—Yo también soy millonario —siguió diciendo Rafael—; pero, ¿qué significan ahora las riquezas para nosotros? Únicamente puedo hacer ofrenda de mi vida; ¡tómala!

—Me basta con tu amor, Rafael; tu amor, que vale más que todo el mundo. ¿Piensas en mí? Pues ya soy la más dichosa entre las dichosas.

— ¿Nos oirán? —observó Rafael.

—No hay nadie —contestó la muchacha, haciendo un picaresco mohín.

—Entonces, ¡ven a mis brazos! —exclamó Rafael, tendiéndoselos.

Paulina cayó en ellos, ciñendo con los suyos el cuello de Rafael.

—Abrázame —le dijo— en pago de los sinsabores que me has proporcionado para borrar la pena que tantas veces me han causado tus alegrías en compensación de las noches que he pasado en vela, pintando para que nada te faltara.

— ¿Qué dices?

—Puesto que somos ricos, puedo confesártelo todo. ¡Inocente! ¡Cuán fácil es engañar a los hombres de talento! ¿Acaso podías tener chalecos blancos y camisa limpia, dos veces por semana, por tres francos mensuales? Bebías doble leche de la que pagabas. Yo proveía a todas tus necesidades, incluso las económicas… ¿Me habías tomado por tonta? —preguntó en tono de broma—. ¡Pues ya ves que me pasaba de astuta!

—Pero, ¿cómo te arreglabas?

—Trabajaba hasta las dos de la madrugada —contestó la muchacha—, y del producto de mi trabajo, entregaba la mitad a mi madre, reservando la otra mitad para ti.

Ambos se miraron durante unos instantes, embelesados de júbilo y de amor.

— ¡Ah! —exclamó Rafael—, ¡quién sabe si algún día pagaremos estos momentos de ventura con algún espantoso pesar!

— ¿Es que estás comprometido? —replicó Paulina—. ¡Ah! ¡no quiero cederte a ninguna mujer!

—Soy libre, amor mío.

— ¿Libre? —repitió ella—. ¡Pues me perteneces!

Y se abalanzó de nuevo al cuello de Rafael, contemplándole con devota unción.

—Temo volverme loca —prosiguió, acariciando la blonda cabellera de su amante—. ¡Qué apuesto eres, y qué necia me resultó la tal condesa Fedora! ¡Qué satisfacción experimenté ayer, al verme aclamada por todos aquellos hombres! ¡De seguro no ha obtenido ella nunca un triunfo semejante!… ¡Oye! al sentir anoche el contacto de tu brazo, percibí una voz interior que me gritaba: ¡Es él! Volví la cabeza y te vi. ¡Créeme! Me retiré apresuradamente, porque me acometió el deseo de abrazarte delante de todo el mundo.

— ¡Qué feliz eres, pudiendo desahogar tu alma! —exclamó Rafael—. Yo tengo el corazón angustiado. Quisiera llorar y no puedo… ¡No retires tu mano! Creo que pasaría toda mi vida mirándote así, dichoso, contento…

— ¡Sigue, sigue! ¡repíteme esas palabras!

— ¿Qué significan las palabras? —replicó Valentín, dejando deslizar una cálida lágrima sobre la mano de su amada—. Más tarde, trataré de expresarte mi amor; en este momento, sólo puedo sentirlo…

— ¡Sí! —afirmó Paulina—, estoy persuadida de que tu alma, tu voluntad, ese corazón, que tan bien conozco, me pertenecen por entero, como yo te pertenezco.

— ¡Para siempre, mi bien amado! —contestó Rafael, con acento conmovido—. Serás mi esposa, mi ángel bueno. Tu presencia ha disipado constantemente mis pesares y refrigerado mi alma; en este instante, tu angelical sonrisa me ha purificado, por decirlo así. Creo comenzar una nueva existencia. El cruel pasado y mis tristes locuras, me parecen terribles pesadillas alejadas para no volver. A tu lado, me siento redimido y aspiro el ambiente de la felicidad... ¡Oh! ¡No te apartes de mí! —añadió, estrechándola santamente contra su corazón palpitante.

— ¡Venga la muerte cuando quiera! —exclamó Paulina extasiada—. ¡Ya he vivido!

¡Dichoso aquel que comprenda tales alegrías, porque las habrá conocido!

— ¡Oye, Rafael! —dijo Paulina, después de un prolongado silencio—, quisiera que, en adelante, no entrara nadie en esta querida buhardilla.

—Tienes razón —contestó Rafael—. Tapiaremos la puerta, pondremos una reja en la ventana y compraremos la casa.

— ¡Eso es! —asintió ella.

Y agregó, después de una breve pausa:

—Pero nos hemos olvidado de buscar tus originales. Ambos se echaron a reír candorosamente.

— ¡Bah! —exclamó Rafael—, me tienen sin cuidado todas las investigaciones científicas.

— ¡Ah, caballerito! ¿Y la gloria?

—Para mí no hay más gloria que tú.

—La verdad es que tu situación era poco envidiable, cuando hacías estos garabatos —dijo la muchacha, hojeando los papeles.

— ¡Paulina mía!...

— ¡Sí, tuya! bien puedes afirmarlo. ¿Qué quieres?

— ¿Dónde vives ahora?

—En la calle de San Lázaro. ¿Y tú?

—En la de Varennes.

— ¡Qué alejados estaremos hasta que...!

La muchacha cortó la frase, mirando a su amigo con aire coquetón y malicioso.

—Después de todo, es cuestión de quince días, a lo sumo —contestó

Rafael.

— ¿De veras? ¿Estaremos casados dentro de quince días? —preguntó Paulina, brincando como una chiquilla—. Pero bien mirado —repuso—, soy una hija desnaturalizada: ni siquiera pienso en mi padre, en mi madre, ni en nada del mundo. Aun no te he dicho que mi padre está enfermo de alguna gravedad. Volvió de las Indias muy achacoso, y estuvo a punto de morir en el Havre, a cuyo puerto fuimos a recibirlo… ¡Dios mío! —exclamó, después de consultar su reloj—, son ya las tres, y he de despertarle a las cuatro. Soy el ama de la casa. Mi madre accede a todos mis caprichos y mi padre me adora; pero yo no quiero abusar de sus bondades; ¡sería una falta censurable! Mi pobre padre fue quien se obstinó anoche en que fuese a los Italianos… Irás a verle mañana, ¿verdad?

— ¿Quiere dignarse aceptar mi brazo la señora marquesa de Valentín? —preguntó Rafael.

— ¡Ah! —repuso Paulina—, voy a llevarme la llave de este cuarto. ¿No es un palacio? ¿No es nuestro tesoro?

— ¿Otro beso, Paulina?

—Y mil —contestó ella—. ¡Dios mío! —añadió mirando a Rafael—. ¿Será siempre así? Me parece un sueño.

Los dos enamorados descendieron lentamente la escalera.

Luego, muy juntitos, caminando a compás, sintiéndose invadidos por la misma dicha, arrullándose como dos palomas, llegaron a la plaza de la Sorbona donde aguardaba el coche de j Paulina.

—Quiero ir a tu casa —manifestó la muchacha—. Quiero ver tu dormitorio, tu despacho, sentarme ante tu mesa de trabajo. Después de todo, la visita no constituirá una novedad para mí —añadió ruborizándose—. ¡José! —ordenó al lacayo—, vamos a la calle de Varennes, antes de regresar a casa. Aun dispongo de tres cuartos de hora, puesto que he quedado en volver a las cuatro. Jorge avivará el paso de los caballos.

Y los dos amantes fueron conducidos, en pocos minutos, al suntuoso domicilio de Valentín.

— ¡Qué contenta estoy de haberlo examinado todo! —exclamó Paulina, estrujando la seda de las cortinas que adornaban el lecho del marqués—. Cuando me duerma, estaré aquí en espíritu y me imaginaré tu querida cabeza reposando sobre esa almohada… ¡Dime Rafael! ¿No te has aconsejado de nadie para amueblar tu palacio?

—De nadie.

— ¿De veras? ¿No habrá intervenido alguna mujer en…?

— ¡Paulina!

— ¡Oh! es que los celos me mortifican horriblemente. Tienes buen gusto. Mañana encargaré una cama semejante a la tuya. Rafael, ebrio de felicidad, atrajo hacia sí a Paulina.

— ¡Adiós! espera mi padre —dijo ella.

—Te acompañaré, porque quiero estar a tu lado todo el tiempo posible.

— ¡Qué bueno eres! No me atrevía a proponértelo…

— ¿Acaso no eres mi vida?

Sería enojoso consignar fielmente esas pláticas amorosas, a las que sólo dan valor el acento, la mirada y algún gesto intraducible. Valentín acompañó a Paulina hasta su casa, y regresó a la suya con el corazón henchido de cuanto placer es dado experimentar al hombre en este valle de lágrimas.

Cuando se acomodó en su sillón, junto a la chimenea, pensando en la súbita y completa realización de todas sus aspiraciones, cruzó por su mente una idea torturadora, como acerado puñal que traspasa un pecho, al observar que la piel de zapa se había contraído ligeramente. Sin poderse contener, prorrumpió en el más tremendo de los juramentos, sin atenuarle con las jesuíticas reticencias de la abadesa famosa, recostó la cabeza en un sillón, y permaneció inmóvil con la mirada fija en una pátera, que no veía.

— ¡Gran Dios! —exclamó—, ¿qué has hecho de todos mis proyectos? ¿qué, de todas mis ilusiones? ¡Pobre Paulina!

Y tomando un compás, midió lo que aquella mañana le había costado de existencia.

— ¡No me resta vida para dos meses! —murmuró.

Un sudor glacial brotó de todos sus poros; pero reponiéndose bruscamente, obedeciendo a un indescriptible arrebato de furor, asió la piel de zapa, diciendo:

— ¡Soy un majadero!

Y saliendo a todo correr, cruzó los jardines y arrojó el talismán al fondo de un pozo, exclamando:

— ¡Siga su curso la procesión! ¡Al infierno todas estas necedades!

Desde aquel momento, Rafael, se entregó por completo a la dicha de amar, dejando latir su corazón al unísono del de Paulina. Su boda, retrasada por dificultades que no hace al caso relatar, se concertó para los primeros días de marzo. Se habían puesto a prueba, no dudaban de sí mismos, y como la ventura les había revelado toda la intensidad de su afecto, jamás hubo dos almas, dos caracteres, a los que la pasión hiciera coincidir tan perfectamente como a los suyos.

Al estudiarse, acreció su amor; ambos cobijaban idénticos sentimientos de delicadeza y de recato; la misma voluptuosidad, la más dulce de las voluptuosidades, la de los ángeles. No empañaba el horizonte de su dicha la más ligera nubecilla. Los deseos de cada uno, eran ley suprema para el otro. Ricos ambos, se hallaban en aptitud de satisfacer todos sus caprichos, y, sin embargo, no los tenían. Un gusto exquisito, el sentimiento de lo bello, una verdadera poesía animaba el alma de la esposa; desdeñando la ostentación y el boato, estimaba en más una sonrisa de su amigo que todas las perlas de Ormuz, y la muselina o las flores constituían sus más preciadas galas. Además, Paulina y Rafael huían del bullicio del mundo; ¡era tan bella, tan fecunda para ellos la soledad! Los ociosos tenían ocasión de ver todas las noches, indefectiblemente, a la gentil parejita de contrabando, en los Italianos o en la Opera. Al principio, fueron tema de la maledicencia en los salones; pero el torrente de acontecimientos que pasó por París, al poco tiempo hizo que se olvidara a los inofensivos amantes. Por otra parte, su matrimonio estaba convenido y publicado lo cual era una disculpa, en cierto modo, para los mojigatos, y por casualidad, sus criados eran discretos; circunstancias todas que impidieron que la malevolencia se cebara en ellos y que su dicha se amargara.

Una mañana de fines de febrero, época en que la relativa benignidad del tiempo presagiaba las delicias primaverales, Paulina y Rafael se desayunaban juntos en un pequeño invernadero, especie de saloncillo repleto de flores, a nivel del piso del jardín. El tibio y pálido sol de la estación invernal, cuyos rayos se quebraban a través de los arbustos raros, mitigaba en aquel momento los rigores de la temperatura. Los vigorosos contrastes de los diversos follajes, los colores de los floridos macizos, las caprichosas tonalidades de luz y de sombra, proporcionaban grato solaz a la vista. Cuando todo París continuaba calentándose al melancólico fuego de los leños del hogar, los jóvenes prometidos reían bajo un dosel de camelias, de lilas y de brezos. Sus gozosas cabezas asomaban por encima de los narcisos, de los lirios y de las rosas de Bengala. Sus pies hollaban una esterilla africana, de variados matices, que cubría el pavimento de la espléndida y voluptuosa estufa. Las paredes, revestidas de cutí verde, no presentaban el menor vestigio de humedad.

El mobiliario era de madera tosca en apariencia, pero barnizado y esmeradamente limpio. Un gatito acurrucado sobre la mesa, atraído por el olor de la leche, se dejaba tiznar de café por Paulina, que retozaba con él, defendiendo la crema que apenas le permitía olfatear, para apurar su paciencia y prolongar la escaramuza. A cada contorsión del felino, soltaba la carcajada y prorrumpía en mil bobadas, para estorbar a Rafael la lectura del periódico, que ya se le había caído de las manos diez veces. La matinal escena rebosaba una dicha indescriptible, como todo lo que es natural y sincero.

Rafael seguía fingiendo leer la hoja periodística, observando a hurtadillas la pelotera del gato con Paulina, con su Paulina, envuelta en un largo peinador que la velaba imperfectamente, su Paulina, con los cabellos en desorden y enseñando un blanco piececillo surcado de azuladas venas y encerrado en una chinela de terciopelo negro. Hechicera en su desaliño, seductora como las fantásticas creaciones de West-hall, parecía a la vez soltera y casada; quizá más soltera que casada, gozaba de una felicidad sin mezcla y sólo conocía los primeros deleites del amor.

Aprovechando un momento en que Rafael, absorto en su grata contemplación, había prescindido de la lectura, Paulina le arrebató el periódico, lo estrujó, hizo una bola de papel y la lanzó al jardín, y el gato corrió tras de la política, que, como siempre continuaba rodando a más y mejor. Cuando Rafael, distraído por la infantil escena, hizo ademán de echar mano a la hoja, que había desaparecido ya, resonaron francas y alegres risotadas, que se sucedieron como los gorjeos de un pajarillo.

—Tengo celos de tu periódico —dijo Paulina, secándose las lágrimas que su risa de chiquilla hizo brotar de sus ojos—. ¿No es una felonía —repuso, tornándose de nuevo en mujer, repentinamente— que te dediques a leer manifiestos rusos, en mi presencia, y que prefieras la prosa del emperador Nicolás a mis palabras y miradas de amor?

—No leía, ángel mío, te contemplaba.

En aquel momento, resonaron junto a la estufa las tardas pisadas del jardinero, cuyos forrados zapatones hacían crujir la arena del paseo.

—Perdone el señor marqués si le interrumpo, así como la señora —comenzó diciendo—; pero traigo una curiosidad nunca vista. Hace un instante, al sacar un cubo de agua del pozo, ha salido una rarísima planta marina. ¡Hela aquí! Debe ser impermeable, porque no estaba mojada, ni siquiera húmeda, sino seca como un leño y nada pegajosa. Como el señor marqués entiende positivamente mucho más que un servidor, he pensado entregársela, por lo que pudiera interesarle.

Y el jardinero mostró a Rafael la inexorable piel de zapa, que apenas medía seis pulgadas cuadradas de superficie.

—Gracias. Vanière —contestó Rafael—. Realmente, es un objeto muy curioso.

— ¿Qué tienes, bien mío? ¡Palideces! —exclamó Paulina.

—Retírate, Vanière —dijo el marqués.

—Tu voz me asusta —prosiguió la joven—, está completamente alterada. ¿Qué tienes? ¿Qué sientes? ¿Dónde te duele? ¡Te pones malo! ¡Hay que avisar a un médico!... ¡Jonatás! ¡Venga usted!... ¡Pronto! ¡Pronto!

—Calla. Paulina —contestó Rafael, recobrando su serenidad—. Vámonos de aquí. Debe haber por ahí cerca alguna flor, cuyo aroma me molesta; quizá sea esa verbena.

Paulina se abalanzó al inocente arbusto, lo asió por el tallo y lo arrojó al jardín.

— ¡Bien mío! —exclamó, estrechando a Rafael en un abrazo tan fuerte como su amor, y acercándole con lánguida coquetería sus bermejos labios, solicitadores de besos—, al verte desfallecer, comprendí que no te sobreviviría. Tu vida es mi vida, Rafael... ¡Verás! ¡Pásame la mano por la espalda! Todavía siento «la muerte chiquita»; estoy tiritando... Pero ¡tus labios abrasan!... ¡tu mano está helada!...

— ¡Loquilla! —exclamó Rafael.

— ¿A qué viene esa lágrima? ¡Déjame secarla entre mis labios!

—Me amas demasiado, Paulina.

—Algo extraordinario te ocurre, Rafael. No me engañes, porque no tardaré en descubrir tu secreto... ¡Dame eso! —agregó— tomando la piel de zapa.

— ¡Eres mi verdugo! —exclamó el joven, lanzando una mirada de horror al talismán.

— ¡Qué cambio de voz! —exclamó a su vez Paulina, que dejó caer el fatal símbolo del destino.

— ¿Me amas de veras? —preguntó él.

— ¿Qué si te amo? ¡Vaya una pregunta!

—Pues bien; ¡déjame solo! ¡Vete!

La pobre niña se retiró.

— ¡Cómo! —exclamó Rafael, cuando estuvo a solas—. ¿Es posible que en el siglo de las luces, en el que hemos averiguado que los diamantes son cristales de carbono, en una época en la que todo se explica, en la que los agentes policíacos delatarían a un nuevo Mesías a los tribunales y someterían sus milagros a la Academia de Ciencias, en un tiempo en el que sólo creemos en los signos de los notarios, crea yo en una especie de «Mane, Thecel,

Phares»? ¡No! ¡Vive Dios! ¿Cómo he de imaginar siquiera que el Ser Supremo se complazca en atormentar a una pacífica criatura? Lo consultaré con los eruditos.

Poco después, se hallaba entre el Mercado de vino, inmenso depósito de toneles, y la «Salpétriére», vasto seminario de beodos, ante un pequeño lago en el que se solazaba una notable colección de ánades, tanto por la rareza de sus especies como por sus tornasolados matices, semejantes a ventanales de catedral, que destellaban a los rayos del sol.

Allí estaban representadas todas las clases de patos del orbe, graznando, chapuzándose, bullendo, formando una especie de asamblea «patuna» congregada contra su voluntad aunque, afortunadamente, sin constituciones ni principios políticos, y viviendo libres de cazadores a la vista de los naturalistas, que los miraban por casualidad.

—Allí está el señor Lavrille —dijo un guarda a Rafael, al preguntarle por aquel pontífice máximo de la zoología.

El marqués vio a un hombrecillo profundamente abismado en sabias meditaciones en presencia de los patos. Ni joven ni viejo, la fisonomía del sabio era apacible y su aspecto complaciente; pero imperaba en todo su ser una preocupación científica. Su peluca, rascada incesantemente y fantásticamente levantada, dejaba al descubierto una línea de canas y acusaba el furor de los descubrimientos, que, semejante a todas las pasiones, nos abstrae tan poderosamente de las cosas de este mundo, que hasta perdemos la conciencia del «yo». Rafael, hombre culto y estudioso, admiró al naturalista que consagraba sus desvelos a ensanchar los conocimientos humanos; pero una damisela se habría reído sin duda de la solución de continuidad existente entre el pantalón y el chaleco rayado del investigador, por más que el intersticio apareciera castamente relleno por una camisa completamente arrugada a fuerza de subir y bajar, siguiendo sus observaciones zoogenésicas.

Después de las cortesías de rúbrica, Rafael se creyó en el deber de dirigir al señor Lavrille una frase corriente de cumplido, acerca de sus patos.

— ¡Oh! poseemos una verdadera riqueza en esta clase de animales — contestó el naturalista—. Verdad es que este género, como no ignorará usted sin duda, es el más fecundo del orden de los palmípedos. Comenzando por el «cisne» y acabando por el «pato zinzin», comprende ciento treinta y siete variedades de individuos perfectamente determinados, con sus nombres, sus costumbres, su patria, su fisonomía y tan distintos entre sí como un blanco de un negro. Realmente, caballero, cuando comemos un pato, casi nunca nos damos cuenta de la extensión…

El disertante se interrumpió, al ver un precioso ejemplar que remontaba el talud del estanque.

—Ahí tiene usted —prosiguió— el cisne de corbatín, oriundo del Canadá, venido de tan remotas tierras para exhibirnos su plumaje pardo y gris y su collarcito negro. ¡Mire usted cómo se rasca!… Allí está el famoso ganso de plumón, o «eider», con el que se confeccionan los edredones que cubren las camas de nuestros aristócratas. ¡Qué preciosidad! ¿Quién es capaz de permanecer indiferente al contemplar el matiz ligeramente rosado de su pechuga y su pico verde?… Acabo de ser testigo de un cruzamiento, del que ya iba desesperando. El himeneo se ha consumado con éxito, y espero con impaciencia el resultado. Me lisonjeo de haber obtenido una ciento trigésima octava especie, a la que quizá se dé mi nombre…

»¡Vea usted los recién casados! —continuó, señalando a dos patos—. Uno de los cónyuges es el pato riente, «anas albifrons», el otro, el soberbio ánade silbador, «anas ruffina», de Buffon. He vacilado largo tiempo entre el ánade silbador, el de entrecejo blanco y el «anas clipeata»… ¡aquel que va por allí!, cuyas irisaciones son magníficas; pero el moño del primero me decidió. Únicamente nos falta en la colección el ánade de casquete negro. Mis compañeros pretenden, unánimemente, que es una simple variedad del pato cerceta, de pico encorvado, pero yo…

El naturalista hizo un gesto significativo, revelador a la par de la modestia y de la vanidad del sabio, vanidad llena de testarudez y modestia llena de suficiencia, y terminó la frase:

—Yo soy de distinta opinión… Como ve usted, caballero, aquí escasean las distracciones. En estos momentos me trae muy atareado la monografía del género pato; pero estoy a sus órdenes.

Mientras se dirigían a una linda casita de la calle de Buffon, Rafael sometió la piel de zapa al examen del profesor Lavrille.

—Conozco este producto —contestó el erudito, después de examinar el talismán con una lupa—. Ha debido servir de forro a alguna caja. Pero la zapa está ya en desuso. Actualmente, los guarnicioneros dan la preferencia a la lija. Esta, como usted sabrá, es la piel del «raja sephen», un pez del mar Rojo…

—Pero ésta, caballero, ya que tiene usted la bondad de…

—Esta —repuso el sabio, interrumpiendo— es otra cosa. Entre la lija y la zapa, existe la diferencia del Océano a la tierra, del pez al cuadrúpedo. Pero la piel del pez es más dura que la del animal terrestre. Esto —añadió, designando el talismán— es, como usted no ignora, uno de los productos más curiosos de la zoología.

—Sepamos —dijo Rafael.

—Pues bien —contestó el naturalista, arrellanándose en su sillón—, esto es piel de asno.

—Ya lo sé —replicó el marqués.

—Existe en Persia —prosiguió el zoólogo— un asno sumamente raro, el onagro de los antiguos, el «eguns asinus», el «kulan» de los tártaros. Pallas fue a estudiarlo, y lo dio a conocer a la ciencia, porque realmente, dicho animal pasó durante largo tiempo por ser un ser fantástico. Como usted sabe le menciona la Sagrada Escritura: Moisés prohibió encastarle con sus congéneres. Pero el onagro se ha hecho más famoso por las prostituciones de que ha sido objeto, y de las cuales nos hablan a menudo los profetas bíblicos. Pallas, como seguramente sabrá usted, declara en sus «Act. Petrop», tomo II, que tales abusivas prácticas continúan observándose religiosamente entre persas y nogayas, como un remedio soberano contra las enfermedades renales y la gota ciática.

»Nosotros, ignorantes parisinos, ni siquiera lo sospechábamos. En el Museo no figura ningún ejemplar de onagro. Es un soberbio animal, lleno de misterios; sus pupilas están provistas de una especie de cubierta protectora, a la que los orientales atribuyen el poder de la fascinación; su pelaje es más vistoso y más fino que el de nuestros más hermosos caballos; está surcado por listas más o menos leonadas, y ofrece grandes semejanzas con el de la cabra; además, es suave y blando al tacto, su vista iguala en finura y precisión a la del hombre; algo más corpulento que nuestros más talludos asnos, está dotado de un valor extraordinario si, por casualidad, se ve sorprendido, se defiende, con notable superioridad, de los animales más feroces; en cuanto a la rapidez de su marcha, sólo puede compararse con el vuelo de las aves; un onagro, ¡no lo dude usted!, reventaría, a la carrera, a los mejores caballos árabes o persas.

»Según informes del padre del concienzudo doctor Niebuhr, de cuya reciente pérdida, tan lamentada por todos, seguramente estará usted enterado, el término medio del andar ordinario de esos admirables cuadrúpedos, es de siete mil pasos geométricos por hora. Al ver nuestros degenerados pollinos, no es posible formarse idea de ese asno independiente y arrogante. Es de porte ligero, animado, airoso en su aspecto, ágil y esbelto. En una palabra, es el rey zoológico de Oriente. Las supersticiones turcas y persas llegan a atribuirle un origen misterioso, mezclando el nombre de Salomón a los relatos que los narradores del Tibet y de Tartaria divulgan acerca de las proezas de tan privilegiados animales.

»Por último, un onagro domesticado vale todo el oro que pesa; es casi un imposible capturarle en las montañas, porque trisca por los riscos como un corzo y parece levantar el vuelo como un ave. La fábula de los caballos alados, nuestro Pegaso, tiene indudablemente su origen en aquellos países, donde se han presentado a los pastores diferentes ocasiones de ver a un onagro saltando de roca en roca.

»A los asnos de silla, obtenidos en Persia por el cruce de una burra con un onagro domesticado, se les pinta de rojo, siguiendo una tradición inmemorial. A esta costumbre se debe quizá el proverbio: «Malo como asno rojo». Es probable que en época en que la historia natural anduviese atrasada en Francia, trajera algún explorador uno de esos curiosos animales muy difíciles de amansar, y que tal circunstancia motivara el refrán: «La piel que usted me presenta, es de un onagro».

»Respecto al origen del nombre «chagrin», no existe unanimidad de pareceres. Unos pretenden que «chagri» es una palabra turca; otros, suponen que «Chagri» es la ciudad en que ese despojo zoológico sufre una preparación química, bastante bien descrita por Pallas, y que le da ese grano especial que admiramos en ella; finalmente, mi colega Martellens me ha escrito participándome la existencia de un riachuelo llamado «Chaagri».

—Caballero —dijo Rafael—, agradezco a usted los informes que acaba de suministrarme, cuya adquisición acreditaría de paciencia al más cachazudo de los benedictinos; pero debo hacerle observar que este fragmento era primitivamente de un tamaño igual… al de esa carta geográfica —y señaló a Lavrille un atlas abierto—, y que, en tres meses, ha ido mermando ostensiblemente.

— ¡Claro! —contestó el erudito—, se comprende. Todos los despojos de seres de organización primitiva están sujetos a deterioros fáciles de concebir, y cuyos progresos dependen de las influencias atmosféricas. Los mismos metales se dilatan o se contraen de un modo perceptible, porque los ingenieros han observado espacios de cierta consideración entre piedras unidas por grapas o barrotes de hierro. La ciencia es vasta y la vida humana muy corta; por tanto, no hemos de tener la pretensión de conocer todos los fenómenos de la Naturaleza.

—Pero, perdone usted la pregunta que voy a dirigirle —indicó Rafael algo confuso—. ¿Tiene usted la certeza de que esta piel está sometida a las leyes ordinarias de la zoología y de que se puede alargar?

— ¡Ya lo creo!… ¡Diantre! —exclamó Lavrille, tratando de estirar el talismán—. Lo mejor es que se tome la molestia de ir a ver al señor Planchette, el célebre profesor de mecánica; él encontrará positivamente, un medio de actuar sobre esta piel, ablandándola, dilatándola.

— ¡Gracias, caballero! ¡Me devuelve usted la vida!

Rafael se despidió del sabio naturalista y corrió a casa de Planchette, dejando el buen Lavrille en su despacho, atestado de botes y de plantas desecadas. Sacaba de aquella visita, sin saberlo, toda la ciencia humana; ¡una nomenclatura! Aquel buen hombre se asemejaba a Sancho Panza, relatando a Don Quijote la historia de las cabras; se distraía contando los animales y clasificándolos. Llegado al borde de la tumba, apenas conocía una pequeña fracción de las inconmensurables cantidades del gran rebaño lanzado por Dios a través del océano de los mundos, con un objeto ignorado. Rafael estafa satisfecho.

— ¡Al fin sujeté a mi burro! —exclamó para sí.

Ya Sterne se anticipó a decir: ¡Cuidemos a nuestro asno, si queremos llegar a viejos! ¡Pero el animal es tan antojadizo! Planchette era un hombre alto, flaco, verdadero poeta perdido en una contemplación perpetua, atareado constantemente en mira a un abismo sin fondo: «El Movimiento». El vulgo tacha de locos a esos espíritus sublimes, individuos no comprendidos, que viven indiferentes en absoluto al lujo y al mundo, permaneciendo días enteros con un cigarro apagado entre los labios, o que se presentan en un salón, sin acoplar exactamente los botones con los ojales de su traje. A lo mejor, después de medir largo tiempo el vacío o de amontonar cálculos algebraicos, resolviendo ecuaciones y despejando incógnitas, analizan alguna ley natural y descomponen el más simple de los principios; y entonces, la multitud admira una nueva máquina o cualquier artefacto, cuya sencilla estructura nos asombra y nos confunde. Y el modesto sabio sonríe, diciendo a sus admiradores:

—Yo no he creado nada; absolutamente nada. El hombre no inventa una fuerza, la dirige, y la ciencia consiste en imitar a la Naturaleza.

Rafael sorprendió al mecánico, cuadrado como un recluta. Planchette examinaba una bolita de ágata que rodaba por un cuadrante solar, aguardando que se detuviera. El paciente varón no estaba condecorado, ni pensionado, porque no sabía exagerar la importancia de sus cálculos. Encerrado en su concha, a caza de descubrimientos, no pensaba en la gloria, en el mundo ni en sí mismo, viviendo en la ciencia para la ciencia.

— ¡Esto es inexplicable! —exclamó.

Pero al notar la presencia de su visitante, se dirigió a él, diciéndole:

—Servidor de usted. ¿Cómo sigue la familia? Pase a ver a mi esposa.

— ¡Así hubiera podido vivir yo! —pensó Rafael, que sacó al matemático de su abstracción inquiriendo el medio de actuar sobre el talismán, que le puso de manifiesto.

—Aun a riesgo de que se ría de mi credulidad —dijo el marqués, una vez formulada la consulta—, no le ocultaré nada. Creo que esta piel posee una fuerza de resistencia que no hay nada capaz de vencer.

—Caballero —contestó el sabio—, la generalidad de las gentes suele tener una idea bastante equivocada de los asuntos científicos, pretendiendo de nosotros, poco más o menos, lo que cierto petimetre pidió a Lalande, presentándole a unas damas, después de terminado un eclipse: «Tenga usted la bondad de repetir el experimento».

»¿Qué es lo que usted se propone? La Mecánica tiene por objeto aplicar las leyes del movimiento o neutralizarlas. En cuanto al movimiento en sí mismo, declaro a usted humildemente que somos impotentes para definirlo. Sentado esto, hemos observado algunos fenómenos constantes que regulan la acción de los sólidos y de los fluidos. Reproduciendo las causas generadoras de estos fenómenos, podemos transportar los cuerpos, transmitirles una fuerza locomotriz en relación con determinada velocidad, lanzarlos, dividirlos simplemente o hasta el infinito, bien quebrándolos, bien pulverizándolos; podemos, además, retorcerlos, imprimirles rotaciones, modificarlos, comprimirlos, dilatarlos, ensancharlos.

»Esta ciencia, caballero, se basa sobre un solo hecho. Vea usted esta bolita. En este momento se encuentra sobre esta piedra Pues bien; ahora, véala usted allí. ¿Qué nombre daremos a este acto, tan natural, físicamente, y tan extraordinario, moralmente? ¿Movimiento, locomoción, cambio de lugar? ¡Qué inmensa vanidad, oculta bajo las palabras! ¿Acaso constituye solución un nombre? Y, sin embargo, en eso consiste toda la ciencia. Nuestras máquinas utilizan o descomponen ese acto, ese hecho. Ese fenómeno tan sencillo, adaptado a masas, es capaz de volar a París. Podemos aumentar la velocidad a expensas de la fuerza, y la fuerza a expensas de la velocidad. ¿Y qué son la fuerza y la velocidad? Nuestra ciencia es insuficiente para decirlo, como lo es para crear un movimiento. Un movimiento, cualquiera que sea, significa un enorme poder, y el hombre no inventa poderes. El poder es uno, como el movimiento es la esencia misma del poder. Todo es movimiento. El pensamiento es un movimiento. La Naturaleza está fundada en el movimiento. La muerte es un movimiento, cuyos fines conocemos muy confusamente. Si Dios es eterno, crea usted que se halla en perpetuo movimiento. Por eso es tan inexplicable como Él, profundo como Él, ilimitado, incomprensible, intangible.

»¿Hay alguien que alguna vez haya tocado, comprendido, medido el movimiento? Sentimos sus efectos, sin verlos. Podemos hasta negarle, como negamos a Dios. ¿Dónde existe? ¿Dónde deja de existir? ¿De dónde emana? ¿Dónde está su principio? ¿Dónde está su fin? Nos envuelve, nos acosa y se nos escapa. Es evidente como hecho, obscuro como abstracción, efecto y causa a la par. Necesita, como nosotros, espacio.

»Y, ¿qué es el espacio? Únicamente el movimiento nos le revela; sin el movimiento, se reduce a una palabra vacía de sentido. Problema insoluble, semejante al vacío, semejante a la creación, al infinito, el movimiento confunde la mente humana, y todo cuanto está permitido concebir al hombre es que no le concebirá jamás. Entre cada uno de los puntos ocupados sucesivamente en el espacio por esta bolita, encuentra la razón humana un abismo; el abismo en que cayó Pascal. Para actuar sobre la substancia desconocida, debemos, ante todo, estudiar esa substancia; según su naturaleza, o se quebrará al choque, o resistirá. Si se disgrega, y el propósito de usted no es despedazarla, no lograremos el fin que nos hemos propuesto. ¿Desea usted comprimirla? Pues hay que transmitir un movimiento igual a todas las partes de la substancia con objeto de disminuir uniformemente el intervalo que las separa. ¿Desea usted ensancharla? Pues hemos de procurar imprimir a cada molécula una fuerza excéntrica equivalente; porque, sin la observancia estricta de esta ley, produciríamos soluciones de continuidad. Existen, caballero, modalidades infinitas, combinaciones incontables, en el movimiento. ¿Cuál de ellas es la que prefiere?

—Lo que yo deseo —contestó Rafael, consumido ya por la impaciencia— es una presión cualquiera, suficientemente enérgica para agrandar indefinidamente esta piel…

—Tratándose de una substancia finita —interrumpió el matemático—, no sería posible distenderla indefinidamente; pero la comprensión multiplicará forzosamente las dimensiones de su superficie, a expensas del espesor. Se adelgazará hasta que falte la materia…

—Obtenga usted ese resultado —interrumpió a su vez, con viveza, Rafael —, y le haré millonario.

—Le robaría su dinero —contestó el profesor, con la flema de un holandés —. Voy a probar a usted, en dos palabras, la existencia de una máquina, bajo la cual, el propio Dios quedaría aplastado como una mosca. Su potencia es tal, que un hombre, con toda su indumentaria, quedaría reducido al estado de un papel de fumar.

— ¡Valiente maquinita!

—Vea usted un procedimiento que deberían utilizar los chinos, en lugar de arrojar a sus hijos al agua —continuó diciendo el sabio, sin meditar en el respeto del hombre a su progenie.

Engolfado en su idea, Planchette tomó una maceta vacía, agujereada en el fondo, y la colocó sobre la loseta del gnomon; después, fue a buscar al jardín un puñado de tierra arcillosa. Rafael permaneció embobado, como chiquillo a quien su niñera relata un cuento maravilloso. Una vez depositada la tierra sobre la loseta, el experimentador sacó del bolsillo una navajita, cortó dos ramas de saúco y comenzó a vaciarlas, silbando durante la operación, sin preocuparse de la presencia de Rafael.

—Ya tenemos los elementos de la máquina —dijo.

Y acodó uno de los tubos al fondo de la maceta, trabándolo con la masa gredosa, de manera que el orificio de la rama de saúco correspondiese al del recipiente. Hubiérase tomado por una enorme pipa. Extendió sobre la piedra una capa de tierra en forma de pala, cogió la maceta por su parte más ancha y fijó la rama en la porción que figuraba el mango. Por último, echó otra pellada de greda en el extremo del tubo de saúco, plantó verticalmente la otra rama horadada practicando un nuevo ángulo para unirla a la rama horizontal, de manera que el aire, o cualquier fluido ambiente determinado, pudiera circular por la improvisada máquina, corriendo desde la embocadura del tubo vertical, a través del canal intermedio, hasta la maceta vacía.

—Este aparato —manifestó a Rafael, con la seriedad de un académico que pronuncia su discurso de entrada— es uno de los más preciosos títulos que hacen a Pascal acreedor de nuestra admiración.

—No le comprendo.

El sabio sonrió. Fuése a descolgar de un árbol frutal una botellita que contenía un líquido para exterminar las hormigas, preparado por su farmacéutico, la desfondó, convirtiéndola en embudo, y adaptó éste cuidadosamente al orificio de la rama hueca fijada verticalmente en la arcilla, en oposición al gran depósito representado por la maceta; luego, valiéndose de una regadera, vertió la cantidad de agua necesaria para conservar el nivel de la misma en la maceta y en la embocadura circular del tubo de saúco.

—Caballero —dijo el mecánico—, el agua sigue considerándose, todavía como un cuerpo incomprensible; no olvide usted este principio fundamental. Sin embargo, se comprime, pero tan ligeramente, que podemos estimar equivalente a cero su propiedad contráctil.

—Perfectamente.

—Pues bien; suponga usted esta superficie mil veces mayor que la del orificio del conducto de saúco por el cual he vertido el líquido. Retiremos el embudo.

—Conforme.

—Si por un medio cualquiera aumento el volumen de esta masa, introduciendo mayor cantidad de agua por el orificio del tubo, el fluido, forzado a descender por él, ascenderá en el receptáculo representado por la maceta hasta que el líquido alcance igual nivel en uno que en otro…

—Eso es evidente —declaró Rafael.

—Pero con la diferencia —prosiguió el sabio— de que si la delgada columna de agua añadida por el tubito vertical representa en él una fuerza equivalente al peso de una libra, por ejemplo, como su acción se transmitirá fielmente a la masa líquida y repercutirá en cada uno de los puntos de la superficie que ofrece en la maceta, nos encontraremos allí con mil columnas de agua, que propendiendo todas a elevarse, como si las empujara una fuerza igual a la que hace descender el líquido por el conducto vertical de saúco, producirán necesariamente aquí —afirmó Planchette, señalando a Rafael el agujero de la maceta— una potencia mil veces mayor que la introducida por allí.

Y el sabio indicó al marqués el tubo fijado verticalmente en la greda.

—Eso es sencillísimo —dijo Rafael.

Planchette sonrió.

—En otros términos —continuó, con esa tenacidad de lógica propia de los matemáticos—, para rechazar la irrupción del agua, precisaría desarrollar en cada parte de la superficie más extensa, una fuerza igual a la que actúa en el conducto vertical; pero, teniendo presente que si la columna líquida tiene un pie de altura, las mil columnillas de la superficie mayor alcanzarán una elevación muy escasa.

»Ahora —concluyó Planchette, pegando un capirotazo a su artefacto—, reemplacemos este grotesco aparatillo por tubos metálicos de resistencia y dimensiones adecuadas. Si cubre usted con una fuerte plancha metálica movible la superficie fluida en el gran recipiente, y opone a ella otra de resistencia y solidez a toda prueba; si, además, me concede la facultad de ir agregando agua incesantemente a la masa líquida, por el tubito vertical, el objeto, aprisionado entre los dos planos sólidos, ha de ceder forzosamente a la enorme acción que le comprime con progresivo vigor. El medio de introducir agua por el tubo, constantemente, es una fruslería en mecánica, así como la manera de transmitir la potencia de la masa líquida a una platina. Basta con dos émbolos y unas válvulas. Comprenderá, usted, por tanto, que apenas haya substancia que, colocada entre esas dos resistencias indefinidas, soporte la presión sin dilatarse.

— ¿De modo que el autor de las «Cartas provinciales» ha sido quien ha inventado…?

—El mismo, sí, señor. La Mecánica no conoce nada más sencillo ni más hermoso. El principio contrario, la expansibilidad del agua, ha creado la máquina de vapor. Pero el agua no es expansible sino hasta cierto grado, mientras que su incomprensibilidad, que es una fuerza en cierto modo negativa, ha de ser necesariamente infinita.

—Si se dilata esta piel —dijo el marqués—, le prometo erigir un magnífico monumento a Blas Pascal, fundar un premio de cien mil francos para el más difícil problema de mecánica resuelto cada quinquenio, dotar a dos generaciones de primas de usted y, por último, edificar un asilo destinado a los matemáticos locos o pobres.

—Sería muy útil —contestó Planchette, añadiendo, con la calma del hombre que vive en una esfera puramente intelectual—. Caballero, mañana iremos a casa de Spieghalter. Ese distinguido mecánico acaba de construir, con arreglo a mis planos, una máquina perfeccionada, con cuyo auxilio un niño podría dar cabida en su sombrero a mil haces de heno.

—Hasta mañana, pues.

—Hasta mañana.

—Dígase lo que se quiera —salió diciendo Rafael— la Mecánica es la más bonita de todas las ciencias. La otra, con sus onagros, sus clasificaciones, sus ánades, sus géneros y sus frascos repletos de mamarrachos, es buena, a lo sumo, para marcar el tanteo en una partida de billar.

Al día siguiente, Rafael acudió gozoso en busca de Planchette, dirigiéndose juntos a la calle de la Salud, nombre de buen agüero, en la que poseía su instalación Spieghalter.

El joven se halló en un establecimiento inmenso, atestado de rojas y rugientes forjan. Aquello era una lluvia de fuego, un diluvio de clavos, un océano de émbolo: de tornillos, de palancas, de travesaños, de limas, de tuercas, un mar de metal fundido, de maderos, de válvulas y de acero en barras. Se mascaban las limaduras. Había hierro en el caldeado ambiente, en las blusas de los obreros, se aspiraba el •, hedor del hierro, el metal adquiría vida, se organizaba, se fluidificaba, andaba, pensaba tomando todas las formas, obedeciendo a todos los caprichos. Al través del resoplido de los fuelles, del creciente tintineo de los martillos, del silbido de los tornos, que hacían chirriar al hierro, Rafael llegó a una espaciosa estancia, limpia y bien ventilada, en la que pudo contemplar a su sabor la enorme prensa de que le habló Planchette, admirando su sólida y perfecta trabazón.

—Si diera usted siete vueltas rápidas a esta manivela —dijo Spieghalter, mostrándole un volante de hierro bruñido—, haría brotar de una lámina de acero millares de surtidores, que se le clavarían en las piernas como otras tantas agujas.

— ¡Diablo! —exclamó Rafael.

Planchette deslizó por sí mismo la piel de zapa entre las dos platinas de la prensa soberana, y poseído de la seguridad que dan las convicciones científicas, imprimió un rápido giro al volante.

— ¡A tierra, o moriremos todos! —gritó Spieghalter, en voz tonante, tirándose al suelo para dar ejemplo.

Un silbido espantoso resonó en los talleres. El agua contenida en la máquina hizo explotar las planchas de fundición, dando paso a un surtidor de inconmensurable potencia, que afortunadamente fue a desplomarse sobre una fragua desechada, derribándola, triturándola, retorciéndola, como una tromba arrolla una casa y se la lleva.

— ¡Calla! —repuso tranquilamente Planchette—, la piel permanece inalterable. ¡Patrón! ese hierro debía tener algún pelo, o habría un intersticio en el tubo principal.

— ¡Quia! ¡No, señor! Conozco los trabajos de mi fundición. Este caballero puede llevarse su trebejo, que por fuerza está endemoniado.

El alemán tomó un martillo de forja, colocó la piel sobre un yunque, y con toda la fuerza que da la cólera, descargó sobre el talismán el más formidable mazazo que jamás atronara sus talleres.

— ¡Cómo si no! —exclamó Planchette, pasando la mano por la rebelde zapa.

Los operarios acudieron. El contramaestre cogió la piel y la sumergió en las profundidades del hornillo de una fragua. Formados todos en semicírculo, frente al hogar, esperaron con impaciencia el funcionamiento de un enorme fuelle. Rafael, Spieghalter y el profesor Planchette, ocuparon el centro del tiznado y atento grupo. Al contemplar aquellos ojos, cuya blancura resaltaba en las caras ennegrecidas por el polvillo del hierro y del carbón, aquellas blusas obscuras y grasientas, aquellos velludos pechos, Rafael se creyó transportado al mundo nocturno y fantástico de las baladas alemanas. El contramaestre retiró la piel con unas tenazas, después de someterla, durante diez minutos a la acción del fuego.

—Démela usted —dijo Rafael.

El contramaestre la presentó en broma al marqués, quien la volteó entre sus manos, fría y flexible. Los obreros huyeron despavoridos, prorrumpiendo en un grito de horror, y Rafael quedó solo con Planchette en la desierta nave del taller.

— ¡No hay duda! —exclamó Rafael, en tono desesperado—; todo esto tiene algo de diabólico. ¡No existe poder humano capaz de alargar mi vida un solo día!

—Caballero —declaró el matemático en actitud contrita—, he cometido un error. Hemos debido someter esta rarísima piel a la acción de un laminador.

¿Dónde tendría yo la cabeza, al proponerle una presión?

—Fui yo quien la solicité —replicó Rafael.

El sabio respiró, como reo absuelto por el jurado. Sin embargo, intrigado por el extraño problema que le planteaba la tal piel, reflexionó un momento y dijo:

—Es preciso tratar esta substancia desconocida por medio de reactives. Vamos a ver a Jafet. Quizá la Química sea más afortunada que la Mecánica.

Valentín avivó el trote del caballo de su carruaje, ansioso de encontrar en su laboratorio al famoso químico Jafet.

— ¡Hola, chico! —dijo Planchette saludando a Jafet, que, sentado en un sillón, contemplaba un precipitado—. ¿Cómo va esa Química?

—Dormida. No hay nada nuevo. Únicamente la Academia ha reconocido la existencia de la salicina. Pero ni la salicina, ni la aspergina, ni la vanquelina, ni la digitalina, pueden considerarse como verdaderos descubrimientos.

—Pero cuando menos —objetó Rafael—, en la imposibilidad de inventar productos, se limitan ustedes a inventar nombres.

— ¡Tiene usted mucha razón, joven!

—Vamos a ver si puedes descomponernos esta substancia —dijo el profesor Planchette al químico—. Si extraes de ella un principio cualquiera, le denomino por anticipado «diabolina», porque, al pretender comprimirla, acabamos de hacer trizas una prensa hidráulica.

— ¡Venga! ¡Venga! —exclamó gozoso el químico—. Quizá sea un nuevo cuerpo simple.

—No, señor —contestó Rafael—, es simplemente un trozo de piel de asno.

— ¡Caballero! —repuso con gravedad el célebre químico.

—No lo tome usted a burla —replicó el marqués, entregándole la piel de zapa.

El eminente Jafet aplicó a la piel las sensibles papilas de su lengua, tan hábil en la degustación de sales, ácidos, álcalis y gases, y dijo, después de unas cuantas pruebas:

— ¡No sabe a nada! Vamos a rociarla con ácido ftórico.

La piel, sometida a la acción de tal principio, tan rápido en descomponer los tejidos animales, no experimentó la menor alteración.

—Esto no es zapa —declaró el químico—. Trataremos a este misterioso incógnito a estilo de mineral, y le sentaremos las costuras metiéndole en un crisol infusible, en el que, precisamente, tengo potasa roja.

Jafet salió y volvió a los pocos instantes.

—Caballero —consultó a Rafael—, permítame usted cortar un trozo de esta substancia tan especial; es un caso tan extraordinario…

— ¡Un trozo! —exclamó Rafael—. ¡Ni siquiera la equivalencia de un cabello! Sin embargo, inténtelo usted —añadió con aire triste y zumbón a la par.

El sabio melló una navaja de afeitar al pretender cortar la piel; luego, trató de romperla por medio de una descarga eléctrica; seguidamente, la sometió a la acción de la pila voltaica; pero todos los rayos de su ciencia se estrellaron contra el terrible talismán.

Eran las siete de la tarde. Planchette, Jafet y Rafael, sin advertir el transcurso del tiempo, aguardaban el resultado de un último y supremo experimento. La zapa salió incólume de un espantoso choque producido por una proporcionada cantidad de cloruro de nitrógeno.

— ¡Estoy perdido! —exclamó Rafael—. Indudablemente, anda mezclada en esto la mano de Dios. ¡Muero sin remisión!

Y salió, dejando a los dos sabios estupefactos.

—Nos guardaremos bien de contar esta aventura en la Academia, porque nuestros colegas se burlarían de nosotros —dijo Planchette al químico después de un prolongado silencio, durante el cual permanecieron mirándose mutuamente, sin atreverse a comunicarse sus pensamientos.

Ambos académicos se hallaban como creyentes salidos de sus tumbas, que no encuentran la mansión celeste. ¿La ciencia? ¡Impotente! ¿Los ácidos? ¡Agua clara! ¿La potasa roja? ¡Desacreditada! ¿La pila voltaica y la chispa eléctrica? ¡Un par de dominguillos!

— ¡Una prensa hidráulica, deshecha como una sopa! —siguió comentando Planchette.

— ¡Creo en el diablo! —exclamó el insigne Jafet, después de un breve silencio.

— ¡Y yo en Dios! —contestó Planchette.

Y ambos estaban en su papel. Para un mecánico, el Universo es una máquina que requiere un obrero: para la química, esa labor infernal que va descomponiéndolo todo, el Mundo es un fluido dotado de movimiento.

—El hecho es innegable —repuso el químico.

— ¡Bah! —contestó el mecánico—, para consolarnos, los señores doctrinarios han instituido el nebuloso axioma: «Brutal como un hecho».

— ¡El tal axioma sí que me parece hecho a lo bruto!

Y, echándose a reír, ambos se fueron a comer juntos, como gentes que no ven más que un fenómeno en un milagro.

De regreso en su casa, Valentín se sintió invadido por una ira reconcentrada; ya no creía en nada, las ideas bullían en su cerebro, giraban y vacilaban, como las de todo hombre antes un hecho imposible. Supuso desde luego cualquier defecto desconocido en la máquina de Spieghalter; no le admiró la impotencia del fuego y de la ciencia; pero le causaba espanto la flexibilidad de la piel entre sus manos, y su rigidez al ser sometida a los medios destructores puestos a disposición del hombre. Aquel hecho incontestable le producía vértigos.

— ¡Acabaré loco! —exclamó para sí—. Aunque todavía estoy en ayunas, no tengo hambre ni sed, pero siento en el pecho un fuego que me abrasa.

Y después de volver a su marco la piel de zapa y de trazar con tinta roja el contorno actual del talismán, se acomodó en un sillón.

—Son las ocho —dijo—. Se me ha pasado el día en un soplo. Y descansando el codo en el brazo del mueble, apoyó la cabeza en su mano izquierda y permaneció embebido en una de esas meditaciones, cuyo secreto se llevan a la tumba los condenados a muerte.

— ¡Pobre Paulina! —murmuró—. Hay abismos que no es capaz de franquear el amor, a pesar de la fuerza de sus alas.

En aquel momento percibió distintamente un suspiro ahogado, reconociendo, por uno de esos tiernos privilegios de la pasión, el hálito de su Paulina.

— ¡Esa es mi sentencia! —exclamó—. Si ella estuviese aquí, desearía morir en sus brazos.

Una carcajada franca, regocijada, sonora, le hizo volver la cabeza hacia su lecho, viendo a través de las diáfanas cortinas el rostro de Paulina, sonriente, como un niño satisfecho del buen éxito de una travesura. Su hermosa cabellera caía en bucles sobre sus hombros. Parecía una rosa de Bengala, entre un montón de rosas blancas.

—He sobornado a Jonatás —dijo—. ¿Acaso no me pertenece este lecho, siendo tu mujercita? ¡No me riñas, nene! Sólo quería dormir junto a ti, sorprenderte.

Y saltando de la cama, con la ligereza de un gato, se mostró radiante bajo la envoltura de las finas batistas y se sentó sobre las rodillas de Rafael.

— ¿De qué abismo hablabas, amor mío? —le preguntó, dejando asomar a su frente una sombra de preocupación.

— ¡De la muerte!

— ¡No me atormentes! Hay ciertas ideas, en las que nosotras, pobres mujeres, no podemos fijarnos, porque nos matan. ¿Es exceso de cariño, o falta de valor? No lo sé. Y no es que me asuste la muerte —añadió riendo—. Morir contigo mañana mismo, unidos en un beso postrero, sería una dicha. Me parecería haber vivido más de cien años. ¿Qué importa el número de días, si en una noche, en una huta, hemos agotado toda una vida de aventura y de amor?

—Tienes razón —contestó Rafael—. El Cielo habla por tu linda boca. ¡Déjame besarla y muramos!

— ¡Pues, a ello! —replicó Paulina riendo.

Al penetrar la luz del nuevo día, aunque amortiguada por las persianas y por los cortinajes, permitió ver los vivos colores de la alfombra y del tapizado de seda de los muebles del aposento en que descansaban los dos amantes. Un rayo de sol daba de lleno en el mullido edredón, lanzado al suelo en los espasmos amorosos. El vestido de Paulina, suspendido ante la luna de un gran espejo volante, se reflejaba en ella como una aparición misteriosa. Sus diminutos zapatos estaban tirados lejos del lecho. A las nueve, se posó un ruiseñor en la barandilla del balcón, y sus repetidos gorjeos y el ruido de sus alas, súbitamente desplegadas al levantar el vuelo, despertaron a Rafael.

—Para morir —dijo, terminando un pensamiento comenzado en un sueño — es preciso que mi organismo, este mecanismo de carne y hueso animado por mi voluntad, y que hace de mí un individuo de la especie humana, presente una lesión apreciable. Los médicos deben conocer los síntomas de la vitalidad atacada y poder decirme si estoy sano o enfermo.

Y contempló a su compañera, que dormía rodeándole el cuello con el brazo, expresando así durante el sueño las tiernas solicitudes del amor. Graciosamente tendida como un niño y con la cara vuelta hacia él, Paulina parecía mirar aún, ofreciéndole una preciosa boca entreabierta por una respiración acompasada y tranquila. Sus dientecillos de porcelana realzaban el carmín de sus labios, por los que vagaba una sonrisa. El arrebol de su tez era más vivo y su blancura, por decirlo así, más blanca en aquel momento que en las más amorosas horas del día. Su gentil abandono, tan lleno de confianza, unía al encanto del amor los adorables atractivos de la infancia dormida. Las mujeres, hasta las más ingenuas, obedecen aún durante el día a ciertos convencionalismos sociales, que encadenan las francas expansiones de su alma; pero el sueño parece reintegrarlas a la espontaneidad de vida que caracteriza la primera edad. Paulina no se sonrojaba por nada, como una de esas caras y celestiales criaturas, en las que la razón no ha imbuido todavía afectación en los gestos ni doblez en la mirada. Su perfil se destacaba vivamente sobre la fina batista de las almohadas, y los rizos de los amplios encajes se mezclaban con los de sus cabellos en desorden, dándole cierto aire picaresco. Habíase dormido en el placer: sus largas pestañas reposaban sobre las mejillas, como para preservar su vista de un resplandor demasiado intenso o para contribuir a ese recogimiento del alma que trata de retener una voluptuosidad completa, pero pasajera. Su linda y sonrosada orejilla, encuadrada por un mechón de cabellos y dibujada entre las blondas de Malinas, hubiera enloquecido de amor a un artista, a un pintor, a un decrépito, y quizá hubiera restituido el juicio a un insensato.

¿Cabe goce mayor que contemplar dormida a la mujer amada, sonriendo en su sueño, tranquila bajo nuestra protección, amándonos hasta mientras reposa, en el momento en que la criatura parece haber cesado de ser, y ofreciéndonos aún unos labios callados, que se agitan entre sueños hablando del último beso; ver a una mujer confiada, semidesnuda, pero envuelta en su amor como en un manto y casta en el seno del desorden; admirar sus ropas esparcidas, un bajo de seda quitado la víspera para complacernos, un corsé desatado, que acusa una fe infinita? Ese corsé es todo un poema; la mujer cuya cintura ceñía ya no existe; nos pertenece, la hemos hecho nuestra, constituye parte integrante de nuestra personalidad; en lo sucesivo, al engañarla, nos ofendemos a nosotros mismos.

Rafael contempló enternecido aquella estancia saturada de amor, llena de recuerdos, donde la luz tomaba tintes voluptuosos, y volvió de nuevo sus ojos a aquella mujer de formas puras y juveniles, palpitante de pasión todavía, y cuyos sentimientos, sobre todo, eran exclusivamente para él. Entonces, deseó continuar viviendo. Cuando su mirada cayó sobre Paulina, la muchacha se despertó inmediatamente, como si hubiera herido sus pupilas un rayo de sol.

—Buenos días, palomito mío —dijo riendo—. ¡Qué guapo estás, picarón!

Aquellas dos cabezas, impregnadas de una gracia debida al amor, a la juventud, a la penumbra y al silencio, formaban una de esas divinas escenas cuya magia transitoria pertenece únicamente a los primeros días de la pasión, del propio modo que la inocencia y el candor son los atributos de la infancia. ¡Ay! Esas alegrías primaverales del amor, como las risas de nuestra niñez, huirán, y vivirán tan sólo en nuestro recuerdo para desesperarnos o para derramar sobre nosotros algún bálsamo consolador, según los caprichos de nuestras íntimas meditaciones.

— ¿Por qué te has despertado? —preguntó Rafael—. Me halagaba tanto contemplar tu sueño, que hasta lloraba.

—También he llorado yo esta noche, al contemplarte en reposo, pero no de alegría —contestó Paulina—. ¡Oye, Rafael! Cuando duermes, tu respiración no es franca; hay en tu pecho algo que resuena y que me da miedo. Durante tu sueño, tienes una tosecilla seca, semejante en absoluto a la de mi padre, que padece una tisis que le consume. He reconocido en tus pulmones algunos de los efectos extraños de la fatal dolencia. Además, estoy segura de que tienes fiebre; tu mano estaba húmeda y ardorosa. Sin embargo, tú eres joven —añadió temblando—, y aun podrías curarte, si por desgracia… ¡Pero no! —exclamó cambiando de tono—, ¡no hay tal desgracia! Esa enfermedad se contagia, según dicen los médicos.

Y enlazó a Rafael con sus dos brazos, aspirando su aliento en uno de esos besos en que el alma sube a los labios.

—No deseo envejecer —dijo—. Muramos jóvenes los dos, y ascendamos al cielo entre guirnaldas de flores.

—Esos proyectos se hacen siempre, cuando disfrutamos de buena salud —objetó Rafael, introduciendo sus manos en la cabellera de Paulina.

Pero en aquel momento le acometió un horrible acceso de tos, una de esas toses roncas y cavernosas que parecen salir de un ataúd, que hacen lividecer a los pacientes y los deja trémulos, inundados en sudor, después de excitar su sistema nervioso, de quebrantar sus huesos, de fatigar su médula espinal y de entorpecer la normal circulación de la sangre. Rafael, abatido, pálido, se reclinó lentamente, postrado como quien ha gastado toda su fuerza en un postrer esfuerzo. Paulina clavó en él sus pupilas, agrandadas por el miedo, y permaneció inmóvil, pálida, silenciosa.

—No hagamos tonterías, ángel mío —dijo, tratando de ocultar a Rafael los horribles presentimientos que la agitaban.

Y se tapó la cara con las manos, porque vio la repulsiva silueta de la «Muerte». La cabeza de Rafael se había tornado lívida y hueca, como un cráneo arrancado de las profundidades de un cementerio para servir de estudio. Paulina recordó la exclamación escapada la víspera a Rafael, y pensó:

— ¡Sí! Hay abismos que el amor no puede franquear, pero debe sepultarse en ellos.

Una mañana del mes de marzo, pocos días después de la citada escena de desolación, Rafael se hallaba sentado en una butaca, rodeado de cuatro médicos que le habían hecho colocar a la luz, delante del balcón de su aposento, y le pulsaban alternativamente, le palpaban, le interrogaban con aparente interés. El enfermo espiaba sus pensamientos interpretando sus gestos y hasta el más leve entrecejo que fruncía sus frentes.

Aquella consulta era su última esperanza. Aquellos jueces supremos iban a pronunciar una sentencia de vida o de muerte.

Para arrancar la última palabra a la ciencia humana, Valentín había convocado a los oráculos de la medicina moderna. Gracias a su fortuna y a su nombre, se habían congregado en su presencia los tres sistemas entre los cuales flotan los conocimientos humanos.

Tres de los doctores llevaban consigo toda la filosofía médica, representando en ellos la lucha entablaba entre la espiritualidad, el análisis y cierto eclecticismo burlón. El cuarto médico era Horacio Bianchon, hombre de gran porvenir y repleto de ciencia, el más distinguido quizá por los médicos noveles, sabio y modesto diputado de la juventud estudiosa que se apresta a recoger la herencia de los tesoros acumulados por espacio de cincuenta años por la Facultad de París, y llamado probablemente a levantar el monumento para el que los siglos precedentes han aportado tantos y tan diversos materiales. Amigo del marqués y de Rastignac, se había encargado de la asistencia del primero pocos días antes, y le ayudaba a responder a las preguntas de los tres profesores, a quienes indicaba de vez en cuando, con una especie de insistencia, los diagnósticos reveladores, a su juicio, de una tisis pulmonar.

—Ha debido usted cometer muchos excesos, entregándose a una vida disipada, y, a la vez, desarrollar un intenso trabajo mental —dijo a Rafael uno de los tres afamados doctores, cuya cabeza cuadrada, ancho rostro y vigorosa complexión parecían denotar un genio superior al de sus dos antagonistas.

—He querido matarme haciendo una vida desordenada, después de pasar tres años escribiendo una extensa obra, en la que quizá se ocupen ustedes algún día —contestó Rafael.

El eminente facultativo movió la cabeza, en señal de satisfacción, como si dijera para su capote:

— ¡Estaba seguro de ello!

El que así habló era el ilustre Brisset, el jefe de los materialistas, el sucesor de los Cabanis y de los Bichat, el médico de los espíritus positivistas, que ven en el hombre un ser finito, sujeto únicamente a las leyes de su propio organismo, y cuyo estado normal o deletéreas anomalías se explican por causas evidentes.

A la respuesta del marqués, Brisset miró en silencio a uno de sus colegas de profesión; un individuo de regular estatura, cuyo encendido rostro y ardientes pupilas parecían pertenecer a un sátiro de la antigüedad, y que, recostado en el quicio del balcón, contemplaba atentamente a Rafael, sin proferir palabra. Hombre exaltado y creyente, el doctor Caméristus, paladín de los espiritualistas, poético defensor de las doctrinas abstractas de Juan Bautista van Helmont, veía en la vida humana un principio elevado, secreto, un fenómeno inexplicable que se burla de los bisturíes, engaña a la cirugía, escapa a las fórmulas de la farmacopea, a los cálculos algebraicos, a las demostraciones de la anatomía, y se ríe de nuestros esfuerzos; una especie de llama intangible, invisible, sometida a determinada ley divina, y que se mantiene con frecuencia en los cuerpos condenados por todos los pronósticos, como deserta de los organismos más viables.

Una sardónica sonrisa, vagaba por los labios del tercer galeno, el doctor Maugredie, hombre cultísimo, pero pirrónico y guasón, que no creía más que en el escalpelo, concedía a Brisset la posibilidad de la muerte de una persona en plena salud, y reconocía con Caméristus la de que un hombre siga viviendo después de muerto. Encontraba algo bueno en todas las teorías, sin adoptar ninguna, pretendiendo que lo más acertado, en medicina, es prescindir de sistemas y atenerse a las circunstancias especiales de cada caso. Panurgo de la escuela, rey de la observación, aquel gran explorador, aquel gran burlón, el hombre de las tentativas desesperadas, examinaba la piel de zapa.

—Desearía ser testigo de la coincidencia que existe entre la manifestación de sus deseos y la contracción de esta piel —indicó al marqués.

— ¿Para qué? —objetó Brisset.

—Es sobrenatural —opinó Caméristus.

— ¡Ah! ¿Están ustedes de acuerdo? —preguntó Maugredie a sus colegas.

—Esa contracción es sencillísima —manifestó Brisset.

—Es sobrenatural —opinó Caméristus.

—En efecto —replicó Maugredie, afectando un aire solemne y devolviendo a Rafael su piel de zapa—. El encogimiento del cuero es un hecho inexplicable, aunque natural, que, desde la creación del mundo, constituye la desesperación de la medicina y de las mujeres bonitas.

Observando detenidamente a los tres doctores, Valentín no descubrió en ellos ningún interés por sus padecimientos. Los tres, callados a cada respuesta, le miraban indiferentemente de pies a cabeza y le preguntaban sin compadecerle. Se traslucía la despreocupación, a través de su cortesía. Ya fuese por convicción, ya reflexivamente, sus palabras eran tan raras, tan indolentes, que hubo momentos en que Rafael los creyó distraídos.

Únicamente Brisset se limitaba a contestar con un «¡Bien! ¡Bien!», cuando Bianchon demostraba la existencia de todos los más alarmantes síntomas. Caméristus permanecía sumido en profunda meditación, y Maugredie parecía un autor cómico, estudiándolos tipos para reproducirlos fielmente en la escena.

La fisonomía de Horacio denunciaba una honda pena, una compasión impregnada de tristeza. Había ejercido muy poco su profesión, para mostrarse insensible ante el dolor e impasible junto a un lecho mortuorio; no sabía extinguir las lágrimas provocadas por la amistad, que empañan las pupilas, impidiendo al hombre ver claro y aprovechar, como el general en jefe de un ejército, el momento propicio para la victoria, sin escuchar ayes y lamentos de los moribundos.

Después de pasar una media hora, tomando en cierto modo la medida de la enfermedad y del enfermo, como un sastre toma la del frac a un joven que le encarga su traje de boda, se extendieron en varios lugares comunes, hablando hasta de política, y por último, solicitaron la venia para trasladarse al despacho de Rafael, con objeto de cambiar sus impresiones y redactar la sentencia.

—Señores —preguntó el marqués—, ¿me permitirían ustedes asistir a la discusión?

Ante semejante pretensión, Brisset y Maugredie protestaron vivamente, y a pesar de las instancias de su enfermo, se negaron a deliberar en su presencia. Rafael se sometió a la costumbre.

Pensando que le sería fácil deslizarse a un corredor, desde donde oiría perfectamente el debate técnico que iba a entablarse entre los tres profesores.

—Señores —dijo Brisset al entrar—, permítanme ustedes que me anticipe a emitir mi opinión. No trato de imponerla, ni de promover controversia. Desde luego, es clara, precisa, y resulta de una completa homogeneidad entre uno de mis enfermos y el paciente que hemos sido llamados a reconocer. Además, me esperan en el hospital que tengo a mi cargo. La importancia del caso que reclama mi presencia en dicho benéfico establecimiento, me disculpará de tomar la palabra en primer término. El «sujeto» que nos ocupa, está igualmente gastado por el trabajo mental… ¿Qué obra es la que ha escrito, Horacio? —preguntó dirigiéndose al médico novel.

—Una teoría de la voluntad.

— ¡Cáscaras! El tema es vastísimo. Pues bien; como decía, su decaimiento proviene tanto de un exceso de labor imaginativa, como de desarreglos en el régimen, del uso reiterado de estimulantes demasiado enérgicos. La acción forzada del cuerpo y del cerebro ha viciado el funcionamiento de todo el organismo. Es fácil reconocer, señores, en los síntomas de la cara y del cuerpo, una tremenda irritación en el estómago, la neurosis del gran simpático, la viva sensibilidad del epigastrio, la reducción de los hipocondrios. Ya se habrán fijado ustedes en el volumen y en las palpitaciones del hígado. Por último, el señor Bianchon, que ha observado constantemente a su enfermo, nos ha manifestado que sus digestiones son difíciles, laboriosas. Hablando con propiedad, ya no hay estómago: ha desaparecido el ser corpóreo. El intelecto está atrofiado, porque el individuo ya no digiere. La alteración progresiva del epigastrio, centro de la vida, ha perturbado todo el sistema. De ahí las continuas y flagrantes irradiaciones que han invadido el cerebro, introduciendo el desorden en él, por el plexo nervioso, y produciendo como consecuencia una exagerada excitación en dicho órgano.

»La monomanía es indudable. El enfermo está dominado por una idea fija. Para él, esta piel de zapa se contrae realmente, aunque es probable que siempre haya tenido el mismo tamaño que ahora; pero, contráigase o no, la tal zapa viene a ser para él la mosca en la nariz de cierto gran visir. Apliquemos prontamente unas sanguijuelas al epigastrio; calmemos la irritación de ese órgano, base del funcionamiento de los demás; sometamos al enfermo a un régimen, y la monomanía cesará.

»Y no diré más al doctor Bianchon; él es quien debe determinar el conjunto y los detalles del tratamiento. Quizás esté complicado con algún otro este padecimiento: quizás existe inflamación en las vías respiratorias; pero creo que el tratamiento del aparato digestivo es mucho más importante, más necesario, más urgente que el de los pulmones. El estudio tenaz de materias abstractas y algunas pasiones violentas han producido graves perturbaciones en ese mecanismo vital; pero aún es tiempo de enderezar los resortes, porque no hay ninguna lesión incurable. Puede pues, salvarse fácilmente a su amigo —terminó diciendo a Bianchon.

—Nuestro entendido colega —contestó Caméristus— toma el efecto por la causa. Realmente, existen en el enfermo las alteraciones tan bien observadas por nuestro compañero; pero no es que el estómago haya ido estableciendo gradualmente esas irradiaciones en el organismo y hacia el cerebro, semejantes a las que forma la rotura de un cristal, sino que ha sido preciso un golpe que produzca la rotura. ¿Quién ha dado ese golpe? Eso es lo que hay que averiguar. ¿Hemos observado suficientemente al enfermo? ¿Conocemos todos los accidentes de su vida? Señores, el principio vital, el «foco» de van Helmont, aparece lesionado en él; la vitalidad misma se encuentra atacada en su esencia; el destello divino, la inteligencia transitoria que viene a servir como de engranaje a la máquina y que produce la voluntad, la ciencia de la vida, ha cesado de regularizar los fenómenos cotidianos del mecanismo y las funciones de cada órgano. De ahí provienen los desórdenes tan bien apreciados por mi docto colega. El movimiento no ha partido del epigastrio al cerebro, sino del cerebro al epigastrio.

»¡No! —añadió, golpeándose con fuerza el pecho—, ¡yo no me considero como un estómago ambulante! No todo estriba en eso. Por mi parte, no me sentiría con valor para afirmar que, teniendo un buen epigastrio, lo demás importa un bledo. No es posible —prosiguió, más ensalmado— someter a una misma causa física y a un tratamiento uniforme las graves perturbaciones que sobrevienen en los diferentes individuos, más o menos seriamente atacados. Ningún hombre se parece a otro.

»Todos tenemos órganos especiales, diversamente afectados, nutridos de distinto modo, apropiados para llenar misiones diferentes, para desarrollar temas necesarios al cumplimiento de un orden de cosas que nos es desconocido. La porción del gran todo, que por una alta voluntad viene a operar, a mantener en nosotros el fenómeno de la animación, se formula de una manera distinta en cada hombre, constituyéndole en un ser finito en apariencia pero que coexiste, por un punto, con una causa infinita. Por eso, debemos estudiar cada sujeto separadamente, penetrarle, reconocer en qué consiste su vida, la potencia que alcanza ésta. Desde la blandura de una esponja empapada hasta la dureza de la piedra pómez, hay infinidad de gradaciones. Tal ocurre en el hombre. Entre la complexión fofa de los linfáticos y el vigor metálico de los músculos de ciertos individuos destinados a una prolongada existencia, ¿cuántos errores no cometerá el sistema único, implacable, de la curación por el abatimiento, por la postración de las energías humanas, que siempre se suponen excitadas?

»Así, pues, en el caso presente, yo adoptaría un tratamiento puramente moral, un examen bien a fondo del ser íntimo. Vamos a buscar la causa del mal en las entrañas del alma, y no en las entrañas del cuerpo. Un médico es un ser inspirado, dotado de un genio especial, a quien Dios concede la facultad de leer en la vitalidad, del propio modo que otorga al poeta la de evocar la Naturaleza, al músico la de combinar los sonidos en un orden armónico, cuyo tipo quizá se halla en las alturas…

— ¡Siempre su medicina absolutista, monárquica y religiosa! —murmuró Brisset.

—Señores —repuso vivamente Maugredie, ahogando con presteza la frase de Brisset—, no perdamos de vista que el enfermo…

— ¡He ahí los progresos y las conclusiones de la ciencia! —exclamó melancólicamente Rafael—. ¡Mi curación fluctúa entre un rosario y una sarta de sanguijuelas, entre el bisturí de Dupuytren y la oración del príncipe de Hohenlohe! Maugredie está ahí, dudando, en la línea que separa el hecho de la palabra, la materia del espíritu. La contradicción humana me persigue por todas partes; siempre el «carymari» «carymara» de Rabelais. ¿Estoy espiritualmente enfermo? Pues ¡carymari! ¿Lo estoy corporalmente? ¡Carymara! ¿Viviré? Lo ignoran. Por lo menos, Planchete era más franco al decirme: No sé.

La voz de Maugredie llegó a oídos de Rafael en aquel momento.

—El enfermo es monomaníaco —dijo—. En este punto estamos de acuerdo; pero posee doscientas mil libras de renta, estos monomaníacos son escasísimos, y cuando menos, les debemos un dictamen. En cuanto a saber si su epigastrio ha influido en el cerebro, o su cerebro en el epigastrio, quizá tengamos ocasión de comprobarlo, después de muerto. Resumamos, pues. Su enfermedad es un hecho incontestable, como lo es la consecuencia de que requiere un tratamiento cualquiera. ¡Dejémonos de doctrinas! Apliquémosle sanguijuelas para calmar la irritación intestinal y la neurosis, acerca de cuya existencia estamos conformes, y luego, enviémosle a un balneario. De este modo, emplearemos los dos sistemas. Si es tuberculoso, nos será difícil salvarle, así que…

Rafael se alejó presurosamente del corredor y volvió de nuevo a su sillón. Al poco rato, los cuatro médicos salieron del despacho. Horacio tomó la palabra, diciendo al marqués:

—Mis distinguidos compañeros han reconocido unánimemente la necesidad de una inmediata aplicación de sanguijuelas al estómago, y la urgencia de un tratamiento físico y moral a la vez. Ante todo, un régimen dietético, a fin de calmar la irritación de su organismo.

Brisset hizo un signo de aprobación.

—Después, un régimen higiénico, para regularizar la parte moral. Por tanto, aconsejamos a usted, también por unanimidad, que vaya a las aguas de Aix, en Saboya, o a las de Mont Dore, en Auvernia, sí las prefiere. El aire y el panorama de Saboya son más agradables que los del Cantal; pero esto queda a su elección.

El doctor Caméristus dio muestras de asentimiento con otro gesto.

—Como estos señores —prosiguió Bianchon— han observado ligeras alteraciones en el aparato respiratorio, han coincidido respecto a la utilidad de mis prescripciones anteriores. Opinan que su curación es fácil, y dependerá del empleo, prudentemente alternado, de estos medios… y…

— ¡Comprendo que tu hija no recobre el habla! —dijo Rafael, sonriendo y llevándose a su despacho a Horacio, para abonarle el importe de la inútil consulta.

—Son lógicos —le contestó el joven médico—. Caméristus siente, Brisset examina, Maugredie duda. ¿Acaso no tiene el hombre alma, cuerpo y raciocinio? Una de estas tres causas primordiales actúa en nosotros con mayor o menor energía, ejerciendo su constante influjo en la ciencia humana. Créeme, Rafael: nosotros no curamos, ayudamos a curar. Entre la medicina de Brisset y la de Caméristus, continúa existiendo la medicina expectante; pero, para practicarla con éxito, sería preciso conocer al enfermo desde diez años antes. En el fondo de la medicina, como en todas las ciencias, hay negación. Procura, pues, vivir cuerdamente y trata de emprender un viaje a Saboya: lo mejor es y será siempre confiarse a la naturaleza.

Un mes después, a la vuelta del paseo y en una hermosa tarde de verano, se hallaban congregados, en los salones del casino, varios de los concurrentes al balneario de Aix.

Sentado junto a una ventana y vuelto de espalda a los reunidos, Rafael permaneció sólo durante largo rato, sumido en uno de esos maquinales desvaríos, en cuyo curso nacen, se encadenan y se desvanecen nuestras ideas; sin revestir formas, pasando por nosotros como ligeras nubes, apenas coloreadas.

En esos instantes, la tristeza es suave, la alegría vaporosa y el alma está casi adormecida. Dejándose llevar de esa vida sensual, Valentín se bañaba en la tibia atmósfera del crepúsculo, saboreando el aire puro y perfumado de las montañas, satisfecho de no sentir ningún dolor y de haber logrado reducir al silencio a su amenazadora piel de zapa. En el momento en que las rojas tintas del ocaso se extinguieron en las cimas, la temperatura refrescó y Rafael abandonó su puesto, cerrando la ventana.

— ¡Caballero! —le increpó una dama de avanzada edad—. ¿Tendría usted la bondad de no cerrar la vidriera? ¡Nos estamos asfixiando!

Esta frase desgarró el tímpano de Rafael, con disonancias de singular acritud: fue como la expresión que deja escapar imprudentemente un hombre, en cuya amistad quisiéramos creer, y que destruye alguna grata ilusión sentimental, descubriendo una sima de egoísmo. El marqués lanzó a la vetusta dama la mirada glacial de un diplomático impasible, llamó a un criado, y le ordenó secamente, al presentarse.

— ¡Abra usted la ventana!

El hecho produjo sorpresa insólita, que se reflejó en las fisonomías de los circunstantes. Todos se pusieron a cuchichear, mirando al enfermo más o menos airadamente, como si hubiera cometido una grave impertinencia. Rafael, que no había desechado por completo su prístina timidez de adolescente, estuvo a punto de avergonzarse; pero sacudió su cortedad, recobró su energía y se pidió cuenta a sí mismo de la extraña escena.

Una rápida conmoción animó su cerebro. El pasado se le apareció en una visión distinta, en la que resaltaron las causas del sentimiento que inspiraba, como se destacan las venas de un cadáver, en las que se inyecta una substancia colorante, en la conveniente proporción. Se reconoció a sí mismo en aquel cuadro fugitivo; siguió en él su existencia, día por día, pensamiento por pensamiento viose, no sin sorpresa, sombrío y distraído en el seno de aquella sociedad jovial, pensando desdeñar la más insignificante, conversación, esquivando esas intimidades efímeras que se establecen rápidamente entre los bañistas, sin duda porque cuentan con no volverse a encontrar; sin cuidarse de los demás, y semejante, en fin, a esas rocas tan insensibles a las caricias como al furor de las olas.

Después, por un raro privilegio de intuición, leyó en todas las almas. Al distinguir, a la luz de un candelabro el cráneo amarillento, el perfil sardónico de un viejo, recordó haberle ganado su dinero, sin proponerle el desquite; más allá, vio a una linda mujer, cuyas insinuaciones y zalamerías acogiera con frialdad. Cada fisonomía le reprochaba un agravio inexplicable en apariencia; pero cuyo resquemor subsiste, por constituir una ofensa al amor propio. Involuntariamente, había lastimado todas las pequeñas vanidades que gravitaban en su derredor. Los invitados a sus fiestas o aquellos a quienes ofreciera sus caballos, estaban resentidos de su boato; sorprendido de su ingratitud, les evitó aquella especie de humillación, y entonces, creyéndose despreciados, le acusaron de altanería.

Sondeando así los corazones, logró descifrar los más recónditos pensamientos, y se horrorizó de la sociedad, de sus formulismos y de sus ficciones. Rico y superior en talento, era envidiado o aborrecido: su silencio frustraba la curiosidad, y su modestia era tomada por orgullo por aquellas gentes mezquinas y superficiales. Adivinó la falta latente, irremisible, de que se había hecho culpable para con ellas; rebasaba los límites de la jurisdicción de su mediocridad. Rebelde a su inquisitorial despotismo, acertó a prescindir de su trato; y para vengarse de aquella realeza clandestina, todos se coligaron instintivamente, para hacerle sentir su poder, someterle a una imitación de ostracismo y enseñarle que también ellos podían pasar sin él. Compadecido al principio de aquel aspecto social, no tardó en estremecerse, al pensar en el dócil poder que le descorría el velo carnoso bajo el que se hallaba sepultada la naturaleza moral, y cerró los ojos, como no queriendo ver nada más.

De pronto, se tendió un espeso y sombrío cortinón ante aquella siniestra fantasmagoría palpable, y se encontró en el horrible aislamiento, reservado a las potestades y dominaciones. En aquel momento, le acometió un violento acceso de tos. Lejos de recoger una sola de esas frases indiferentes en apariencia, pero que simulan por lo menos una especie de cortés compasión, entre personas bien educadas reunidas por casualidad, llegó a sus oídos una serie de interjecciones hostiles y de quejas murmuradas en voz queda.

La sociedad, ni siquiera se dignaba ya recatarse en su presencia, por considerar, sin duda, que había sido adivinada por él.

— ¡Esa enfermedad es contagiosa!

— ¡Bien podía prohibirle la entrada en el salón, el presidente del Casino!

— ¡Es una grosería toser así, delante de todo el mundo!

— ¡Un hombre tan enfermo no debe concurrir a los balnearios!

— ¡Acabaré por marcharme de aquí!

Rafael se levantó para substraerse a la maldición general, y dio unas vueltas por la sala. Buscando protección, se acercó a una joven aislada, con la idea de dedicarle algunas finezas; pero ella, al percatarse de su propósito, le volvió la espalda. Fingiendo mirar a los que bailaban. Rafael temió haber de apelar a su talismán, durante la velada, falto de voluntad y de ánimo para entablar conversación, abandonó la sala de fiestas y se refugió en la de billar, donde no fue acogido con mayor afecto. Nadie le saludó, nadie le dirigió la palabra, ni siquiera una mirada de benevolencia. Su espíritu, naturalmente meditabundo, le reveló, por una susceptibilidad intuitiva, la causa general y racional de la aversión que inspiraba. Aquel reducido núcleo social obedecía, sin saberlo quizás, a la ley suprema que rige al gran mundo, cuya ética implacable se desarrolló por completo a los ojos de Rafael. Una ojeada retrospectiva le presentó a Fedora como el tipo acabado de la sociedad. Tan poca simpatía encontraría en ésta para sus padecimientos, como en aquélla para las miserias de su corazón.

El mundo alegre destierra de su seno a los desdichados, como un hombre de salud vigorosa expulsa de su cuerpo un principio morbífico. El mundo abomina de los dolores y de los infortunios, los teme como a la peste, y no titubea entre ellos y los vicios.

El vicio es un lujo. Por majestuosa que sea una desgracia, la sociedad sabe empequeñecerla, ridiculizarla con un epigrama: traza caricaturas para lanzar a la cabeza de los reyes caídos las afrentas que supone haber recibido de ellos. Semejante a las jóvenes romanas del Circo, no perdona jamás al gladiador vencido; vive de oro y de burla. «¡Mueran los débiles!». Tal es el lema de esa especie de orden ecuestre instituida en todas las naciones del orbe, porque en todas partes existen ricos, y esa sentencia está escrita en el fondo de los corazones moldeados por la opulencia o nutridos por la aristocracia. ¿Se reúnen niños en un colegio? Pues esa imagen escorzada de la sociedad, pero imagen tanto más exacta en cuanto más ingenua y más franca, ofrecerá siempre pobres ilotas, seres destinados al sufrimiento y al dolor, colocados incesantemente entre el desprecio y la piedad. El Evangelio les promete el cielo. ¿Se desciende más en la escala de los seres organizados? Si entre las aves encerradas en un corral, hay alguna enteca y enfermiza, las restantes la persiguen a picotazos, la despluman y la torturan.

Fiel a esta ley fundamental del egoísmo, el mundo prodiga sus rigores a las lacerías suficientemente osadas para perturbar sus fiestas, para acibarar sus placeres. Quienquiera que padezca física o moralmente, que carezca de dinero o de poder, es un paria. Que permanezca en su desierto; si traspasa sus límites, sólo encontrará por todas partes crudezas invernales frialdad en las miradas, en los ademanes, en las palabras, en el corazón; y aún puede darse por satisfecho si no recolecta el insulto allí donde debería brotar para él un consuelo.

¡Moribundos! ¡Ancianos! ¡Quedaos solos en vuestros fríos hogares! ¡Doncellas sin dote! ¡Helaos y abrasaos en vuestros solitarios desvanes! Si la sociedad tolera una desventura, es tan sólo para acomodarla a su capricho, para explotarla, aherrojarla y enfrenarla, para utilizarla como un objeto de recreo. ¡Atrabiliarias señoritas de compañía! ¡Mantened la sonrisa en vuestros rostros; soportad el histerismo de vuestra pretendida bienhechora; pasead sus perros, rivales de sus falderos ingleses, distraedla, adivinad sus deseos y callad a todo! ¡Y tú, rey de los lacayos sin librea, desvergonzado parásito, deja tu personalidad en casa; digiere como digiera tu anfitrión, hazle coro en sus risas y en sus llantos, regocíjate con sus chistosas ocurrencias, y si quieres denigrarle, aguarda su caída! Así es como la sociedad honra la desgracia; la mata o la ahuyenta; la envilece o la expurga.

Todas estas reflexiones invadieron sordamente el corazón de Rafael, con la prontitud de una inspiración poética. Al mirar en torno suyo, sintió ese frío siniestro que la sociedad destila para alejar las miserias, y que impresiona al alma con más viveza de la que hiela los cuerpos el cierzo decembrino.

Cruzó los brazos sobre el pecho, apoyó la espalda en la pared y cayó en una profunda melancolía, pensando en la escasa dicha que la espantosa organización proporciona al mundo. ¿Qué significaba, en suma, todo aquello? Distracciones sin placer, alegrías sin expansión, fiestas sin regocijo, delirio sin voluptuosidad, leña y cenizas, en fin, en un hogar, sin un vestigio de llama. Al levantar la cabeza, se encontró solo. Habían huido los jugadores.

— ¡Para hacerles adorar mi tos —murmuró—, me bastaría revelarles mi poder!

Y al formular su pensamiento, interpuso el manto del desprecio entre su personalidad y el mundo.

Al día siguiente le visitó el médico del balneario, mostrándose inquieto por su salud. Rafael no pudo contener un movimiento de alegría al oír las cariñosas frases de interés y de afecto. Encontró la fisonomía del doctor impregnada de dulzura y de bondad, le pareció que hasta los rizos de su cabellera respiraban filantropía, y que todo su ser denotaba un carácter apostólico, expresaba la caridad cristiana y la abnegación del hombre que, celoso por sus enfermos, se limitaba a jugar con ellos a los naipes, lo bastante bien para ganarles su dinero.

—Señor marqués —dijo, después de una extensa conferencia con Rafael

—, tengo fundadas esperanzas de disipar su tristeza. Ahora, conozco suficientemente la constitución de usted, para afirmar que los médicos de París, cuyos preclaros talentos son indiscutibles, se han equivocado acerca de la naturaleza de su enfermedad. De no sobrevenir accidente, señor marqués, puede usted alcanzar más larga vida que Matusalén. Sus pulmones son tan fuertes como fuelles de fragua, y su estómago podría competir con el de un avestruz; pero, si vive usted en temperaturas elevadas, está expuesto a que le lleven muy pronto camino del cementerio.

»El señor marqués me comprenderá en dos palabras. La química ha demostrado que la respiración constituye en el hombre una verdadera combustión, cuya mayor o menor intensidad depende de la abundancia o escasez de principios flogísticos acumulados por el organismo especial a cada individuo. En el suyo, abunda el flogisto; está usted, si se me permite la expresión, superoxigenado, por efecto de su complexión ardiente, propia de los hombres predestinados a la vehemencia en sus pasiones. Al respirar el aire vivo y puro que acelera la vida en los individuos de fibra blanca, fomenta usted una combustión ya sobradamente activa. Así, pues, una de las condiciones de su existencia es la atmósfera densa de los establos, de los valles. Sí; el ambiente vital del hombre devorado por el genio, está en los fértiles prados de Alemania, en Baden-Baden, en Toepliz. Si no siente usted aversión a Inglaterra, sus horizontes brumosos calmarán su incandescencia; pero nuestros balnearios, situados a mil pies sobre el nivel del Mediterráneo, no pueden menos de serle funestos.

»Tal es mi opinión —concluyó el doctor, exteriorizando un gesto de modestia—, que formulo contra nuestros intereses, puesto que, de seguirla, tendremos el sentimiento de vernos privados de su grata compañía.

A no ser por estas últimas palabras, Rafael habría quedado seducido por la fingida bondad del meloso galeno; pero era un observador demasiado profundo para no adivinar por el acento, por la actitud y por la mirada que acompañaron a la suave zumbona frase, la misión de que indudablemente había encargado a aquel hombrecillo el cónclave de sus alegres enfermos. Aquellos ociosos de rubicunda tez, aquellas aburridas viejas, aquellos ingleses nómadas, aquellas elegantes escapadas del domicilio conyugal y llevadas al balneario por sus amantes, se proponían expulsar del establecimiento a un pobre moribundo débil, enclenque, incapaz, aparentemente, de resistir a una persecución cotidiana. Rafael aceptó el combate, viendo un entretenimiento en aquella intriga.

—Pues que tanto lamentaría usted mi marcha —contestó al doctor—, procuraré armonizar su excelente consejo con mi permanencia en estos sitios. Mañana mismo dispondré la construcción de una casa, en la que modificaremos el ambiente, con arreglo a sus instrucciones.

El médico, interpretando la sonrisa amargamente irónica que asomó a los labios de Rafael, se limitó a saludarle, sin acertar con la réplica.

El lago del Bourget es una dilatada cortadura entre los acantilados de las montañas, en la que brilla, a setecientos u ochocientos pies sobre el nivel del Mediterráneo, una superficie de un azul único en el mundo. Visto desde la altura del Diente del Gato, el lago se asemeja a una enorme turquesa perdida en el fondo. La hermosa capa líquida tiene un contorno de nueve leguas y, en ciertos sitios, cerca de quinientos pies de profundidad. Pasear en una barca por el centro de aquella tranquila sábana, bajo un cielo sereno, sin oír otro ruido que el de los remos ni ver en el horizonte más que montañas brumosas; admirar las deslumbrantes nieves de la Maurienne francesa; pasar sucesivamente de bloques de granito cubiertos por el aterciopelado de los helechos, o por arbustos enanos, a risueñas colinas; a un lado el desierto, al otro una opulenta naturaleza; un mendigo asistiendo a la comida de un potentado; estas armonías y estas discordancias constituyen un espectáculo, en el que todo resulta grande o todo resulta pequeño. El aspecto de las montañas cambia las condiciones de la óptica y de la perspectiva un abeto de cien pies parece una caña; amplios valles, se ven estrechos como senderos. Es un lago apropiado para una confidencia amorosa. Allí se piensa y se ama. No existe lugar alguno de tan perfecto concierto entre el agua, el cielo, las montañas y el llano. Allí se encuentran bálsamos para todas las crisis de la vida. Es un paraje que guarda el secreto de los dolores, los consuela, los atenúa e infunde al amor cierta solemnidad, cierto recogimiento, que hacen la pasión más profunda, más pura. Allí se amplifica un beso. Pero, sobre todo, es el lago de los recuerdos; los favorece comunicándoles el matiz de sus ondas, espejo en que todo se refleja.

Rafael no soportaba su carga sino disfrutando de aquel precioso paisaje; allí podía permanecer indolente, soñador y sin deseos. Después de la visita del doctor, fue a pasearse y desembarcó en la punta desierta de una linda colina, sobre la cual está situada la aldea de San Inocencio. Desde aquella especie de promontorio, la vista abarca los montes de Bugey, al pie de los cuales corre el Ródano y el fondo del lago; pero lo que complacía especialmente a Rafael, era la contemplación, en la ribera opuesta, de la melancólica abadía de Haute-Combe, sepultura de los reyes de Cerdeña, prosternados ante las montañas como peregrinos llegados al término de su viaje. Un rumor uniforme y acompasado de remos turbó el silencio de aquella soledad, prestándola una voz monótona, semejante a las salmodias de, los monjes.

Asombrado de la presencia de paseantes en aquella parte del lago, solitaria de ordinario, el marqués, sin salir de su abstracción, examinó a las personas que ocupaban la barca, reconociendo, a popa, a la vetusta dama que tan duramente le interpeló la víspera. Al pasar la embarcación por delante de

Rafael, únicamente le saludó la señorita de compañía de la dama, infeliz sirvienta distinguida a quien le pareció ver por primera vez. Transcurrido un rato, cuando ya se había olvidado de los paseantes, desaparecidos prontamente tras la eminencia, oyó cerca de sí el roce de un vestido y el ruido de unos pasos precipitados. Al volver la cabeza, vio a la señorita de compañía. Por su azorado aspecto comprendió que deseaba hablarle y avanzó hacia ella.

Era mujer de unos treinta y seis años, alta y delgada, adusta y fría, como todas las solteronas, de mirada tímida, que no convenía ya con su porte Indeciso, sin soltura ni elasticidad. Vieja y joven a la par, revelaba, en cierta dignidad de su actitud, la alta estimación que otorgaba a sus tesoros y a sus perfecciones. En cuanto a lo demás, se observaban en ella los gestos discretos y monásticos de las mujeres habituadas a quererse a sí mismas, sin duda para no prescindir de su sino amoroso.

—Caballero, su vida está en peligro: no vaya usted al Casino —dijo a Rafael, retrocediendo unos cuantos pasos, como si ya considerase comprometida su virtud.

—Señorita —contestó Valentín sonriendo—, hágame usted el obsequio de explicarse con mayor claridad, ya que se ha dignado venir hasta aquí…

— ¡Ah! —replicó ella—, a no ser por el poderoso motivo que me trae, no me habría arriesgado a incurrir en el desagrado de la señora condesa, porque si llegase a saber que he prevenido a usted…

— ¿Y quién se lo ha de decir, señorita? —objetó Rafael.

—Es verdad —asintió la solterona, parpadeando, al mirarle, como una lechuza expuesta a la luz del sol—; pero guárdese usted. Varios jóvenes que quieren echarle del balneario, se han conjurado para provocarle y obligarle a batirse con ellos.

La voz cascada de la vetusta dama resonó en la lejanía.

—Señorita —dijo el marqués—, mi reconocimiento…

Pero su protectora salió escapada, al oír la voz de su señora, cuyo desentonado eco repercutía en las rocas:

— ¡Pobre mujer! —pensó Rafael, sentándose al pie de un árbol—. Las miserias se entienden y se auxilian siempre.

La ciencia por excelencia, es, sin disputa, la del interrogante. La mayor parte de los descubrimientos se deben al «¿Cómo?», y la sabiduría, en la vida, estriba quizás en preguntarse a cada paso «¿Por qué?». Pero, en cambio, esta presciencia ficticia destruye nuestras ilusiones. Así, Valentín, al tomar, sin premeditación filosófica, la buena acción de la solterona como tema de sus errabundos pensamientos, la encontró impregnada de hiel.

—Que se hubiera enamorado de mí una señorita dé compañía —dijo para sí—, no tendría nada de extraordinario. Al fin y al cabo, tengo veintisiete años, poseo un título y disfruto de una renta de doscientas mil libras. Pero, ¿no es una cosa extraña y anómala que su señora, más arisca que un gato, la haya traído embarcada para que se aviste conmigo? Esas dos antiguallas, que han venido a Saboya para dormir como marmotas y que preguntan si hace sol al mediodía, ¿es posible que hoy se hayan levantado antes de las ocho y que hayan seguido mi camino, por pura casualidad?

La solterona y su ingenuidad cuadragenaria acabaron por aparecer a sus ojos como una nueva transformación de aquella sociedad artificiosa y ruin, como un ardid mezquino, un torpe complot, una quisquilla de clérigo o de mujer. ¿Sería una patraña lo del duelo, o se trataría únicamente de asustarle? Insolentes y molestas como moscas, aquellas almas raquíticas lograron excitar su vanidad, despertar su orgullo, picar su curiosidad. No queriendo verse convertido en juguete suyo, ni pasar por cobarde, y distraído quizá por el pequeño drama concurrió aquella misma noche al Casino.

Se mantuvo en pie, acodado sobre el mármol de la chimenea, y permaneció tranquilo, entre la animación del salón principal, procurando no dar ocasión al menor incidente, pero examinando las caras y retando a la concurrencia, en cierto modo, con su circunspección. Como un dogo seguro de su fuerza, aguardaba el ataque en su puesto, sin ladrar inútilmente.

Poco antes de terminar la velada, dio una vuelta por la sala de juego, paseando desde la puerta de entrada a la del billar y dirigiendo de vez en cuando una ojeada a los jóvenes que jugaban una partida. Al cabo de unos cuantos paseos, oyó pronunciar su nombre. Aunque los contendientes Hablaban en voz baja, Rafael comprendió fácilmente que él era el objeto de su discusión, y acabó por percibir al vuelo algunas frases cambiadas en tono más alto.

— ¿Tú?

— ¡Sí, yo!

—Lo dudo.

— ¿Qué apostamos?

— ¡Oh! Acudirá.

En el momento en que Valentín, movido por la curiosidad de conocer el motivo de la apuesta, se detuvo para escuchar atentamente la conversación, salió del salón del billar uno de los jóvenes, corpulento y fornido, de buen aspecto, pero con esa mirada fija e impertinente, peculiar en las personas poseídas de su superioridad física.

—Caballero —dijo con toda calma, encarándose con Rafael—, he aceptado el encargo de hacerle saber una cosa, que parece ignorar. Sus cualidades personales desagradan aquí a todo el mundo, y especialmente a mí. Supongo a usted lo bastante cortés para dejar de sacrificarse por el bien general, y le suplico que no vuelva más al Casino.

—Señor mío —contestó fríamente Rafael—, esa broma, usada ya en tiempos del Imperio en varias guarniciones, está reconocida hoy como del peor gusto.

—No bromeo —replicó el provocador—. Se lo repito; su permanencia en estos lugares resultaría sumamente dañosa para su salud; el calor, las luces, el ambiente del salón, el exceso de concurrencia, son perjudiciales a su enfermedad.

— ¿Dónde ha estudiado usted la carrera de medicina? —preguntó Rafael.

—Me gradué de licenciado en el tiro Lepage, de París, y me doctoré en la sala de Cerisier, el rey del florete —repuso el interpelado.

—Pues aún le falta una reválida —replicó Valentín—. Estudie usted y apruebe las reglas de urbanidad, y será un perfecto caballero.

Los jóvenes compañeros del retador, sonrientes unos y silenciosos otros, salieron del billar. Los restantes jugadores, percatados ya del diálogo, soltaron los naipes, para no perder detalle de aquella querella, que halagaba sus pasiones. Solo entre aquel concurso hostil, Rafael procuró conservar su sangre fría y no incurrir en la más ligera falta; pero, como su antagonista se permitiera un sarcasmo, en el que iba envuelto el ultraje en una forma incisiva e ingeniosa, le contestó gravemente:

—Caballero, hoy ya no está permitido abofetear a un hombre, pero no encuentro palabras para calificar su villana conducta.

— ¡Basta! ¡Basta! —dijeron varios jóvenes, interponiéndose entre los dos contrincantes—. Mañana se darán ustedes explicaciones.

Rafael salió de la sala, pasando por ofensor, después de aceptar una cita junto al castillo de Bordeau, en una pequeña pradera en declive, cerca de una carretera recientemente abierta y por la que el vencedor podía escapar a Lyon. Forzosamente, o habría de guardar cama, o abandonar el balneario de Aix. La sociedad triunfaba.

A las ocho de la mañana siguiente, el adversario de Rafael estaba en el punto designado, en compañía de dos testigos y un médico.

—Hace un tiempo soberbio para batirse y el sitio no puede ser mejor —observó con satisfacción, mirando alternativamente, la bóveda azul del firmamento, las aguas del lago y las rocas, sin el menor recelo de contratiempo en el lance.

Luego, volviéndose hacia el médico, le preguntó:

—Si le alcanzo en el hombro, tendrá cama para un mes, ¿verdad, doctor?

—Lo menos —contestó el aludido—. Pero deje usted en paz a esa mimbrera; de lo contrario, se le cansará la mano y no podrá dominar el pulso, y quizá mate a su adversario, en vez de herirle.

En aquel instante se oyó el rodar de un carruaje.

— ¡Ya está aquí! —dijeron los testigos, que no tardaron en ver avanzar por el camino un coche de viaje, tirado por cuatro caballos y guiado por dos postillones.

— ¡Vaya una manera de presentarse! —exclamó el adversario del marqués —. Viene a morir en silla de posta.

En un duelo, como en el juego, los más insignificantes incidentes influyen en la imaginación de los actores, vivísimamente interesados en el éxito de un golpe. Así, el joven esperó con una especie de inquietud la llegada del vehículo, que permaneció estacionado al borde del camino. El anciano Jonatás fue el primero en saltar pesadamente a tierra, para ayudar a descender a Rafael; le sostuvo en sus débiles brazos, desplegando cuidados tan solícitos como los que un amante pudiera prodigar a su amada. Ambos se internaron en los senderos que separaban la amplia carretera del sitio elegido para el combate, tardando largo rato en reaparecer: caminaban lentamente.

Los cuatro espectadores de aquella singular escena experimentaron una profunda emoción, al ver a Rafael apoyado en el brazo de su servidor; pálido y demacrado, marchaba como un gotoso, con la cabeza baja y sin pronunciar palabra. Habríaseles tomado por dos ancianos igualmente caducos, uno por la acción del tiempo, y el otro por las cavilaciones; el primero llevaba escrita la edad en sus canas; la edad del joven era indefinida.

—Caballero, estoy sin dormir —dijo Rafael a su adversario.

Esta frase glacial y la terrible mirada que la acompañó sobresaltaron al verdadero provocador, que comprendió la injusticia de su proceder y se avergonzó íntimamente de su conducta. Había en la actitud, en el tono de voz y en la expresión de Rafael, algo imponente y extraño. El marqués hizo una pausa y todos imitaron su silencio. La zozobra y la atención llegaron al colino.

—Aún está usted a tiempo de darme una satisfacción, por ligera que sea —prosiguió Rafael—; pero démela usted, porque en otro caso morirá. En este momento, continúa usted contando con su habilidad, sin retroceder ante la idea de un encuentro, en el que supone tener a su favor todas las ventajas. Pues bien, caballero, quiero mostrarme generoso previniéndole mi superioridad.

Poseo un poder terrible. Para anular su destreza, velar sus miradas, hacer temblar sus manos y palpitar su corazón, hasta para matarle, me basta desearlo. No quisiera verme precisado a utilizar mi poder, porque me costaría demasiado caro; no moriría usted solo. Pero si se niega usted a presentarme sus excusas, su bala irá a parar a las aguas de esa cascada, a pesar de su hábito de cometer asesinatos, y la mía se alojará en su corazón, sin que para ello necesite apuntar siquiera.

Un rumor confuso interrumpió a Rafael, quien, al pronunciar las anteriores palabras, no apartó de su adversario sus fulgurantes pupilas, irguiéndose y mostrando un semblante impasible, semejante al de un loco peligroso.

— ¡Hazle callar! —gritó el joven contendiente a su padrino—; su voz me crispa los nervios.

— ¡Cese usted en sus consideraciones, caballero! —demandaron a una voz el médico y los testigos—. Cuanto exponga, será inútil.

—Es que cumplo con un deber, señores —replicó Rafael—. ¿Tiene algunas disposiciones que tomar ese joven?

— ¡Basta! ¡Basta!

El marqués permaneció en pie, inmóvil, sin perder un instante de vista a su adversario, que, dominado por un poder casi mágico, estaba como un pájaro ante una serpiente. Constreñido a soportar aquella mirada homicida, procuraba esquivarla, sin atinar a conseguirlo.

—Dame agua, tengo sed —dijo a su testigo.

— ¿Tienes miedo?

—Sí —contestó—. La mirada de ese hombre es candente y me fascina.

— ¿Quieres darle una satisfacción?

—Ya es tarde.

Los dos adversarios fueron colocados a quince pasos de distancia. Ambos tenían a su alcance un par de pistolas, y, con arreglo a las condiciones estipuladas, debían hacer dos disparos a voluntad, previa una señal de los testigos.

— ¿Qué haces, Carlos? —gritó el joven que servía de segundo testigo al contrincante de Rafael—. ¡Estás introduciendo la bala antes que la pólvora!

— ¡Soy muerto! —murmuró el advertido—. Me habéis situado de cara al sol.

— ¡Si le tiene usted a su espalda! —observó el marqués en tono grave y solemne, cargando su pistola lentamente, sin inquietarse por la señal, ya hecha, ni por el cuidado con que le enfocaba su adversario.

Aquella seguridad sobrenatural tenía algo de pavoroso, que impresionó hasta a los dos postillones, atraídos al lugar de la contienda por insana curiosidad. Jugando con su poder o queriendo ponerlo a prueba, Rafael hablaba con Jonatás, y le miraba en el momento de hacer fuego su enemigo. La bala de Carlos fue a romper la rama de un sauce, y rebotó al agua. Rafael disparó a su vez, al azar, hiriendo a su adversario en el corazón; y sin cuidarse de la caída del joven, buscó presurosamente la piel de zapa, con objeto de comprobar lo que le costaba una vida humana. El talismán había quedado reducido al tamaño de una hojita de roble.

— ¿Qué hacéis ahí, mirando lo que nada os importa? —increpó el marqués a los postillones—. ¡En marcha!

Llegado aquella misma tarde a Francia, tomó inmediatamente el camino de Auvernia, dirigiéndose al balneario de Mont Dore. Durante el viaje, surgió en su mente una de esas ideas súbitas, que caen en nuestra alma como un rayo de sol a través de densa niebla en un obscuro valle. ¡Tristes fulgores, experiencias implacables, que iluminan los hechos consumados, descorren el velo de nuestras faltas y nos dejan sin perdón ante nosotros mismos! Pensó de pronto en que la posesión del poder, por inmenso que éste pueda ser, no proporciona la ciencia de utilizarle. El cetro es un juguete en manos de un niño, una hacha en las de Richelieu, y en las de Napoleón una palanca que hace vacilar al mundo. El poder nos deja tal cual somos y no engrandece más que a los grandes. Rafael pudo hacerlo todo y no hizo nada.

En el balneario de Mont Dore encontró aquella misma sociedad que se apartaba de él, con idéntico apresuramiento al que los animales ponen en huir del cadáver de uno de su especie, después de olfatearlo a distancia. El odio era recíproco. Su reciente aventura le había inspirado aversión profunda a la sociedad. Así, su primera precaución fue buscar un asilo separado, en las inmediaciones del establecimiento. Sentía instintivamente la necesidad de acercarse a la naturaleza, de disfrutar emociones reales, de hacer esa vida vegetativa a la que tan complacientemente nos abandonamos en pleno campo. Al día siguiente de su llegada, trepó, no sin trabajo, al pico de Sancy, recorrió los valles superiores, contempló parajes aéreos, lagos ignorados, las rústicas cabañas de los montes Dore, cuyos agrestes y salvajes atractivos comienzan a tentar a los pinceles de nuestros artistas. A veces, se encuentran allí admirables paisajes llenos de encanto y del lozanía, que contrastan vigorosamente con el aspecto siniestro de aquellas desoladas montañas. A una media legua de la aldea, Rafael dio con un sitio coquetón y alegre como un niño, en el que la Naturaleza parecía haberse esmerado en ocultar sus tesoros, y al ver aquel retiro pintoresco y sencillo, resolvió instalarse en él. La vida debía ser allí tranquila, espontánea, frugiforme como la de una planta.

Figuraos un como invertido, pero un cono de granito, de ancha base; una especie de cubeta, cuyos bordes aparecían mealados por extrañas anfractuosidades; aquí, mesetas lisas, sin vegetación, compactas y azuladas, sobre las cuales resbalaban los rayos del sol como sobre un espejo; allá, peñas resquebrajadas., surcadas de barrancos, en cuyos salientes oscilaban enormes masas de lava, cuya caída iban preparando lentamente las aguas pluviales, y frecuentemente coronadas por algunos árboles achaparrados, azotados por los vientos; diseminados en todas direcciones, bosquecillos escalonados de castaños, altos como cedros, o grutas que abrían su boca lóbrega y profunda, palizada de; zarzas y flores y guarnecida por una faja de verdura. En el fondo de aquella cortadura, quizá cráter de un volcán en otros tiempos, se veía un estanque, cuyas cristalinas aguas tenían el brillo del diamante. Alrededor de la profunda cuenca, bordeada de granito, de sauces, de espadañas, de fresnos y de mil plantas aromáticas, en flor a la sazón, se extendía una pradera verdegueante como el césped de un parterre inglés, regada por las filtraciones destiladas entre las hendiduras de las rocas y abonada por los residuos vegetales que las tormentas arrastraban incesantemente desde las cimas al fondo. El estanque, festoneado irregularmente, tendría la extensión aproximada de tres fanegas de tierra, y la pradera, siguiendo los entrantes y salientes de la roca en el agua, mediría de una a dos fanegas de anchura, en los diferentes sitios; en algunos, apenas quedaba espacio para el paso de las vacas. A cierta altura, cesaba la vegetación. El granito afectaba en los aires las más raras formas, y adquiría esos tintes vaporosos que dan a las montañas elevadas vagas semejanzas con las nubes.

Aquellas rocas, desnudas y peladas, oponían al grato aspecto de la cañada las agrestes y estériles imágenes de la desolación, el temor de posibles desmoronamientos y formas tan caprichosas, que una de ellas ha sido denominada «El Capuchino», por su asombroso parecido con un monje. En ocasiones, los puntiagudos picachos, las atrevidas moles, las cavernas aéreas, se iluminaban sucesivamente, siguiendo el curso del sol a los antojadizos cambios atmosféricos, tomando los matices del oro, tiñéndose de púrpura, tornándose de un color de rosa vivo, mate o gris.

Aquellas montañas ofrecían un espectáculo continuo y mudable, como los irisados reflejos del cuello de las palomas. A veces, entre dos conglomerados de lava, que hubiéranse creído separados por un hachazo, penetraba un rayo de luz, a la aurora o a la puesta del sol, hasta el fondo de aquella riente canastilla, jugueteando en las aguas del estanque, semejante a la dorada línea que se filtra por la rendija del postigo y cruza una habitación, cuidadosamente entornada para la siesta. Cuando el sol caía a plomo sobre el antiguo cráter, lleno de agua por alguna revolución antediluviana, los rocosos flancos se caldeaban, el extinguido volcán parecía recobrar su actividad, y su rápido calor despertaba los gérmenes, fecundaba la vegetación, coloreaba las flores y maduraba los frutos de aquel reducido y recóndito rincón de la tierra.

Al llegar Rafael, vio unas cuantas vacas pastando en la pradera, y después de avanzar unos pasos hacia el estanque, divisó, en el sitio en que el terreno alcanzaba su mayor anchura, una modesta casa de granito, cubierto de madera. La techumbre de aquella especie de choza, en armonía con el paraje, estaba revestida de musgo, de hierba y de trepadoras, que denunciaban lo remoto de su origen. Una tenue humareda, con la que ya estaban familiarizados hasta los pájaros, se escapaba por la ruinosa chimenea. A la puerta, se hallaba emplazado un gran banco entre dos madreselvas enormes, cuajadas de flores que embalsamaban el ambiente. Apenas se veían los muros, ocultos por los pámpanos de la parra y bajo las guirnaldas de rosas y de jazmines, que crecían libremente y a la ventura.

Los moradores, indiferentes a las campestres galas, no se cuidaban de ellas, dejando a la naturaleza su gracia virginal y retozona. Unas ropillas infantiles tendidas en un grosellero se secaban al sol. Sobre la mesa de una máquina de triturar cáñamo se acurrucaba un gato, y debajo, yacía un caldero de latón, recién fregado, entre un montón de mondaduras de patatas. Al otro lado de la casa, Rafael se fijó en una valla de espinos, cuyo indudable objeto era impedir que las gallinas devastaran los frutos y el huerto. Parecía que allí acababa el mundo. Aquella vivienda se asemejaba a esos nidos construidos por ciertas aves en el hueco de una roca, llenos de arte, a la vez que de negligencia. Era una naturaleza sencilla y primitiva, una verdadera rusticidad, pero poética, porque florecía a mil leguas de nuestras pulidas poesías, no presentaba analogía con ninguna idea, no procedía sino de sí misma, verdadero triunfo del azar.

En el momento de la llegada de Rafael, el sol lanzaba sus rayos de derecha a izquierda, haciendo resplandecer los colores de la vegetación, poniendo de relieve o destacando efectos de la luz, contrastes de la sombra, los fondos amarillentos o grisáceos de las rocas, los diversos matices del follaje, los macizos azules, rojos o blancos de las flores, las plantas trepadoras y sus campanillas, el tornasolado terciopelo de los musgos, los purpurinos racimos de los brezales, y, sobre todo, la transparente superficie líquida, en la que se reflejaban fielmente las cimas graníticas, los árboles, la casa y el cielo.

En aquel delicioso cuadro todo relumbraba; desde la brillante mica hasta las rubias mazorcas envueltas en una suave penumbra. Todo se ofrecía en conjunto armónico; la manchada vaca de lustroso pelaje; las frágiles flores acuáticas, tendidas como una franja y pendientes sobre el agua, en una hondonada en la que zumbaban insectos ataviados de azul o esmeralda; las raíces de los árboles, especie de cabelleras arenosas que coronaban una informe figura pétrea. Las tibias emanaciones de las aguas, de las flores y de las grutas, que perfumaban aquel solitario recinto, produjeron a Rafael una sensación casi voluptuosa.

De pronto, los ladridos de dos perros interrumpieron el silencio que reinaba en aquella floresta, olvidada tal vez en las listas del recaudador de contribuciones. Las vacas volvieron la cabeza hacia la entrada de la cañada, mostrando a Rafael sus húmedos hocicos y continuaron pastando, después de contemplarle estúpidamente. Una cabra y su cabritillo, suspendidos de las rocas como por arte de encantamiento, treparon por los riscos, yendo a situarse a una meseta de granito inmediata a Rafael, pareciendo interrogarle. La algarabía de los perros atrajo al exterior a un chiquillo gordinflón, que se quedó con la boca abierta, y tras él, a un anciano de venerable cabeza y regular estatura.

Aquellos dos seres guardaban también perfecta relación con el paisaje, con el ambiente, con las flores y con la casa. Aquella exuberante naturaleza rebosaba salud, y la vejez y la infancia resultaban hermosas en ella. En una palabra: existía en todos aquellos tipos vivientes un abandono primordial, una rutina de felicidad, que daba un mentís a nuestras ramplonerías filosóficas y curaba al corazón del abotagamiento de sus pasiones.

El viejo era uno de esos modelos predilectos de los varoniles pinceles de Schnetz. De rostro moreno, cuyas numerosas arrugas revelaban aspereza a simple vista; nariz recta, pómulos salientes y veteados de rojo, como una hoja de vid agostada, y contornos angulosos, denotaba todos los caracteres de la energía, siquiera fuesen desapareciendo las energías; sus manos callosas, aunque ya no trabajasen, conservaban un escaso vello blanco; su continente de hombre verdaderamente libre, hacía presentir que quizás en Italia se hubiera hecho bandido, por amor a su preciosa libertad. El muchacho, verdadero montañés, tenía unos ojos negros que podían mirar al sol sin parpadear, cutis atezado y cabellera castaña y desgreñada, era listo y resuelto, y espontáneo en sus movimientos, como un pájaro: mal vestido, dejaba ver una piel blanca y fresca a través de los desgarrones de sus ropas.

Ambos permanecieron quietos y silenciosos, sin apartarse uno del otro, movidos por el mismo sentimiento, ofreciendo en sus fisonomías la prueba de una perfecta identidad en su vida igualmente ociosa. El anciano se había acomodado a los juegos del niño y el niño al genio del anciano, por una especie de pacto entre dos debilidades, entre una fuerza próxima a fenecer y una fuerza próxima a desarrollarse.

Poco después apareció en el umbral de la puerta una mujer que frisaría en los treinta años. Llevaba una rueca en la mano, y avanzaba sin interrumpir su tarea. Fresca y coloradota, de aspecto franco y jovial, blanca dentadura, talle esbelto y abultado seno, su tipo, su indumentaria y su tonillo denunciaban su origen auvernés. Era la personificación completa del país, con sus costumbres laboriosas, su ignorancia, su fisonomía, su cordialidad, sus características todas.

Saludó a Rafael y entraron en conversación. Los perros se apaciguaron; el anciano se sentó en un banco al sol, y el chiquillo siguió todos los pasos de su madre, silencioso, pero atento, examinando al forastero.

— ¿No tienen ustedes miedo aquí? —preguntó Rafael.

— ¿Miedo? ¿De qué? —contestó la mujer—. En atrancando la puerta, ¿quién ha de entrar? No, señor; no tememos absolutamente nada, Además —agregó, pasando al marqués a la principal habitación de la casa—, ¿qué podrían venir a llevarse de aquí los ladrones?

Y enseñó a Rafael las paredes ennegrecidas por el humo, que ostentaban por todo adorno unos ejemplares de esas estampas chillonas que representan la «Muerte del Crédito», la «Pasión de Jesucristo» y los «Granaderos de la Guardia Imperial», y luego, distribuidos por la estancia, una vieja cama de nogal, con columnas, una mesa desvencijada, varios taburetes, el arcón del pan, un trozo de tocino colgado del techo, un tarro de sal, una sartén, y en el vasar de la chimenea varias piezas de loza. Al salir Rafael vio entre las rocas a un hombre apoyado en un azadón, mirando hacia la casa con marcada curiosidad.

—Es mi hombre —dijo la auvernesa, sonriendo con la sencillez propia de las campesinas—. Labra unas tierras allá arriba.

—Y ese anciano, ¿es padre de usted? —preguntó Rafael.

—Dispénsele, señor; es el abuelo de mi marido. Ahí donde le ve usted, tiene ciento dos años. Sin embargo, no hace mucho que se fue a pie, con nuestro pequeño, a Clermont. ¡Oh! ha sido un hombre muy fuerte: ahora no hace más que comer, beber y dormir. Se entretiene continuamente con el chicuelo, que a veces le hace trepar por esos riscos, y le sigue como si tal cosa.

Rafael se decidió en el acto a vivir en compañía del anciano y del niño, a respirar en su ambiente, a comer su pan, a beber su agua, a dormir como ellos, a infiltrar en sus venas aquella sangre sana. ¡Ilusiones de moribundo! Convertirse en una de las ostras adheridas a aquella roca, salvar su concha por unos días más, amodorrado a la muerte, fue para él el arquetipo de la moral individual, la verdadera fórmula de la existencia humana, el bello ideal de la vida. Surgió en su mente un pensamiento de profundo egoísmo, en el que quedó absorbido el Universo. Para él, había dejado de ser el Universo; el Universo se había concentrado en él. Para los enfermos, el mundo comienza en la cabecera y acaba en los pies de su lecho. Aquel paisaje fue el lecho de Rafael.

¿Quién no ha espiado, siquiera una vez en su vida, los pasos y los movimientos de una hormiga, introduciendo pajitas por el respiradero único de un caracol, estudiado los caprichos de una señorita enclenque, admirado el policromo veteado, semejante al rosetón de una catedral gótica, que se destaca en el fondo rojizo de las hojas de un roble joven? ¿Quién no ha contemplado con delicia, durante largos ratos, los efectos de la lluvia y del sol en el tejado de una casa frontera, o examinado atentamente las gotas del rocío, los pétalos de las flores, los variados festones de sus cálices? ¿Quién no se ha sumido en esos arrobamientos materiales, indolentes y detenidos, sin finalidad alguna, pero que suelen sugerirnos una idea? ¿Quién no ha llevado, en fin, la vida de la infancia, la vida holgazana, la vida del salvaje, descartando sus inconvenientes?

Así vivió Rafael durante varios días, sin cuidados, sin deseos, experimentando una sensible mejoría, un bienestar extraordinario, que calmó sus inquietudes y mitigó sus sufrimientos. Trepaba por las rocas, yendo a sentarse sobre un picacho, desde donde sus miradas abarcaban un extensísimo panorama. Allí permanecía días enteros, como una planta al sol, como una liebre en su cama, o bien, familiarizándose con los fenómenos de la vegetación, con las vicisitudes del cielo, espiaba el progreso de todas sus obras, en la tierra, en las aguas o en el aire.

Intentó asociarse al movimiento íntimo de aquella naturaleza, identificarse en lo posible a su pasiva obediencia para caer bajo la ley despótica y conservadora que rige las existencias Instintivas. No quería soportar la carga de sí mismo.

A semejanza de los antiguos criminales, que, perseguidos por la justicia, lograban salvarse cobijándose a la sombra de un altar, trataba de deslizarse en el santuario de la vida. Llegó a convertirse en parte integrante de aquella amplia y portentosa fructificación: se acostumbró a las inclemencias del tiempo, habitó en todas las cavernas de las rocas, aprendió los hábitos y costumbres de todas las plantas; estudió el régimen de las aguas, sus yacimientos; entró en relación con los animales; se asoció, en fin, tan en absoluto a aquella tierra inanimada, que se apropió, en cierto modo, su alma y sorprendió sus secretos.

Para él, los formas infinitas de todos los reinos eran desarrollos de una misma substancia, combinaciones de un mismo movimiento, vasta respiración de un ser inmenso, que actuaba, crecía, andaba y pensaba, y con el cual quería crecer, andar, pensar y actuar. Había mezclado fantásticamente su vida a la vida de aquella roca, se había implantado en ella.

Merced a tal misterioso iluminismo, convalecencia ficticia, semejante a esos bienhechores delirios otorgados por la Naturaleza, como otras tantas etapas en el dolor, Valentín gustó los placeres de una segunda infancia durante los primeros instantes de su residencia entre aquel risueño paisaje. Allí fue desentrañando nimiedades, emprendiendo mil cosas sin ultimar ninguna, olvidando al día siguiente los proyectos de la víspera, despreocupado por completo: fue dichoso, creyéndose salvado.

Una mañana se quedó casualmente en el lecho hasta el mediodía, sumido en ese amodorramiento mezcla de vigilia y de sueño, que presta a las realidades las apariencias de la fantasía y a las quimeras el relieve de la existencia, cuando súbitamente, sin saber en un principio si continuaba soñando, oyó por primera vez el parte de su salud comunicado por su patrona a Jonatás, que, como todos los días, fue a preguntar por él. La auvernesa, creyendo sin duda que Valentín dormía, no bajó el diapasón de su sonora voz montañesa.

—No se encuentra mejor ni peor —dijo—. Ha seguido tosiendo toda la noche, que parecía que se ahogaba. El pobre señor tose y escupe de un modo, que da lástima oírle. Mi hombre y yo nos preguntamos muchas veces de dónde sacará las fuerzas para toser así. Parte el alma. ¡Qué maldita enfermedad ha cogido! La verdad es que está muy malo. Todas las noches nos acostamos, temiendo encontrarle muerto a la mañana siguiente. Está amarillo como la cera. ¡Pobrecillo! Todas las mañanas le observo, al levantarse, y está tan flaco y tan débil, que se tambalea. ¡Hasta parece que huele mal! Pero él no hace caso y se consume corriendo por ahí, como si tuviera salud para guardar y vender.

»Yo no sé cómo tiene resistencia para no quejarse. Bien mirado, sería preferible que acabara de una vez, porque está padeciendo las penas de la Pasión. No es que se lo deseemos, ni está en nuestro interés, aunque si no nos diera lo que nos da le querríamos lo mismo, porque no es el interés el que nos guía. ¡Diga usted! ¿En qué consistirá que únicamente los que viven en París adquieren esas enfermedades tan perras? ¿Cómo se las arreglarán? ¡Pobre joven! ¡De seguro que no durará mucho! Esa fiebre le va minando atrozmente y acabará con él; pero no lo nota, ni se da cuenta de nada…

»¡No llore usted por eso, señor Jonatás! Después de todo, hay que conformarse pensando en que dejará de sufrir. ¿Por qué no encarga usted una novena? Yo he visto curaciones maravillosas por las novenas, y de buena gana pagaríamos un cirio con tal de salvar a un señorito tan cariñoso, tan bueno, ¡un cordero pascual!

La voz de Rafael era demasiado débil para hacerse oír, circunstancia que le obligó a soportar aquella espantosa charla; pero la impaciencia le arrojó del lecho, y se presentó en el umbral de la puerta, apostrofando a Jonatás:

— ¡Viejo infame! ¿Te has propuesto convertirte en mi verdugo?

La aldeana echó a correr, creyéndose en presencia de un espectro.

— ¡Te prohíbo en absoluto —continuó diciendo Rafael— que inquieras nada referente a mi salud!

—Está bien, señor marqués —contestó el antiguo servidor, enjugándose las lágrimas.

—Y en lo sucesivo, lo mejor que puedes hacer es no acercarte por aquí, sin que yo te lo mande.

Jonatás se dispuso a obedecer; pero, antes de retirarse, lanzó al marqués una mirada leal y compasiva, en la que Rafael leyó su sentencia de muerte. Desalentado, haciéndose cargo en un instante de su verdadera situación, Valentín se sentó en el umbral de la puerta, cruzó los brazos sobre el pecho y bajó la cabeza. Jonatás, alarmado, se aproximó a su amo.

—Señor…

— ¡Vete! ¡Vete de aquí! —gritó el enfermo.

A la mañana siguiente, Rafael, después de ascender por los vericuetos, se sentó en una quebradura revestida de musgo, desde la cual se dominaba el angosto sendero que conducía del balneario a su residencia. Al pie del pico, vio a Jonatás, conversando de nuevo tan la auvernesa. Un malicioso instinto le hizo interpretar los movimientos de cabeza, los gestos desesperados, la siniestra ingenuidad de aquella mujer, y hasta el viento y el silencio le llevaron sus fatídicas palabras. Invadido por el espanto, se refugió en las más altas cimas de las montañas, permaneciendo allí hasta el crepúsculo, sin haber podido desechar los pavorosos pensamientos, tan desdichadamente despiertos en su alma por el cruel interés de que era objeto. De pronto, se presentó la auvernesa ante él, como una sombra en la sombra crepuscular, y por una extravagancia de poeta, creyó advertir, en su corpiño listado de blanco y negro, una vaga semejanza con las descarnadas costillas de un esqueleto.

—Señorito —le dijo la mujer—, se nota mucho relente y se va usted a calar como una sopa. Vuélvase a casa. Es poco sano respirar aire húmedo, y además, no ha tomado usted nada desde esta, mañana.

— ¡Ira de Dios! —exclamó él—. ¡Déjeme usted vivir a mi manera, mala bruja, o me largo de aquí! ¿No le basta con cavarme la fosa todas las mañanas, para venir a removerla por la noche?

— ¡La fosa, señor! ¡Cavarle la fosa! ¿Qué quiere decir eso? ¡Sano y fuerte quisiéramos verle, tantos años como a nuestro abuelito, y no en la fosa! Es muy pronto para pensar en morir.

— ¡Basta! —replicó Rafael.

—Apóyese en mi brazo, señorito. —No quiero.

El sentimiento que más difícilmente soporta el hombre es la piedad, sobre todo cuando la merece. El odio es un tónico, hace vivir, inspira la venganza; pero la piedad mata, acentúa más nuestra debilidad. Es el engaño, el disfraz afectuoso de la enfermedad, el menosprecio en la ternura o la ternura en la ofensa. Rafael encontró en el centenario una piedad triunfante; en el niño una piedad curiosa, en la mujer una piedad importuna, en el marido una piedad interesada; pero en cualquier forma en que se mostrara tal sentimiento, llevaba siempre aparejada la muerte. Un poeta lo traduce todo en poema, terrible o regocijado, según las imágenes que le impresionan: su alma exaltada, rechaza los matices suaves y recoge invariablemente los tonos vivos y marcados. Aquella piedad produjo en el corazón de Rafael un horrible poema de duelo y de melancolía. No pensó, indudablemente, en la franqueza de los sentimientos naturales, al desear acercarse a la Naturaleza. Cuando se creía solo bajo un árbol, atacado por un tenaz acceso de tos, del que jamás triunfaba sin salir abatido de la penosa contienda, veía las pupilas brillantes y diáfanas del chicuelo, puesto de centinela tras una mata, como un indio, acechándole con esa infantil curiosidad, en la que hay tanto de mofa como de placer, y cierto interés mezclado de insensibilidad.

El terrible: «¡Hermano, morir tenemos!» de los trapenses, parecía escrito constantemente en los ojos de los aldeanos con quienes vivía Rafael, que no sabía si temer más sus ingenuas palabras que su silencio: todo le molestaba de ellos.

Una mañana, vio a dos hombres vestidos de negro, que ron, daban a su alrededor, husmeándole y estudiándole a hurtadillas. Luego, fingiendo haber llegado allí por vía de paseo, le dirigieron varias preguntas triviales, a las que contestó lacónicamente.

Reconoció en ellos al médico y al capellán del establecimiento, enviados sin duda por Jonatás, consultados por sus patrones, o atraídos por el olor de una muerte próxima. Entonces, vislumbró su propio cortejo fúnebre, oyó el canto de los sacerdotes, contó las hachas, y ya no vio sino a través de crespones las bellezas de aquella espléndida naturaleza, en cuyo seno creyó haber encontrado la vida. Todo lo que poco antes le presagiaba una prolongada existencia, le vaticinaba en aquel instante un próximo fin. Al día siguiente partió para París, colmado de melancólicos y cordialmente compasivos votos, por parte de sus patrones.

Después de viajar toda la noche, se despertó en uno de los más risueños valles del Borbonesado, cuyos accidentes y panoramas desfilaban ante su vista, rápidamente arrebatados, como las vaporosas visiones de un sueño.

La Naturaleza ostentaba sus galas con cruel coquetería. Ya desarrollaba el

Allier, en magnífica perspectiva, su cinta líquida y brillante, y varios caseríos, modestamente ocultos en el fondo de una garganta de amarillentas rocas, mostraban la torre de sus campanarios; ya se descubrían súbitamente los molinos de una cañada, flanqueados por monótonos viñedos; y constantemente, aparecían por doquier amenas quintas y mansiones señoriales, pueblecillos emplazados en las vertientes o carreteras bordeadas de álamos majestuosos; el Loira, en fin, con sus hondas diamantadas, refulgió entre sus áureas arenas.

¡Qué infinidad de seducciones! La Naturaleza agitada, vivaz como un niño, conteniendo apenas el amor y la savia del mes de junio, atraían fatalmente las apagadas miradas del enfermo. Corrió las persianas del carruaje y se echó a dormir.

Al declinar la tarde, pasado ya Cosne, le despertó una gran algazara y se encontró en plena fiesta de un pueblo. La parada de postas estaba situada junto a la plaza. Durante el tiempo invertido por los postillones en el relevo del tiro, presenció las danzas de aquella población regocijada, vio a las muchachas luciendo prendidos de flores, bonitas, incitantes, a los mozos animados, los semblantes de los viejos embotados por el exceso de mosto. Los muchachos en redaban, las viejas charlaban entre risotadas; todo estaba a tono, y el contento emanaba hasta de los trajes y de las mesas de venta.

La plaza y la iglesia ofrecían aspecto de fiesta, y los tejados, las ventanas y las puertas de las casas del lugar, parecían también endomingados.

Como los moribundos, a quienes desasosiega el más leve ruido, Rafael no pudo reprimir una siniestra interjección ni el deseo de imponer silencio a la orquesta, de paralizar aquel movimiento, de acallar el clamoreo, de disipar aquella fiesta insolente.

Subió malhumorado a su carruaje y al mirar de nuevo a la plaza, observó ahuyentada la alegría, en dispersión a las aldeanas y vacíos los bancos. En el tablado de la orquesta, uno de los murguistas, ciego, seguía dando al viento las estridentes notas de su clarinete. Aquella música sin danzarines, aquel vejete de perfil adusto, desarrapado, con los cabellos enmarañados y guarnecido bajo la copa de un tilo, eran como una imagen fantástica del deseo de Rafael. Se había desencadenado uno de esos fuertes chubascos que descargan las tempestuosas nubes del mes de junio, y que cesan tan bruscamente como comienzan.

Era un fenómeno tan natural, que Rafael, se concretó a seguir con la vista los nubarrones que cruzaban el espacio, arrastrados por una racha de viento, sin ocurrírsele siquiera examinar su piel de zapa. Luego se arrinconó en un ángulo del carruaje, que no tardó en rodar sobre la carretera.

Al otro día estaba en su casa, en su habitación, junto a la chimenea, en la que había hecho encender un abundante fuego. Sentía frío. Jonatás le entregó unas cuantas cartas, de Paulina en su mayor parte. Rafael abrió la primera, sin apresurarse, y la desdobló, como si se tratara de una papeleta de apremio del fisco. Leyó las primeras líneas:

«Amadísimo Rafael: Tu partida tiene todas las apariencias de una fuga. ¿Será posible que nadie pueda indicarme tu paradero? Pero, si no lo sé yo, ¿quién ha de saberlo? …»

Sin entrar en más averiguaciones, tomó displicentemente las cartas y las arrojó al hogar, contemplando con mirada empañada y sombría las oscilaciones de la llama, que retorcía el papel perfumado, le abarquillaba, le volteaba, le despedazaba.

Varios fragmentos cayeron sobre las cenizas, poniendo de manifiesto comienzos de frase, palabras sueltas, pensamientos incompletos, que Rafael tuvo la complacencia de salvar de la quema, por maquinal entretenimiento.

«…sentada a tu puerta… esperando… Capricho…, obedezco… Rivales… ¡yo, no!… tu Paulina… ama… ¿cansado de mí?… Si hubieras querido dejarme, no me habrías abandonado… Amor eterno… Morir…»

Estas frases le produjeron una especie de remordimiento; cogió las tenazas y retiró de las llamas el resto chamuscado de una hoja, en la que le decía Paulina:

«… He murmurado, pero sin formular quejas. Al alejarte de mí, te ha guiado seguramente la idea de aliviarme del peso de algunas penas. Quizá me mates algún día, pero eres demasiado bueno para martirizarme. Pues bien; no vuelvas a partir así. Soy capaz de afrontar los mayores suplicios, pero a tu lado. La pena que me impusieras, dejaría de ser tal pena: mi corazón encierra mucho más amor del que te he demostrado. Puedo soportarlo todo, menos llorar lejos de ti y no saber lo que tu…»

Rafael depositó en la repisa de la chimenea el chamuscado trozo de carta; pero, cambiando bruscamente de idea, lo lanzó al fuego. Aquel papel era un recuerdo demasiado vivo de su amor y de su desventurada existencia.

—Ve a buscar al señor Bianchon —ordenó a Jonatás. Horacio acudió al requerimiento, encontrando a Rafael acostado.

—Amigo Horacio —le preguntó éste—, ¿podrías recetarme una mixtura con una ligera dosis de opio, para que me tenga continuamente adormilado, sin que me perjudique el uso constante de esa pócima?

—Nada más fácil —contestó el joven doctor—; pero habrás de levantarte algunas horas, para comer.

— ¡Algunas horas! —interrumpió Rafael—. No, no quiero levantarme más que una hora, a lo sumo.

— ¿Qué te propones? —preguntó Bianchon.

—También se vive mientras se duerme —contestó el enfermo. El médico extendió su prescripción, y entretanto, Valentín hizo comparecer a Jonatás advirtiéndole:

—No dejes entrar a nadie, ni aun a la señorita Paulina.

El antiguo servidor acompañó a Horacio hasta la escalera, interrogándole:

— ¿Hay algún remedio para él, señor Bianchon?

—Lo mismo puede durar mucho, que morir esta misma noche. Tiene iguales probabilidades de vida que de muerte. ¡No lo entiendo! —contestó el médico, insinuando un gesto de duda—. Es preciso distraerle.

— ¡Distraerle! —exclamó el criado—. No le conoce usted, señor. El otro día mató a un hombre, sin decir oxte ni moxte. No hay nada que le distraiga.

Rafael permaneció, durante varios días, sumido en el abatimiento de su sueño ficticio. Merced al poderoso influjo que el opio ejerce sobre los sentidos, aquel hombre de imaginación tan prodigiosamente activa se rebajó al nivel de esos animales que se pudren en el fondo de las selvas, como un residuo vegetal, sin dar un paso para capturar una presa fácil. Hacia las ocho de la noche, saltaba de la cama, y sin darse conciencia exacta de su personalidad, satisfacía el hambre y se acostaba de nuevo. Así dejaba transcurrir inútilmente las horas, sin que le aportasen más que confusas imágenes, apariencias, claroscuros sobre un fondo negro.

Una noche se despertó más tarde que de costumbre, y observó que no se le había servido su comida. Inmediatamente llamó a Jonatás.

— ¡Puedes marcharte! —le dijo—. Te he legado una fortuna, con la cual podrás proporcionarte una vejez dichosa; pero no quiero que juegues con mi vida. ¿Cómo se entiende? ¡Miserable! ¿No se te ha ocurrido que tengo hambre? ¿Dónde está mi comida? ¡Contesta!

Jonatás esbozó una sonrisa de satisfacción, tomó una bujía, cuya luz vacilaba en la profunda obscuridad de las amplísimas estancias del palacio, condujo a su señor, convertido en máquina, a una vasta galería, y abrió bruscamente la puerta.

Inundado de luz, Rafael quedó deslumbrado al pronto y sorprendido después por un espectáculo inaudito. Eran sus arañas cargadas de bujías, las flores más raras de su invernáculo artísticamente dispuestas, una mesa resplandeciente de plata, de oro, de nácar, de porcelanas; una comida regia, humeante y cuyos apetitosos manjares excitaban las sensibles mucosas del paladar.

Allí vio a sus amigos expresamente convocados, en compañía de engalanadas y hechiceras mujeres, con la garganta y los hombros desnudos, las cabelleras llenas de flores, las pupilas brillantes; bellezas diversas todas, provocativas bajo voluptuosos disfraces. Una, delineaba sus mórbidas formas entre los pliegues de una faldilla irlandesa; otra, lucía la lasciva basquiña andaluza; ésta, medio desnuda, representando a Diana cazadora, y aquélla, modesta y atractiva bajo el tocado de la señorita de la Valliére, estaban igualmente consagradas a Baco. En las miradas de todos los comensales brillaban la alegría, el amor, el placer.

En el momento de aparecer encuadrada en la puerta la cadavérica figura de Rafael estalló una aclamación espontánea, unánime, rutilante como los destellos de la improvisada fiesta. Las voces, los perfumes, la claridad, aquellas mujeres de penetrante hermosura, impresionaron todos sus sentidos, despertaron su apetito. Una deliciosa música, oculta en un salón contiguo, ahogaba en un torrente de armonía aquel bullicio embriagador, completando la extraña visión.

Rafael sintió el contacto de una mano delicada y sedosa que oprimía la suya, una mano de mujer, cuyos brazos ebúrneos y torneados se elevaban para estrecharle, la mano de Aquilina. Se dio cuenta de que aquel cuadro no era vago y fantástico, como las fugitivas imágenes de sus descoloridos sueños, lanzó un grito siniestro, cerró violentamente la puerta y afrentó a su anciano servidor, cruzándole la cara de un bofetón.

— ¡Monstruo! —exclamó—. ¿Es que has jurado matarme?

Y palpitante por el peligro que acababa de correr, sacó fuerzas de flaqueza para volver a su dormitorio, ingirió una fuerte dosis de narcótico y se acostó.

— ¡Qué diantre! —repuso Jonatás incorporándose—. ¡Bien me ordenó el señor Bianchon que le distrajera!

Era cerca de media noche. En aquel instante, Rafael, por uno de esos caprichos fisiológicos, asombro y desesperación de las ciencias médicas, aparecía radiante de belleza durante su sueño. Un vivo sonrosado coloreaba sus pálidas mejillas: su frente, límpida y serena como la de una doncella, revelaba el genio. La vida florecía en aquel rostro tranquilo y reposado. Hubiérasele tomado por un chicuelo, dormido bajo el amparo de su madre. Su sueño era reparador; sus entreabiertos labios, matizados de un suave carmín, daban paso a una respiración franca y acompasada; sonreía, transportado sin duda por un sueño a una vida mejor. ¡Quizá se creía centenario, rodeado de nietecillos que le deseaban una prolongada existencia; quizá desde su banco rústico, sentado al sol bajo el follaje, divisaba, como el profeta desde la montaña, la tierra prometida, en bienhechora lontananza!

— ¡Al fin te encontré!

Estas palabras, pronunciadas por una voz argentina, disiparon las nebulosas siluetas de su sueño. Al resplandor de la lámpara, vio sentada sobre su lecho a su Paulina; pero una Paulina embellecida por la ausencia y por el dolor. Rafael quedó estupefacto al contemplar aquel rostro, níveo como los pétalos de una flor acuática, y el complemento de sus cabellos negros, que parecían más negros en la sombra. Las lágrimas habían trazado un surco brillante en sus mejillas, y permanecían suspendidas en ellas, prontas a caer al menor esfuerzo. Vestida de blanco, con la cabeza inclinada y hollando apenas el lecho, estaba allí como un ángel descendido de los cielos, como una aparición, que podría desvanecer el más ligero soplo.

— ¡Ya lo he olvidado todo, Rafael! —exclamó, en el momento en que éste abría los ojos—. Sólo me quedan alientos para decirte: ¡Soy tuya! ¡Sí! ¡Mi corazón es todo amor!... ¡Rafael mío!... Pero tienes mejor semblante que nunca, tus pupilas centellean... ¡Ahora caigo! Has ido sin mí en busca de la salud, porque me temías... ¡Pues bien...!

— ¡Vete, vete! ¡Déjame! —pudo interrumpir al fin Rafael, en voz sorda—. Vete, porque si continúas aquí me muero... ¿Quieres verme morir?

— ¡Morir! —repitió ella—. ¿Acaso es posible que mueras separado de mí? ¡Morir en plena juventud! ¡Morir cuando te amo!... ¡Morir! —añadió con acento profundo y gutural.

Y le asió las manos, en un acceso de frenesí.

— ¡Están frías! —repuso—. ¿Será una ilusión de mis sentidos? Rafael sacó de debajo de la almohada el trozo de piel de zapa, frágil y diminuto como una hoja de evónimo, y se lo mostró diciendo:

— ¡Paulina, bello encanto de mi vida, despidámonos!

— ¿Despedirnos? —preguntó ella, sorprendida.

—Sí. Este es un talismán que realiza mis deseos y representa mi vida. ¡Mira lo que me resta! Si continuamos contemplándonos moriré...

La joven creyó que Valentín se había vuelto loco. Tomó el talismán y fue a buscar la lámpara. Alumbrada por la vacilante luz, que se proyectaba igualmente sobre Rafael y sobre el talismán, examinó con escrupuloso detenimiento el rostro de su amante y la última partícula de la mágica piel. Al contemplarla Rafael, hermoseada por el terror y por el cariño, perdió el dominio sobre su voluntad; los recuerdos de las tiernas escenas y de los goces delirantes de su pasión triunfaron en su alma, largo tiempo aletargada, y se avivaron en ella como un hogar mal apagado.

— ¡Ven, Paulina! ¡Ven!

La joven prorrumpió en un grito desgarrador; sus pupilas se dilataron; sus cejas se distendieron violentamente, enarcándose en una expresión de inusitado dolor. Paulina leyó en los ojos de Rafael uno de esos deseos furiosos, que en otro tiempo constituían la gloria para ella; pero a medida que se acentuaba el deseo, la piel se iba contrayendo, cosquilleando la palma de su mano. Sin reflexionar, huyó al salón contiguo, cuya puerta cerró.

— ¡Paulina! ¡Paulina! —gritó el moribundo, corriendo tras ella—. ¡Te amo, te adoro, te deseo!... ¡Si no abres, caerá sobre ti mi maldición! ¡Quiero morir contigo!

Por un singular fenómeno de energía, en su postrer espasmo vital, derribó la puerta y vio a su adorada con el vestido desabrochado, revolcándose sobre un sofá. Paulina había intentado inútilmente desgarrarse el seno, y para darse pronta muerte, trataba de estrangularse con su chal.

— ¡Muriendo yo, vivirá!... —pensaba, esforzándose vanamente por apretar el nudo.

Sus cabellos estaban sueltos, sus hombros desnudos, sus ropas en desorden, y en aquella lucha con la muerte, sus ojos anegados en llanto, su rostro arrebatado, las convulsiones de su desesperación, ofrecían a Rafael, ebrio de amor, mil atractivos que aumentaron su delirio. Con la ligereza de un ave de rapiña, se abalanzó a ella, rasgó el chal y pretendió tomarla en sus brazos.

El moribundo buscó palabras para expresar el deseo que agotaba sus fuerzas, sin que salieran de su pecho más que los roncos sonidos del estertor; su respiración, cada vez más jadeante y profunda, parecía partir de sus entrañas. Por fin, incapaz ya de articular sonidos, mordió a Paulina en el seno.

Jonatás acudió asustado, al oír gritos, y pretendió arrancar a la joven el cadáver, sobre el que se había acurrucado en un rincón.

— ¿Qué busca usted aquí? —interrogó al doméstico—. Me pertenece. ¡Yo soy quien le ha matado! ¿No lo había vaticinado ya?

EPÍLOGO

— ¿Y qué fue de Paulina?

— ¡Ah! Paulina, os diré. ¿Habéis permanecido alguna vez, en apacible noche invernal, sentados frente al hogar doméstico, voluptuosamente entregados a recordar vuestros amores o vuestra juventud, contemplando las estrías producidas por el fuego en un leño de encina? Aquí, la combustión dibuja en rojo el encasillado de un tablero de ajedrez; allá, produce la impresión del terciopelo; azuladas lengüetas de fuego, corren, saltan y juguetean sobre el candente fondo de la hoguera. Llega un pintor incógnito, que utiliza la llama; por un artificio especial, traza en el seno de aquellos flameantes matices violáceos o purpúreos una figura sobrenatural y de una delicadeza inaudita, fenómeno fugaz que jamás reproducirá el azar; es urca mujer con la cabellera ondeante al viento, y de cuya silueta se desprende una pasión deliciosa. ¡Fuego en el fuego! Sonríe, expira, no la volveréis a ver. ¡Adiós, flor de la llama! ¡Adiós, bosquejo incompleto, inesperado, muy anticipado o muy tardío para brillar en todo su esplendor!

—Pero, ¿y Paulina?

— ¿No lo habéis acertado? Empiezo de nuevo. ¡Paso! ¡Paso! Ya llega. ¡Ved la reina de las ilusiones, la mujer que pasa como un beso, la mujer fulgurante como un relámpago, resplandor emanado, como él, del cielo, el ser increado, todo: espíritu, todo amor! Se ha revestido de una envoltura ígnea, o la llama se ha animado un momento en ella. Las líneas de sus formas son de tal pureza, que acusan su procedencia celeste. ¿No la veis resplandecer como un ángel? ¿No percibís en el aire su leve aleteo? Más ligera que el ave, se posa junto a vosotros y os fascina con su mirada; su dulce pero potente aliento atrae vuestros labios, por una fuerza mágica; os transporta, os parece perder tierra. Si pretendéis pasar una vez siquiera vuestra mano acariciadora, fanatizada, por aquel cuerpo níveo, palpar sus cabellos de oro, besar sus ojos chispeantes, os embriaga un vapor y os hechiza una música encantadora. Todos vuestros nervios se estremecen, os sentís invadidos por el deseo, por el sufrimiento. ¡Oh dicha sin nombre! Habéis tocado los labios de aquella mujer; pero, de pronto, os despierta un dolor agudo. ¡Ja! ¡ja! Os habéis golpeado la cabeza en un ángulo de vuestra cama, os habéis abrazado a la obscura caoba, a los fríos dorados, a cualquier adorno, a un amor de bronce.

—Pero, señor mío, ¿y Paulina?

— ¿Todavía no? Escuchad. Una espléndida mañana, al partir de Tours un joven embarcado en el Ville d'Angers, tenía en su mano la de una hermosa joven. Así unidos, ambos admiraron largo rato, sobre el ancho cauce del Loira, una forma blanca artificialmente surgida del seno de la bruma como fruto de las aguas y del sol, o como un capricho de las nubes y del aire. Sucesivamente ondina o sílfide, la vaporosa silueta revoloteaba en los aires, como frase buscada en vano, que vaga por la memoria sin dejarse secuestrar. Se paseaba entre las islas, agitando su cabeza a través de los elevados álamos: luego, convertida en gigantesca, o hacía resplandecer los mil pliegues de su túnica, o hacía brillar la aureola descrita por el sol en derredor de su rostro; se cernía sobre los caseríos, sobre las colinas, pareciendo prohibir a la embarcación el paso ante el castillo de Ussé. Habríasela creído el fantasma de la Dama de las Bellas Primas, tratando de proteger a su país contra las invasiones modernas.

—Bien; así se concibe a Paulina. ¿Y Fedora?

— ¡Oh! a Fedora ya la encontraréis. Ayer estaba en los Bufos, esta noche irá a la Opera. Está en todas partes; es, si queréis, la Sociedad.

FIN

Ingram Content Group UK Ltd.
Milton Keynes UK
UKHW031838140623
423431UK00009B/244